Intensivstation Sehnsucht

Manfred Riepe ist freier Autor in Frankfurt am Main. Er schreibt Filmkritiken u.a. für epd Film. Regelmäßige Mitarbeit in der Zeitschrift »Psyche«. Buchpublikation: »Bildgeschwüre. Körper und Fremdkörper im Kino David Cronenbergs« (2002). »Übertragung – Übersetzung – Überlieferung. Episteme und Sprache in der Psychoanalyse Jacques Lacans« (hg. mit Georg Christoph Tholen und Gerhard Schmitz, 2001).

Manfred Riepe

Intensivstation Sehnsucht. Blühende Geheimnisse im Kino Pedro Almodóvars. Psychoanalytische Streifzüge am Rande des Nervenzusammenbruchs

[transcript]

Mit freundlicher Unterstützung von
epd Film und Tobis Film

Bibliografische Information der Deutschen Bibliothek
Die Deutsche Bibliothek verzeichnet diese Publikation in der Deutschen Nationalbibliografie; detaillierte bibliografische Daten sind im Internet über http://dnb.ddb.de abrufbar.

Umschlaggestaltung und Innenlayout:
Kordula Röckenhaus, Bielefeld
Lektorat: Gerhard Schmitz, Frankfurt/Main
Satz: digitron GmbH, Bielefeld
Druck: Majuskel Medienproduktion GmbH, Wetzlar
ISBN 3-89942-269-4

Gedruckt auf alterungsbeständigem Papier mit chlorfrei gebleichtem Zellstoff.

Besuchen Sie uns im Internet:
http://www.transcript-verlag.de

Bitte fordern Sie unser Gesamtverzeichnis und andere Broschüren an unter:
info@transcript-verlag.de

Inhalt

Geschichten aus tausend und einer Telenovela

> »Meine Skizzen sind immer literarisch. Wenn Regisseure von dem reden, was ihnen die Idee zu einem Film oder die Lust auf eine Szene gegeben hat, dann beschreiben sie in der Regel ein Bild. Und dieses Bild führt sie zur Geschichte. Für mich stehen am Anfang immer Wörter, Worte, eine Geschichte, die mich dann zu den Bildern des Films führen.«
>
> Pedro Almodóvar

Lesbische Nonnen spritzen Heroin, unterdrückte Hausfrauen erschlagen ihren Mann mit der Schinkenkeule, geschrumpfte Liebhaber leben im Exil einer Damenhandtasche, und Frauen entpuppen sich als Männer, die Frauen imitieren. Solche ›Geschichten‹ erzählt nur der Spanier Pedro Almodóvar. Und kein anderer wird dafür zweimal mit dem Oscar belohnt. Seine subtil schrillen Gratwanderungen zwischen Travestie und Tragik, Komödie und Melodram, Kitsch und Kunst haben eines gemeinsam: Komplex verschachtelte Erzählungen ziehen den Zuschauer mit sich in »Labyrinthe der Leidenschaften«, in denen er sich lustvoll verliert, um hinterher wie beim Erwachen aus einem Traum festzustellen, dass ein Almodóvar-Film sich der linearen Nacherzählung letztlich entzieht. »Ich weiß nicht, warum sich meine Filme nicht mündlich wiedergeben lassen«, sagt Pedro Almodóvar selbst, »und trotzdem liegt ihre Charakteristik gerade in der Erzählung« (Harguindey 2002: 47).

Dieser Widerspruch kennzeichnet auch Almodóvars Biographie, die ebenfalls eine Geschichte aus einem seiner Filme sein könnte. Pedro Almodóvar Caballero (der zweite Nachname ist der seiner 1999 gestorbenen Mutter) wird am 24. September 1949 (andere Quellen nennen den 25. 9. 1951) in einem kleinen Dorf in der *Mancha* geboren, der Heimat des Ritters Don Quijote. Er fühlt sich hier so deplaziert »wie ein Astronaut an König Artus' Hof«, wie im *High Heels*-Presseheft zu lesen ist. Pedro hat eine ältere und eine jüngere Schwester und einen jüngeren Bruder, mit dem er später gemeinsam Filme produzieren wird. Seine Kindheit beschreibt er als weder glücklich noch unglücklich. Der Vater betrachtet den Sohn »mit Befremden und Liebe. Ich gehörte nicht zu seiner Welt« (Millas 2004: 42). Die Mutter sagt, er sei »wie eine Kuh ohne Glocke« (Strauss 1998: 188).

Pedro Almodóvars Vater Antonio und seine Mutter Francisca Caballero

Als Zehnjähriger zieht Almodóvar mit der Familie nach Cacéres und tritt wenig später in ein Internat der Salesianer ein, wo er die Pervertierung des spanischen Katholizismus und die Alltäglichkeit des sexuellen Missbrauchs kennen lernt – Erfahrungen, die in seine Filme *Entre Tinieblas* (Das Kloster zum heiligen Wahnsinn), *Das Gesetz der Begierde* und *Schlechte Erziehung* einfließen werden.

In Cacéres eröffnet sich dem jungen Almodóvar aber auch die Welt des Kinos, das es in dem winzigen Dorf, in dem er geboren wurde, nicht gab. Der junge Cineast taucht in die Filmwelt der 50er und 60er-Jahre ein, ist aber kein schwärmerischer Bewunderer ›des Kinos‹, der sich in die Welt des schönen Scheins flüchtet. Als Homosexueller zählt er nicht zur ›eigentlichen‹ Zielgruppe der heterosexuellen (Liebes-)Geschichten, er sieht die großen Hollywood-Filme stets aus einer leicht versetzten Perspektive. Eine paradigmatische Bemerkung über *Vom Winde verweht* aus einem Artikel, den er 1988 für *Diario 16* schrieb, bringt diese Sichtweise auf den Punkt: »Wenn ihr euch den Film mit Verstand anseht (was gar nicht so einfach ist, weil er so rührselig ist, dass man ihn eigentlich nur mit dem Herzen verfolgen kann), werdet ihr ohne Schwierigkeiten erkennen, dass Scarlett eigentlich eine männliche Figur ist, die von einer Frau gespielt wird« (Almodóvar 1997: 113).

Aus dem Monolog des Priesters in *Entre Tinieblas* (Das Kloster zum heiligen Wahnsinn), der von Audrey Hepburns prachtvollen Kostümen und Hüten in *My Fair Lady* schwärmt, als würde er sie am liebsten selber tragen, ist herauszuhören, dass Almodóvar die großen Produktionen der ›Traumfabrik‹ aus der Sicht einer *Frau* betrachtet – gleichzeitig aber aus der analytischen Perspektive eines ›Mannes‹ reflektiert. Mit einer Art Röntgenblick für Gender-Konstruktionen ›studiert‹ Almodóvar Komödien von Frank Tashlin, Blake Edwards, Stanley Donen und Billy Wilder. Die Schule des Sehens und des Fühlens bildet ihn zum Theoretiker und Handwerker gleichermaßen aus. Frédéric Strauss' erhellende Werkstattgespräche belegen eindrucksvoll, dass Almodóvar nichts ›aus dem Bauch heraus‹ macht: »Dass alle seine Entscheidungen wohlbedacht sind und in einem rigorosen Zusammenhang miteinander stehen, zeigte sich auch darin, dass ihn keine oder fast keine der Fragen, die ich ihm im Verlauf unserer Gespräche stellte, unvorbereitet traf« (Strauss 1998: 10).

Nach Madrid kommt Almodóvar 1968, kurz nachdem die Filmhochschule, die er besuchen will, auf Anordnung Francos geschlossen worden ist. Von 1970 bis 1980 arbeitet er für die staatliche Telefongesellschaft *Telefónica*, tauscht vor Ort Apparate aus und lernt so das kleinbürgerliche spanische Milieu von innen kennen. Schauplatz (fast) all seiner Filme ist Madrid. Der tägliche Weg zur Arbeit führt ihn an den trostlosen Hochhäusern des Stadtteils *La Concepción* vorbei, in dem die Geschichte von *Womit hab' ich das verdient?* spielen wird. Das Kloster an der Calle de Fuencarral dient als Kulisse für das *Kloster zum heiligen Wahnsinn*. Und die Modenschau in *Matador* findet in einem Schlachthof in Legazpi statt. In seinen Filmen schafft Almodóvar eine ganz eigene Chronik des postfrankistischen Madrid, ohne aber die Anmutung eines ›Heimatfilms‹ zu erzeugen.

Nach Feierabend tritt der junge Almodóvar mit der Theatergruppe *Los Goliardos* auf, verfasst pornografische Texte für Fotoromane und kreiert für die Szenezeitung *La Luna* die Figur der Patty Diphusa, »eine typische Frau unserer Zeit« (Almodóvar 1997: 102), genau genommen eine Frau, die nicht schlafen kann, »weil Schlaf für dich den Tod bedeuten würde« (ebd.). Denn Patty Diphusa ist ein Fleisch gewordenes Symbol.

Aus chronischem Geldmangel teilt Almodóvar die Wohnung mit seiner Schwester María Jesús: »Die schwarze Lederuniformjacke, die der Cineast in jener Zeit in einem Nachtclub präsentierte, stammte aus dem Schrank des Schwagers bei der Guardia Civil, die Netzstrümpfe aus dem Schrank der Schwester« (Millás 2004: 38). Im künstlerischen Schmelztiegel der *movida madrileña*, jener Anti-Establishment-Bewegung, die nach dem Tod Francos zwischen 1977 und 1982 ihre Blütezeit hat, kommt Almodóvar auch mit Drogen in Berührung: »Der Heroinkonsum galt damals als romantisch. Unsere musikalischen Helden nahmen es, ich lebte unter Leuten, die es nahmen, hätte es auch nehmen können, wusste aber, dass ich mich dem nicht nähern durfte. Zudem hatte ich mit meinen Projekten immer etwas, was auf mich wartete« (ebd.: 41).

Statt selbst Drogen zu nehmen, erzählt er lieber Geschichten von heroinabhängigen Nonnen (*Entre Tinieblas*), von Hausfrauen, die sich ihren Alltag mit Tabletten versüßen (*Womit hab' ich das verdient?*), von Diplomatentöchtern, die auf ihren Dealer warten (*Live Flesh*), von drückenden Pornoqueens (*Fessle mich!*) und von Theaterschauspielerinnen, die sich zwischen zwei Auftritten in der Garderobentoilette einen Schuss setzen (*Alles über meine Mutter*). Seit dem ersten abendfüllenden Spielfilm *Pepi, Luci, Bom* (1980) ist das Thema Drogenkonsum im Kino Almodóvars so allgegenwärtig wie Homosexualität, Transvestismus und korrupte Macho-Polizisten. Doch diese Themen werden mit einer eigentümlichen Beiläufigkeit abgehandelt, ohne dass Almodóvar dabei die Suchtproblematik verharmlosen würde. Auch Homosexualität wird in *Pepi, Luci, Bom, Labyrinth der Leidenschaften, Das Gesetz der Begierde* und zuletzt in *Schlechte Erziehung* weder im Stil des ›Problemfilms‹ noch als ästhetisches oder ideologisches Statement eines neuen schwulen Selbstverständnisses präsentiert.

Untypisch und keinem Raster gehorchend ist auch die Thematisierung der traditionellen Familie, die immer dann in Auflösung begriffen ist, wenn der Vater als Macho ein Repräsentant des alten Spanien ist (*Womit hab' ich das verdient?*). Lesben, Nymphomaninnen, Schwule, Heteros und Transen gruppieren sich trotz einer schier unüberschaubaren Variation geschlechtlicher Identitäten immer wieder zu neuen (Ersatz-)Familien jenseits der Blutsbande. In *Das Gesetz der Begierde* leben ein Schwuler, eine Transsexuelle und ein ›geborgtes‹ Kind in einer eheähnlichen Beziehung. Auch in *Alles über meine Mutter* schließen sich Frauen zu einer familienähnlichen Solidargemeinschaft zusammen.

Nicht immer subtil ist Almodóvars Kritik an der Religion. In *Entre Tinieblas* subvertieren Nonnen den pervertierten Franco-Katholizismus, indem sie Drogen nehmen und Pornos verfassen. Religiöse Fanatikerinnen wie die herrische Mutter in *Matador*, die beim Tischgebet alle Speisen bis hin zur Crème Caramel segnet, sind gelegentlich bis zur Karikatur überzeichnet. Solch plakative Schwarzweißmalerei vermeidet Almodóvar aber bei seinen Hauptfiguren. In *Schlechte Erziehung* erzählt er beispielsweise von einem Priester, der einen Jungen sexuell missbraucht, am Ende jedoch tragisches Opfer seiner Leidenschaft wird. Eine solche Perspektive ist bei Fassbinder, mit dem Almodóvar häufig verglichen wird, nicht zu finden: »Was mich von Fassbinder vor allem unterscheidet, ist sein Manichäismus bei der Denunziation von Ungerechtigkeiten, er sagt immer klar, wer die Bösen sind und wer die Guten, und die Bösen sind bei ihm wirklich Ungeheuer« (Strauss 1998: 174f.).

Rossy de Palma

Die Kunst Almodóvars besteht darin, seine Themen stets in ungewohnten Kontexten zu präsentieren. Motive wie der Stierkampf, der Francofaschismus und das Machogehabe des Latino-Gatten sind zwar unverkennbar spanisch. Aber trotz Almodóvars Vorliebe für Folklore und iberische Ornamentik kommen einem diese Motive in seinen Filmen nie so ›spanisch‹ vor, wie etwa das Thema Stalingrad in einem typisch deutschen Film. Almodóvars Personal ist spanisch, die Konflikte aber sind international, er erzählt typisch spanische Geschichten, gebrochen in der Perspektive des Hollywood-Kinos.

Neben Filmklassiker-Zitaten aus der Traumfabrik bindet Almodóvar auch fiktive Werbespots, Szenen aus Fotoromanen, Comic-Strips, Fernsehauftritte und selbst Theater- und Ballettszenen in seine Filme ein (zuletzt Pina Bauschs *Café Müller* in *Sprich mit ihr*). Er gilt als Eklektizist und als postmoderner Regisseur, weil in seinen Filmen offenbar ›alles möglich‹ ist. Seine Komödien sind immer auch Melodramen, und seine Melodramen rufen stets Lachen hervor.

Doch der Bezug aufs Kino und die Medien dient ihm nie zur bloßen Effekthascherei, wie man sie aus jenem Kino kennt, das man eher als ›postmodern‹ bezeichnen könnte. Wenn beispielsweise in *Kika* die Beziehung zwischen Fernsehen und Gewalt thematisiert wird, so liegen Welten zwischen Almodóvars Film und beispielsweise Oliver Stones Medien- und Gewaltexzess in *Natural born Killer* oder der prätentiösen medialen Selbstreflexion in den Filmen Atom Egoyans. Obwohl in fast jedem Film Schriftsteller(innen), Filmregisseure, Fotografen oder Synchronsprecher auftreten und obwohl die Plots immer wieder durch verschiedene Medieninszenierungen gebrochen werden, geht es Almodóvar gerade nicht, wie man denken könnte, um Medienkritik oder die Veränderung der Wahrnehmung durch moderne Kommunikationstechnologie.

Ähnliches gilt für seine Verbeugungen vor den Größen der Filmgeschichte. Wenn Almodóvar in *Matador* den Stierkampf mit dem Liebestod in King Vidors *Duell in der Sonne* assoziiert und in *Frauen am Rande des Nervenzusammenbruchs* eine Szene aus Nicholas Rays *Johnny Guitar* zu sehen ist, so sind diese Zitate keine cinephile Reverenz, sondern unverzichtbaren Teil der erzählten *Geschichte*. Einen nicht unbeträchtlichen Teil seiner Themen bezieht Almodóvar aus einer Art ›Umschrift‹ von Hollywood-Filmen.

Diese Geschichten und Umschriften kreisen fast immer um bemerkenswerte Frauenfiguren. Von *Pepi, Luci, Bom* über *Entre Tinieblas, Womit hab' ich das verdient?* bis hin zu *Alles über meine Mutter* stehen immer wieder Frauen im Zentrum. Almodóvars Perspektive auf weibliche Figuren ist im europäischen Autorenkino einzigartig. Zwar blickt auch das französische Kino auf eine Tradition ›starker‹ Frauenfiguren zurück, und selbst im hongkong-chinesischen Kung-Fu-Film spielen Frauen oft Schlüsselrollen. Doch Almodóvars Besonderheit besteht darin, eine ›weibliche Welt‹ zu schaffen, die es beispielsweise im Hollywood-Kino nicht gibt: »Es ist ärgerlich, zu sehen«, so Almodovar 1993, »wie im amerikanischen Kino Frauenfiguren gänzlich verschwinden [...]. Scorsese ist das Musterbeispiel eines sehr begabten Regisseurs, der jedoch mit Frauen überhaupt nichts anzufangen weiß, der von Frauen keine Ahnung hat, nicht mal von ihrer dramaturgischen Funktion« (Strauss 1998: 165f.).

Pedro Almodóvar bei den Dreharbeiten zu »Frauen am Rande des Nervenzusammenbruchs«

Almodóvars Frauen sind nicht selten »am Rande des Nervenzusammenbruchs« – ein Ausdruck, der in den allgemeinen Sprachschatz überging –, sie neigen zur großen theatralischen Geste. Trotzdem sind Frauen bei Almodóvar nie ›Gegenstand‹ des männlichen Blicks, selbst wenn sie, wie Kika im gleichnamigen Film, in einer zehnminütigen Szene vergewaltigt oder in *Fessle mich!* eingesperrt und geknebelt werden. Almodóvars Filme sind Ausdruck einer »ganz speziellen Philogynie« (Vossen 1998: 162), in ihnen spielen Frauen »nicht nur die weibliche Hauptrolle, sondern die Hauptrolle des Films überhaupt!« (ebd.: 157). Almodóvars »Repertoire bietet Raum für die gesamte Spannweite dessen, was Weiblichkeit sein kann« (ebd.: 162).

Diese Spannweite umfasst insbesondere Ausnahmeschauspielerinnen wie Carmen Maura, die nicht zuletzt durch *Frauen am Rande des Nervenzusammenbruchs* zu einer Leading Lady europäischen Formats avancierte. Nach ihr formten Victoria Abril, Verónica Forqué, Marisa Paredes und – obwohl sie nur in Nebenrollen auftrat – Rossy de Palma (genannt ›die Nase Spaniens‹) die *Corporate Identity* des Regisseurs.

Almodóvars Gespür für ›das Weibliche‹ spiegelt sich in einer bemerkenswerten Balance zwischen Bewunderung und Analyse: »Ich hatte ausreichend Gelegenheit, mein Ohr an die Tür des weiblichen Universums zu legen und zu lauschen. Ich kann mich noch gut daran erinnern, wie ich als kleiner Junge eine Gruppe von Frauen in einem Hinterhof sah. Sie redeten ununterbrochen miteinander. Ich fragte mich immer, worüber sie redeten. Welche Themen beschäftigten sie?« (Schultz 2000: 34).

Es sind Themen wie Verlassenwerden (*Frauen am Rande des Nervenzusammenbruchs*, *Mein blühendes Geheimnis*), schwierige Mutter-Tochter-Beziehungen (*High Heels*), die Nöte einer frustrierten Hausfrau (*Womit hab' ich das verdient?*) oder der Verlust eines Kindes (*Alles über meine Mutter*). Im Gegensatz zum konventionellen Hollywoodfilm, der diese Themen ebenso aufgreift, liefert bei Almodóvar die unvergleichbare erzählerische *Form* den Schlüssel zu seinem ›weiblichen Universum‹. Seine Geschichten sind haarsträubend unwahrscheinlich, konstruiert, unrealistisch, kitschig, klischeehaft, verdreht – aber immer auf eine gewisse Weise ›wahr‹: »Dies alles«, schrieb Anja Seeliger über *Mein blühendes Geheimnis*, »ist so wahr, wie Ingmar Bergman es nicht genauer erzählen könnte. Aber die Farben sind schöner« (Seeliger 1996: 16).

Zu dieser ›Wahrheit‹ dringt Almodóvar immer nur auf Um- und Abwegen vor, durch die grundsätzliche Beiläufigkeit, mit der er die ›großen Themen‹ anschneidet. Wahrhaftig werden seine Filme durch Spiegelungen, Anspielungen, Parodien und Travestien. Entsprechend sind die Geschichten alles andere als geradlinig: »Die mäandernde Fiktion ist die Schwäche, aus der Almodóvars Kino seine Stärke zieht; außerstande, seine Erzählungen streng zu strukturieren, seiner Imagination, seiner ausufernden Erfindungskraft Fesseln anzulegen, lässt er jeder Haupt- und Nebengeschichte und -figur ihr volles, das heißt nicht selten anarchisches Eigenleben [...] Almodóvars Inszenierung entfaltet sich in komplizierten Umwegen und Verwicklungen« (Strauss 1998: 15).

Im Unterschied aber zu Filmen, die ihre Komplexität emblematisch zelebrieren (wie etwa David Lynchs *Mulholland Drive*), fallen komplizierte Umwege und Verwicklungen bei Almodóvar nicht sofort ins Auge. »Almodóvars Geschichten werden erst dann kompliziert, wenn man sie nacherzählt; auf der Leinwand wirken sie schwerelos und gefällig« (Kilb 1989: 68). Es drängt sich die paradoxe Schlussfolgerung auf, dass die Geschichten auf eine komplizierte Art einfach und seine komplex gezeichneten Figuren dabei auf durchdachte Weise bodenständig sind. Dieses Paradox aller Filme Almodóvars beschreibt Frédéric Strauss sehr genau:

»In ihnen werden Gefühlsregungen von größter Intensität, aber auch größter Zurückhaltung zur Schau gestellt, hemmungslos, aber nicht aufgetragen, bezeichnend, aber nicht ausgedeutet, ausdrücklich, aber nicht ausgedrückt. Der Regisseur legt sie frei, ohne sie uns aufzudrängen, wodurch ihre Heftigkeit ebenso bewahrt bleibt wie ihre spielerische Dimension« (Strauss 1998: 11f.).

Diese Widersprüchlichkeit erinnert an die Sprache des Traums, bei der Verschiebung, Verdichtung und Überdeterminierung so ineinander spielen, »dass der Trauminhalt dem Kern der Traumgedanken nicht mehr gleichsieht [...]« (Freud 1900a: 313). Eine Differenz, die sich auch bei Almodóvar zeigt: Die Inhaltswiedergabe seiner Filme führt nicht zu ihrem ›Kern‹. Immer wieder entschuldigen Kritiker sich bei ihren Lesern dafür, dass ihre Schilderungen absurd und geradezu toll klingen. Dass »der Traum oft am tiefsinnigsten [ist], wo er am tollsten erscheint« (ebd.: 446), liest sich wie ein antizipierter Kommentar Freuds zu Almodóvar, bei dem auch die absurdesten Umwege zum Ziel führen. In *Womit hab' ich das verdient?* beispielsweise fliegt ein verkrachter spanischer Schriftsteller nach Berlin, um eine Nazisängerin vor dem Selbstmord zu bewahren, damit sie einen Taxifahrer in Madrid dazu bringt, aus Liebe zu ihr wieder Hitlerbriefe zu fälschen. Mit dem bewegenden Resultat, dass Gloria, die Hauptfigur des Films, ihren Taxifahrer-Ehemann, einen Macho mit Schweißfüßen, erschlägt und sich so aus einer frustrierenden Ehe befreit.

Sagt man seinen frühen Filmen nach, sie seien überdreht, ›kreischend bunt‹ oder einfach nur ›grell‹, so übersieht man leicht die (Über-)Fülle der Informationen, die Almodóvar mit Gesten, Dialogen, Kostümen, ›gefühlvoller‹ Musik und ausgesuchten Dekors ›einschmuggelt‹. »Ehe [beispielsweise] ein Sessel definitiv seinen Platz im Dekor findet, habe ich viele verschiedene Formen und verschiedene Farbtöne ausprobiert und mir angeschaut, wie das in der Realität wirkt« (Strauss 1998: 166f.). Wie im Traum steht jedes gestalterische Moment in einem Bezug zu den anderen: »Beachtenswert ist die Konzentration des Traumes; nichts ist überflüssig, jedes Wort ist ein Symbol« (Freud 1900a: 381).

In Almodóvars Filmen sind grelle Farben nie *nur* grell, laute

Gesten nie *nur* hysterisch, und absurde Verwicklungen führen immer zu einem logischen Endpunkt. Almodóvar arbeitet wie ein Zauberer, der die Aufmerksamkeit durch ›vordergründige‹ Effekte fesselt, während er nebenher die ›eigentliche‹ Geschichte einfädelt. Vordergründig badet er im Kitsch, zitiert das ›Tuntenbarock‹ und erzählt Geschichten wie aus tausend und einer Telenovela – doch wenn die Erzählfäden zusammengeführt werden, ›verdichtet‹ sich das Geschehen tragisch – so, wenn am Ende von *Entre Tinieblas* die verlassene Oberin ihren Schrei ausstößt, wenn die Polizisten-Ehefrau Clara in *Live Flesh* von einer Sekunde auf die nächste bemerkt, dass sie von ihrem Geliebten verlassen worden ist, oder wenn die Liebesroman-Schriftstellerin Leo in *Mein blühendes Geheimnis* Selbstmord begehen will, jedoch von der jammernden Stimme ihrer Mutter auf dem Anrufbeantworter ins Leben zurückgerufen wird.

Aber auch die Tragik ist bei Almodóvar nie *nur* tragisch, Weinen und Lachen liegen bei ihm oft dicht beieinander. Der ›Witz und seine Beziehung zum Almodóvarischen‹ – genug Stoff für ein eigenes Buch – ist in den Filmen des Spaniers keine bloße Zutat, sondern ebenso ein unverzichtbarer Teil des erzählerischen Prinzips.

Wenn die vorliegende Untersuchung mit den Mitteln der Freudschen Psychoanalyse und ihrer Revision durch Jacques Lacan nach der Art und Weise fragt, wie diese ›großen Gefühle‹ aus der Banalität und der Realismus aus der Fiktion entstehen, so geht es nicht darum, zu einer ›verborgenen Wahrheit‹ der Filme vorzudringen. Weder Almodóvar noch seine Figuren sollen ›auf die Couch‹ gelegt werden. Der strukturelle Vergleich mit der *Traumdeutung* will die Filme Almodóvars auch nicht im konkretistischen Sinn ›als Träume‹ auffassen.

Da die Untersuchung nicht den Anspruch einer akademischen Studie erhebt, wird die kaum zu überblickende Fülle an Monographien, Aufsätzen und Artikeln über Almodóvar nur punktuell und selektiv herangezogen. Und da eine psychoanalytisch orientierte Diskursanalyse nur *eine* mögliche Sichtweise eröffnet, bemüht sich die Untersuchung, andere Perspektiven nicht grundsätzlich auszuschließen. Vom frühen Undergroundfilm über das oscar-prämierte spätere Werk bis hin zum neuen Film *Schlechte Erziehung* durchwandert der Autor 15 Mal das *Labyrinth der Leidenschaften*, analysiert das *Gesetz der Begierde*, untersucht *blühende Geheimnisse* und schließt mit der Frage: *Womit haben wir das verdient?*

Allgemeine Erektionen. Pepi, Luci, Bom y otras chicas del montón (Pepi, Luci, Bom und andere Mädchen aus dem Haufen, 1980)

»›Überschreitung‹ ist ein moralischer Begriff, und meine Absicht ist nicht, irgendeine Norm zu verletzen, sondern nur, meine Gestalten und ihr Verhalten dem Zuschauer nahe zu bringen.«

Pedro Almodóvar

Auf den ersten Blick erscheint *Pepi, Luci, Bom y otras chicas del montón*, Pedro Almodóvars Spielfilmdebüt, wie ein trashiger, dilettantischer Undergroundfilm. Unter dem stilistischen Einfluss von Andy Warhols *Blue Movie* (1968) und *Trash* (1970) schuf der 31-Jährige eine wie es scheint kaum distanzierte, überdrehte Szenereportage über die *movida madrileña*, jene spontane ›Bewegung‹, in der Maler, Sänger, Schauspieler und Fotografen sich nach dem Tod Francos formiert hatten, um ihrem subkulturellen Nachholbedarf in einer wahren Explosion von Kreativität Ausdruck zu verschaffen – die der Film teilweise widerspiegelt. Obwohl die Farben des von 16 auf 35 mm aufgeblasenen Erstlings ziemlich matschig wirken, ist *Pepi, Luci, Bom* ein kreischend buntes filmisches Pamphlet voller Provokationen, Tabubrüche und exaltierter Auftritte, die den Eindruck erwecken, als wären sie weniger dramaturgisch motiviert als vielmehr »ein Geschenk Almodóvars an die Freunde, die sich in ihnen schauspielerisch erproben können« (Haas 2002: 22).

Doch es gibt in diesem streckenweise noch leicht unbeholfen wirkenden Versuch mehr zu sehen und zu entdecken. So verbirgt sich hinter der scheinbar disparaten und sprunghaften Aneinanderreihung szenischer Tableaus bereits jene labyrinthische Erzählform, die die späteren Werke auszeichnet. Seit er Filme dreht, will Almodóvar vor allem eines – Geschichten erzählen: »Das war, von dem Moment an, als ich eine Kamera in die Hand nahm, mein Hauptanliegen« (Strauss 1998: 18). Mit diesem ambitionierten Wunsch fand sich der angehende Filmemacher jedoch bald ziemlich allein, als er in der konzeptionell vom Fluxus und von Yoko Ono beeinflussten Experimental- und Undergroundfilm-Bewegung im Madrid und Barcelona der 70er-Jahre seine ersten Super-8-Kurzfilme vorführte. »Für die Leute, die dieser Super-8-Bewegung angehörten, war eine Geschichte zu erzählen etwas sehr Archaisches, wie ein Film aus den 40er-Jahren. Ich sah mich also in dieser Gruppe, zu der ich doch eigentlich gehörte, allmählich immer mehr an den Rand gedrängt« (ebd.). Almodóvar erinnert sich an einen Regisseur, »der mit seiner Kamera ein Haus auf dem Land abgefilmt hat, was eine gewisse Zeit in Anspruch nahm, und das war alles, was sein Film zeigte« (ebd.). In der subtilen Ironie Almodóvars klingt der Ernst an, mit dem der nicht genannte Regisseur den Gestus Andy Warhols imitierte, der beispielsweise in *Empire* (USA 1965) das gleichnamige *State Building* 485 Minuten lang mit stationärer Kamera abfilmte …

Obwohl selbst von Andy Warhol beeinflusst – man nannte ihn zeitweise sogar den »spanischen Warhol« (ebd.: 31) –, schärfte Almodóvar seinen filmischen Blick immer schon an den Ausdrucksformen und Geschichten des populären Kinos. »Ich nahm mir in meinen [Super-8-]Filmen sämtliche Genres vor, besonders viele waren inspiriert von den biblischen Fresken von Cecil B. DeMille« (ebd.: 18). Als Travestie auf Monumentalfilme wie *Die zehn Gebote* (The Ten Commandments, USA 1957) entstand so gut ein Dutzend frecher No-Budget-Produktionen mit Titeln wie *La Caida de Sodoma* (Der Untergang von Sodom, 1975, 4 Min., Super-8), *Sea Caritativo* (Sei barmherzig, 1976, 5 Min., Super-8) und zuletzt *Salomé* (Salome, 1978, 11 Min., 16 mm), wo Almodóvar die biblischen Geschichten von Abraham und Salome witzig ineinander spiegelt: Der Religionsgründer geht mit seinem Sohn Isaak spazieren und trifft auf Salome, die ganz in Schleier gehüllt ist. Der faszinierte Abraham bittet sie, zu tanzen, und ist ihr, als sie sich nach und nach enthüllt, bald so verfallen, dass sie ihn um den Kopf seines Sohnes bittet. Abraham ist dazu bereit – doch Salome entpuppt sich als Erscheinung Gottes: Der Schöpfer war ein wenig verstimmt darüber, dass Abraham bis dato nie gesündigt hatte. Damit man sich später an diesen Tag erinnert, soll Abraham die Schleier Salomes aufsammeln – die Frauen seines Volkes mögen sich fortan mit ihnen bedecken.

So erzählt Almodóvar auf seine unnachahmliche Weise vom Ursprung des Schleiers.

Almodóvar wird jedoch nicht nur vom Kino, sondern gleichermaßen auch von der Literatur beeinflusst, wenn auch auf eine eigentümliche Weise: »Ich muss neun gewesen sein, als ich mein erstes Buch kaufte. Niemand hat mir gesagt, was ich lesen sollte, niemand hat mir irgend etwas empfohlen, ich habe also ganz allein Entdeckungen gemacht, und anfangs handelte es sich um sehr gängige Bücher« (ebd.: 20). Die junge Leseratte erweist sich als ausgesprochen ›frühreif‹. Françoise Sagans *Bonjour Tristesse* verwandelte den 12-Jährigen: »Ich war zwölf, und wenn mich jemand gefragt hätte: ›Was bist du?‹, so hätte ich geantwortet: ›Ich bin Nihilist‹« (ebd.). Aber auch zum Kino hat der Junge eine andere Beziehung als Gleichaltrige: »Ich erinnere mich, wie ich mit zehn Jahren meinen Kameraden von Bergmans *Jungfrauenquelle* erzählt habe, die mich sehr beeindruckt hatte. Sie haben mich fast ängstlich angeschaut und zugleich fasziniert, weil das etwas war, das ihnen fremd war« (ebd.: 21). Vor allem seine unnachahmliche Art des *Nacherzählens* von Kinogeschichten gerät neben der Literatur zu einer Hauptquelle der Kreativität: »Ich war schon als Acht- oder Neunjähriger ein guter Erzähler«, erinnert sich Almodóvar, »ein großer Fabulierer, und übrigens ging es schon damals meist ums Kino. ›Pedro, erzähl' uns den Film von gestern Abend‹, bettelten meine Schwestern. Ich war sofort dabei, denn damit konnte ich den Film noch einmal in meiner Version abspielen lassen. Das war für mich so aufregend, inspirierte mich derart, dass ich den Film jedes Mal anders erzählte. [...] Was ich meinen Schwestern oder Freunden erzählte, waren existierende Filme, total verdreht oder zu anderen Filmen transformiert [...]« (Harguindey 2002: 47).

Die Transformationsarbeit ist beeinflusst von Almodóvars Mutter, die in seiner Kindheit eine Schreibstube eröffnete, um für die überwiegend analphabetischen Dorfnachbarn Briefe zu schreiben bzw. ihnen die an sie gerichteten Briefe vorzulesen. »Pedro beobachtete, wie die Mutter beim Vorlesen oft Dinge hinzufügte, die nicht im Originalbrief standen, und fragte eines Tages vorwurfsvoll: ›Warum hast du dieser Großmutter vorgelesen, dass ihre Enkelin so an sie denkt und vermisst, wie sie ihr auf der Straße bei der Türe einst die Haare gekämmt hat? Im Brief wird die Großmutter nicht einmal erwähnt?‹ – ›Hast du nicht gesehen, wie sie sich gefreut hat?‹ antwortete die Mutter. ›Diese Improvisation‹, schrieb Pedro in einem Nachruf auf seine Mutter, ›war für mich eine große Lektion. Sie zeigte mir den Unterschied zwischen Realität und Fiktion, aber auch, wie die Realität die Fiktion braucht, um kompletter zu sein, angenehmer, lebbarer‹« (Millás 2004: 34f.).

Die Idee, nach der die Realität die Fiktion braucht, ist bereits in *Pepi, Luci, Bom* ein zentrales Motiv. Die ›Mechanik‹ des Erzählens ist hier zwar noch etwas grob, fügt sich gleichwohl aber zu einem Plot, der bereits so verästelt und verschlungen ist wie in den späteren Werken. Charakteristisch für dieses ›verwickelte Erzählen‹ ist, dass es in kaum einer Szene rein ›impressionistische‹ oder ›dokumentarische‹ Beobachtungen gibt; jedes Detail der spärlichen aber charakteristischen Ausstattung und jedes modische Accessoire erfüllt eine dramaturgische oder symbolische Funktion – angefangen bei den (nur unscharf zu sehenden) Marihuanapflanzen auf dem Fensterbrett von Pepi (Carmen Maura), einem Madrider Szenegirl, das auf dem Sofa liegt und zu überlautem punkigem *Trash Pop* von Little Nell *Superman*-Sammelbilder in ein Album klebt. Vom Fenster des gegenüberliegenden Blocks aus hat ein Polizist (Félix Rotaeta) die Dopepflanzen entdeckt und nimmt das Rauschgift zum Vorwand, um Pepi bei einer privaten Razzia zum Sex zu nötigen: Sex, Drugs und Rock & Roll sind für den Film aber keine programmatischen Motive, sie werden nur augenzwinkernd zitiert. Musikalisch beginnt der Film mit Punk, um im Abspann mit einem Rumba aus den 60er-Jahren zu enden.

So wie die Filmmusik zwischen Stilen und Epochen changiert, so variiert Almodóvar auch die Darstellungsform des sexuellen Motivs, das wie aus einem Underground-Comic von Robert Crumb durchgepaust wirkt: Pepi gibt sich zunächst verführerisch und ist offenbar nicht völlig abgeneigt. Da sie aber merkwürdigerweise noch Jungfrau ist, bittet sie den Polizisten, es ihr »von hinten zu machen«. »But the (nameless) policeman enters Pepi's ›front door‹, not the back« (Smith 2000: 10).

Die Jungfräulichkeit einer 35-jährigen Frau erscheint in diesem Zusammenhang ebenso ›unrealistisch‹ wie die durch ihre gewaltsame Entjungferung bewirkte ›Verwandlung‹, die aus dem Mädchen mit grünem Rock, rotem Pulli und Zöpfen in der nächsten Szene eine rachedurstige Emma Peel mit enger Lederhose, offenen Haaren und weit ausgeschnittenem Oberteil macht. Doch Almodóvar ist weder an ›Realismus‹ noch an populärer ›Psychologie‹ interessiert. Comics und Pop-Zitate bilden die formale Grundlage seiner frühen Filme, die sich aber noch an einer weiteren Form der populären Darstellung orientieren: Schon in den 70er-Jahren hatte Almodóvar für das Comicmagazin *La Vibora* jene schrillen, erotischen

Das Filmplakat kündigt »Pepi, Luci, Bom« als ›Comic‹ an.

Fotoromane realisiert, deren Entstehung in einer Szene seines nächsten Films, *Labyrinth der Leidenschaften*, ironisch zitiert wird. Eine dieser anspielungsreichen Fotostorys erzählte Almodóvar der Schauspielerin Carmen Maura, die damals schon eine bekannte Größe in der Madrider Szene war. Almodóvar verbrachte viel Zeit in ihrer Garderobe, um sie beim Schminken zu beobachten: »Ich habe ihr zugeschaut, wie sie sich für ihren Auftritt fertig machte, das Zeremoniell fasziniert mich bei Schauspielerinnen immer« (Strauss 1998: 27). Almodóvars spezielles Interesse für Frauen, das nicht mit Voyeurismus im üblichen Sinne zu verwechseln ist, und die Besonderheit seines Geschichtenerzählens gehen eine intime Verbindung ein, die sich in der langjährigen und überaus kreativen Kooperation mit Carmen Maura spiegelt. Denn: »Sie mochte die Geschichte sehr und meinte, ich müsste sie unbedingt verfilmen. Ich habe mir diesen Fotoroman also wieder vorgenommen und ein Drehbuch daraus gemacht« (ebd.).

Carmen Maura sammelte bei Freunden und Bekannten, bis ein Budget von etwa 500.000 Peseten zusammengekommen war. Almodóvar arbeitete damals noch von Montag bis Freitag bei der spanischen Fernmeldegesellschaft *Telefónica*, gedreht wurde etwa eineinhalb Jahre lang nur an Wochenenden – in Partystimmung. Der später in *Pepi, Luci, Bom* umbenannte Film hieß ursprünglich *Erecciones generales*, was ein Wortspiel mit »elecciones generales« (»allgemeine Wahlen«) ist. Für den Geist des Films ist diese Anspielung nicht zu unterschätzen, fanden doch 1977, als Almodóvar das Script entwickelte, in Spanien nach über 40 Jahren Diktatur die ersten freien Wahlen statt, eben jene *elecciones generales*, die Adolfo Suárez im Amt bestätigten (nachdem er ein Jahr zuvor von Juan Carlos I. zum Premierminister ernannt worden war).

Das Wortspiel ist weder nur ein Gag noch nur eine »schrille Bekundung der Autonomie der Lust und des Triumphs der libidinösen Anarchie« (Smith 2000: 16), sondern ebenso ein Grundmotiv der Geschichte: In einer Szene des Films, während der ausgelassenen *movida*-Party, auf der Almodóvar selbst, gekleidet in den spanischen Nationalfarben, als Conferencier auftritt, findet tatsächlich ein Erektionswettbewerb statt. Der Kameramann, wie alle anderen am Projekt Beteiligten ein blutiger Amateur, schneidet dabei allerdings nicht nur die Köpfe, sondern in gewissem Sinne auch die Genitalien der Wettbewerbsteilnehmer ab.

Ob diese ›Kastration‹ Absicht war oder nicht – der Phallus *als abwesender* taucht in verschiedenen symbolischen Gestalten auf, um so – wie in zahlreichen weiteren Filmen Almodóvars – eine Reihe zunächst unverbundener Ereignisse zu einer *latenten Geschichte* zu verknüpfen. Die ›Stengel‹ der Marihuanapflanzen und die Vergewaltigung durch den Polizisten bilden den Anfang einer motivischen Kette, die den scheinbar wirren Plot strukturiert und vorantreibt. Um sich an dem Polizisten für die ›fahrlässige Penetration‹ zu rächen, bietet Pepi den Bandmitgliedern einer befreundeten Gruppe, den *Bomitonis*, in der ihre Freundin Bom Leadgitarre spielt, ihre Marihuanapflanzen im *Tausch* dafür an, dass sie den gesetzlosen Gesetzeshüter ›bestrafen‹. Doch statt eine feministische Variante zu *Ein Mann sieht rot* zu inszenieren, ist die grotesk dargestellte Schlägerei ihrerseits Anlass zu einer weiteren Ver-Tauschung: Nicht der Polizist, sondern dessen ahnungsloser Zwillingsbruder bekommt die Tracht Prügel ab …

Almodóvar lässt die Schläger in dieser bemerkenswerten Szene als theatralisch gestikulierende Sänger auftreten, die ihrem Opfer eine Karaoke-Version der sogenannten *zarzuela* vorführen, einer spanischen Form des Musiktheaters, das sich durch den Einbezug von folkloristischen Elementen auszeichnet. Der vermeintliche Polizist lässt sich täuschen und stimmt ergriffen in den Gesang ein. Als er zusammengeschlagen wird, stoppt die Musik – sie wird nicht zur Ästhetisierung von Gewalt eingesetzt.

Pepi verbirgt sich hinter der nächsten Straßenecke, um die für sie ›inszenierte‹ Rachephantasie genüsslich zu beobachten. Als sie herausfindet, dass es den Falschen erwischt hat, gelingt es ihr, den Vergewaltiger dort zu treffen, wo es wirklich weh tut: Sie macht ihm die Frau abspenstig. Luci, die Gattin des Polizisten, ist eine biedere Hausfrau mit einer im Stil der 60er-Jahre hochtoupierten ›Betonfrisur‹, die mit reichlich Haarspray zusammengehalten wird. Außerdem trägt sie eine auffallend unmodische, selbstgestrickte Wolljacke, was Pepi – die in ihrem eng anliegenden Kleid auftritt und stark geschminkt ist – als Vorwand benutzt, um sie zu überreden, ihr Strickunterricht zu geben. Doch Luci erweist sich schnell als ziemlich ungeduldige Lehrerin, und Pepi hat offenbar nicht das geringste Talent zur Handarbeit. Wir erleben ein typisch spanisches ›Frauengespräch‹, bei dem das Stakkato der Vokale wie ein Trommelfeuer wirkt, derweil Pepi an ihrem hoffnungslos verhedderten Wollknäuel herumzerrt …

Immer wieder piekst sie dabei ihre Lehrerin mit der langen hölzernen *Stricknadel* – ein weiteres Motiv in der metonymischen Kette der allgemeinen Erektionen. Schnell bemerkt Pepi so die masochistischen Neigungen Lucis, die gesteht, ihren Mann, den Polizisten, nur aus einem Grund ausgesucht zu haben: »Ich dachte, ein Polizist würde mich wie ein Hund behandeln. Von wegen! Er behandelt mich wie seine Mutter!« Mit diesem ironischen Dialog bringt Almodóvar en passant die Psychologie des ›typischen‹ Latino-Gatten auf den Punkt, der ›es‹ nicht bringt. Der Polizist versteht das *deseo*, das Begehren der Frau nicht zu befriedigen, eben weil er sie »wie seine Mutter« behandelt – und damit in der Position des Sohnes bleibt. Diesen Charaktertypus wird Almodóvar noch öfters variieren: Der Polizist steht in einer Reihe mit dem Taxi fahrenden Gatten Antonio in *¿Que he hecho yo para menecer esto!* (Womit hab' ich das verdient!, 1984), dem Polizisten Sancho, der in *Live Flesh* seine Frau schlägt, dem ›fesselnden‹ Liebhaber Ricky in *¡Atame!* (Fessle mich!, 1989) und vor allem mit dem Krankenpfleger Benigno, der – metaphorisiert durch die Figur des »geschrumpften Liebhabers« – in *Hable con ella* (Sprich mit ihr, 2002) gleich ganz in den Mutterleib zurückkehrt.

Bom (Olvido »Alaska« Gara, links) und Pepi (Carmen Maura)

Als überraschend die Gitarristin Bom zu Besuch kommt, die sadistisch veranlagt ist und auf Hausfrauen steht, die sich gerne quälen lassen (»Vierzig und schlaff, genau wie ich's mag«), ist dies der ›Beginn einer wunderbaren Freundschaft‹. Von Pepi angestachelt, geht Bom nicht auf die Toilette, sondern hebt den Rock, stützt ihr Bein gegen die Küchenwand, und pinkelt Luci ins Gesicht, die sich unter diesem ›phallischen‹ Urinstrahl ekstatisch windet: Eine weitere motivische Variation der allgemeinen Erektionen, diesmal mit religiösen Anklängen:

»Das offensichtliche Entzücken [Lucis] deutet an, dass dies der Moment ihrer sexuellen Befreiung ist – ihre Taufe in ein neues Leben. Tatsächlich bestimmt das Element religiöser Parodie die Sequenz, in der Nahaufnahme erinnert Lucis ekstatischer Ausdruck an Bilder weiblicher Heiliger, deren Gesichter in ängstlicher Erwartung ihres Martyriums zum Himmel erhoben sind. Die unterlegte Musik hat etwas von jenen Klängen, zu denen in der spanischen Karwoche die Bilder der heiligen Jungfrau und des gekreuzigten Christus durch die Straßen getragen werden. Die subversive Ironie ist hier wie bei Buñuel.« (Edwards 2001: 22f.)

Nach dieser »Taufe« wird Luci zu Boms Groupie. Offenbar sind die beiden das perfekte Paar, denn Bom nimmt jede Gelegenheit wahr, um Luci zu quälen, einmal muss sie sogar ihre Popel essen. Als der Gewinner des »Erektionswettbewerbs« sich wünscht, mit Luci Fellatio zu machen, zwingt Bom ihre ›Sklavin‹ zu diesem entwürdigenden öffentlichen Auftritt. Almodóvar benutzt diese Szene für einen Ausflug in eine seiner typischen Parallelhandlungen, in der er die Figur eines weiteren ›müden Liebhabers‹ einführt. Gelangweilt und abwesend liegt er in seinem Bett, während seine Freundin (Cristina S. Pascual) ihm im Zuge eines sturzbachartigen Redeflusses Vorhaltungen darüber macht, dass er nicht mehr mit ihr schläft. Ihre zwitschernde Stimme klingt dabei wie eine Mischung aus Kanarienvogel und zu schnell abgespieltem Tonband. Diese Szene ist eine Parodie auf jenes Tennessee-Williams-Stück, in dem die Hysterikerin Maggie »wie eine Katze auf dem heißen Blechdach« auf ihren geistesabwesenden Trinkergatten Brick einredet, der nur stumm darauf wartet, dass der Alkohol zu wirken beginnt. Im Gegensatz zu Tennessee Williams, der darauf anspielt, dass Bricks latente Homosexualität am Scheitern seiner Ehe schuld ist, erzählt Almodóvar die Geschichte völlig anders: Die schrille Frau rasiert sich ihren Bart ab, den sie sich ihrem Mann zuliebe hat wachsen lassen. Und als ihr Mann endlich eine Erektion bekommt, nachdem er vom Fenster aus mit dem Feldstecher die *Erecciones generales* beobachtet hat, kommt es doch noch zu einem *Happy Akt* …

Schnitt: Pepi, mit grell-blauer Gesichtsmaske, erhält einen Anruf ihres Vaters – der bislang noch nicht aufgetaucht war. Als Stimme am Telefon greift er in die Geschichte ein, die bis hierher als metonymische Kette von ›phallischen Verschiebungen‹ strukturiert war. Der Vater streicht ihr die finanzielle Unterstützung – und führt so einen *Mangel* ein, der für den weiteren Verlauf nicht ohne Folgen ist. Gezwungen, sich einen Job zu suchen, hat Pepi wahrhaft märchenhaften Erfolg bei einer Werbeagentur. Sie produziert Spots, die Almodóvar als Film-im-Film präsentiert. Der erste der beiden Spots promotet ein Parfüm namens *Das Geheimnis der Frau*. Nicht wissend, dass die schüchterne Frau während eines *candlelight din-*

ners einen Furz gelassen hat, der vom *Plop* der entkorkten Champagnerflasche übertönt wird, fragt ihr Galan: »Mein Schatz, was hast du nur für ein köstliches Parfüm!«

Im zweiten fiktiven Werbefilm bietet ein Off-Sprecher einer Frau, die auf der Straße dringend nach einer Toilette sucht, einen neuartigen Slip der Marke »Ponte« feil, der Urin absorbiert. Eine eingeblendete Grafik, in der sich der Slip grün verfärbt, verdeutlicht diesen Vorgang. Schnitt auf den Schritt und dann auf das Gesicht der zufriedenen Kundin, die – ähnlich wie Luci in der einschlägigen Szene – in ekstatische Verzückung gerät …

Das parodistische Spiel mit der Sprache der Werbung ist ein Stilprinzip, das in den frühen Filmen bis hin zu *¡Atame!* zum Markenzeichen werden wird. Der wohl genialste Fake-Spot, der Almodóvars Denkweise exemplarisch verdeutlicht, gelingt ihm in *Frauen am Rande des Nervenzusammenbruchs*, wo die Protagonistin Pepa im Fernsehen einen Waschmittelspot mit sich selbst als Darstellerin sieht: Schnell und porentief rein muss die Mutter eines Serienmörders jeweils vor dem Eintreffen der Polizei die blutverschmierten Hemden ihres Sohnes weißwaschen – und das schafft sie nur mit »Ecce Omo.«

Entscheidend ist hier nicht sosehr das Spiel mit der Werbeästhetik als vielmehr die genuin sprachliche Technik der Substitution. Pilatus' Ausspruch *Ecce homo* – »Siehe, (welch) ein Mensch!« – aus dem Neuen Testament wird durch den Hinweis auf ein Waschmittel *ersetzt*, das durch diese ›göttliche Kraft‹ die Spur einer Bluttat wirksam beseitigt.

Es geht hier nicht sosehr um das Genre der Werbung (»Ich habe es immer abgelehnt, richtige Werbefilme zu drehen«, Strauss 1998: 67), sondern eher um ein ›Grundprinzip‹ des Komischen, das Almodóvars Filme wie ein roter Faden durchzieht: »Es ist eine allgemeine Regel, dass alles an Ausdruckskraft gewinnt, wenn man es aus einem Zusammenhang in einen anderen überträgt« (ebd.: 121). Das Prinzip dieser Übertragung gilt für den Wechsel von ›homo‹ zu ›omo‹ ebenso wie für ganze Genres. So hat Almodóvar beispielsweise in *Womit hab' ich das verdient?* »die meisten Codes des Melodrams durch schwarzen Humor ersetzt« (ebd.: 65). Durch permanente Verschiebung der Codes und Kontexte ist kein Genre bei Almodóvar ›pur‹ vorhanden. Sogar in *Frauen am Rande des Nervenzusammenbruchs*, jenem Film, der die ›reinste‹ Komödie zu sein scheint, »beachte [ich] aber doch nicht alle Regeln der Komödie« (ebd.: 102). Almodóvars ›Prinzip‹, falls dieser Begriff überhaupt zulässig ist, »läuft darauf hinaus, dass man eine Geschichte, die einem bestimmten Genre angehört, erzählt mit Mitteln, die zu einem anderen Genre gehören. In diesem Fall muss man sich des Genres bewusst sein, um ihm untreu zu werden« (ebd.: 43).

Indem er in seiner Abhandlung über den *Witz und seine Beziehung zum Unbewussten* zwischen einem guten und einem schlechten Witz zu unterscheiden versucht, beschreibt Freud diese von Almodóvar stets beiläufig angewandte Technik als eine der Prinzipien des Komischen:

»Wenn ich mittels eines doppelsinnigen oder wenig modifizierten Wortes auf kurzem Wege aus einem Vorstellungskreis in einen anderen geraten bin, während sich zwischen den beiden Vorstellungskreisen nicht auch gleichzeitig eine sinnvolle Verknüpfung ergibt, dann habe ich einen ›schlechten‹ Witz gemacht. [...] Ein ›guter Witz‹ kommt aber zustande, wenn die Kindererwartung recht behält und mit der Ähnlichkeit der Worte wirklich gleichzeitig eine andere wesentliche Ähnlichkeit des Sinns angezeigt ist, wie im Beispiel *Tradutore-Traditore*.« (Freud, 1905c: 135)

Durch die kaum hörbare Phonemopposition *homo – omo* wird das biblische Szenario, in dem Pilatus auf den geschundenen Christus deutet, in den Kontext einer Hausfrau versetzt, die ihre ›Probleme‹ wirkungsvoll lösen kann. Umgekehrt wird die Wirksamkeit des Waschmittels durch den biblischen Kontext (»Vorstellungskreis«) zu einer ›göttlichen‹ Reinigungskraft. Nach demselben Prinzip hatte Almodóvar auch den biblischen Abraham in den »Vorstellungskreis« Salomes versetzt – und so augenzwinkernd zum Ausdruck gebracht, dass die Religionsstiftung nicht etwa eine Frage der Reinheit, sondern ein Akt der Sünde ist, den es buchstäblich zu verschleiern gilt ...

Der Witz stiftet auf metaphorische Weise jeweils einen neuen Sinn – jedoch unter der Voraussetzung, dass die assoziierten Vorstellungskreise gerade nicht miteinander verschmelzen, sondern umgekehrt der *Einschnitt* und der Riss zwischen *homo* und *omo* umso deutlicher hervortreten. Betrachten wir *Pepi, Luci, Bom* unter dem Aspekt der Diskursanalyse, so weist der Film nach dem Anruf des Vaters einen strukturell ähnlichen Bruch auf. Bildeten die motivischen Variationen der »allgemeinen Erektionen« eine *metonymische* Kette, in der das phallische Motiv in wechselnden Gestalten auftrat, um den Plot zu organisieren, so erweisen sich nicht nur die Werbefilme (die durch den väterlichen Telefonanruf mehr oder weniger initiiert werden), sondern vor allem Pepis nächstes Projekt als *metaphorischer* Metadiskurs, mit dem Almodóvar seinen Film in Distanz zu sich selbst setzt: Pepi will das Leben und den Alltag ihrer

Freunde und Freundinnen verfilmen: »Pepi, Luci y Bom« lautet die erste niedergeschriebene Zeile. Der Film, den wir gerade sehen, so gibt Almodóvar hier zu verstehen, ist das Produkt jener *Autopoiesis*, mittels deren der Film über sich selbst reflektiert, obwohl er ›zurzeit‹ noch im Entstehen begriffen ist. Diese Selbstreflexivität ist alles andere als neu; originell ist jedoch ihre unangestrengte, unprätentiöse und spielerisch vorgetragene Art. So sollen die Freundinnen im geplanten Film ganz sie selbst sein, und zwar möglichst ›authentisch‹ – was aber nur funktioniert, wenn sie sich selbst gleichzeitig auch *darstellen* – im spanischen Original: »representar«: »Ihr könnt euch nicht einfach so vor die Kamera stellen«, erklärt Pepi, »ihr könnt nicht nur ihr selbst *sein*. Ihr müsst euch selbst *spielen*. Die Wirklichkeit sieht immer falsch aus [...]. Sie verwenden im Film künstlichen Regen, weil der echte künstlich aussieht.«

Pepi, Luci und Bom als Comicfiguren

Damit schreibt Almodóvar *Pepi, Luci, Bom* in jene Gattung von ›Metafilmen‹ ein, die bereits ein eigenes Genre bilden: Film als Thema und Inhalt eines Films. Denkt man an die Fülle von Beispielen – von Truffauts *Amerikanischer Nacht*, Fellinis *Achteinhalb*, Woody Allens *The Purple Rose of Kairo*, Fassbinders *Warnung vor einer heiligen Nutte*, Wenders' *Nick's Movie – Lightning over Water*, Wilders *Sunset Boulevard* bis zu Hoppers *The Last Movie* –, so zeichnet sich trotz der schier unüberschaubaren Themenvielfalt des Films-im- und des Films über den Film bei Almodóvar doch eine unverwechselbare Besonderheit ab, die sich in seinem Gesamtwerk widerspiegelt. Die zum Topos gewordene Selbstreflexivität des Kinos interessiert Almodóvar nur insoweit, als es darum geht, dass Frauen ihre Authentizität offenbar darin finden, dass sie ›sich selbst‹ als Rolle spielen. Durch dieses Rollenspiel gelangen Almodóvars Figuren in komplexen und provokativen Brechungen und Spiegelungen immer wieder zu einer eigentümlichen Form von ›Wahrhaftigkeit‹: »Es ist ganz schön teuer, authentisch zu sein, doch in diesen Dingen sollten wir nicht geizig sein, weil wir umso authentischer sind, je ähnlicher wir dem Traum sind, den wir von uns selbst haben«, wird die operierte ›Transe‹ La Agrado in *Todo sobre mi madre* (Alles über meine Mutter, 1999) erklären. Dieses an Oscar Wilde erinnernde Statement, in dem die Schönheitsoperation als Fortsetzung der Schminke mit chirurgischen Mitteln gefeiert wird, ist eine subtile Variation des Problems der Selbstreflexivität. Doch die abstrakte Fragestellung, inwiefern die Wirklichkeit und ›das Authentische‹ sich nur auf dem (Um?-)Weg der Fiktion enthüllen (und ob Kino überhaupt – und wenn ja, wie – über sich selbst ›reflektieren‹) kann oder ob diese Reflexion nur eine weitere Täuschung ist, wird bei Almodóvar durch die menschlichen, allzu menschlichen Nöte seiner schillernden Frauenfiguren zu etwas ›Handfestem‹ und ›Konkretem‹. Wahrhaftig und ›authentisch‹ wird das Kino, indem es zum Beispiel vermittels künstlichem Regen – wie eine Frau – ›Schminke‹ aufträgt. »Die Schauspielerinnen, die den wichtigsten Platz in meinem persönlichen Olymp einnehmen, sind die großen Schauspielerinnen der vierziger und fünfziger Jahre. In der Spontaneität der Schauspielerinnen, die mit mir gearbeitet haben, sehe ich immer Carole Lombard, Shirley McLane in ihren Anfängen oder Kathrine Hepburn, ein etwas idealisiertes Bild der Frau, das meine Arbeit beeinflusst hat« (Strauss 1998: 24). Was Almodóvar an diesem »idealisierten Bild der Frau« interessiert, ist die Frage, wie bei der Weiblichkeit die als *Darstellung* (Repräsentation) aufgefasste Maskerade und die Authentizität voneinander ununterscheidbar werden. Wenn Almodóvar erklärt: »Kino ist Darstellung in allen Aspekten dieses Begriffes, durch diese Darstellung gelange ich zur Wahrheit der Realität, nicht durch einen dokumentarischen Blick« (ebd.: 94f.), so wurzelt dieses ästhetische Prinzip wiederum in seinem Interesse für ›die Frauen‹. Man kann sie nicht ›dokumentieren‹, sondern nur inszenieren.

Der von Almodóvar immer wieder geschickt erzeugte ›human touch‹ seiner Frauenfiguren zeichnet sich bereits in *Pepi, Luci, Bom* an der weiteren Entwicklung Lucis ab, so wie Pepi sie in ihrem Filmprojekt konzipiert: »Du [Bom] und Luci, ihr heiratet in Weiß. Ich kriege ein Baby von dem Polizisten. Das schenke ich euch zur Hochzeit. Denn ihr seid ja eine richtige Familie.« – Diese Art der atomisierten und auf absurde Art neu zusammengesetzten Familie, deren symbolische Grundpositionen (Vater, Mutter, Kind) jedoch erhalten bleiben, ist ein weiteres Motiv, das Almodóvar in seinem Werk immer wieder variieren wird.

Statt dieses rührenden Happy Ends nimmt die ›tatsächliche‹ Geschichte jedoch eine völlig andere Wendung. Luci entkommt nicht ihrer Ehe mit dem Polizisten (der sich, um das Motiv der Verwechslung zu komplettieren, zwischendurch für seinen Bruder ausgibt, um so eine Nachbarin zu verführen, die in diesen verliebt ist). Der Polizist lauert Luci auf und verprügelt sie brutal: nicht aus sadistischen Bestrebungen, sondern weil der Verlassene sich in seiner *Ehre* gekränkt fühlt. Man kann diese ritualisierte Gewalttätigkeit in der spanischen Ehe, die Almodóvar in *Live Flesh* erneut thematisieren wird, nur vor dem Hitergrund verstehen, dass es unter Franco ein Gesetz gab, das dem Ehemann das Recht zur straffreien Tötung seiner untreuen Gattin zusicherte.

Pepi und Bom besuchen die schwer geschundene Luci im Krankenhaus, wo sie an der Seite ihres stolz paradierenden Gatten wider Erwarten im siebten Himmel schwebt. Boms Versuch, die reumütig zu ihrem gewalttätigen Mann zurückgekehrte Luci wieder umzustimmen, erweist sich als zwecklos: »Bom, ich bin eine viel größere Hure, als du es dir vorstellst«, erzählt Luci, während sie voll Dankbarkeit die Hand ihres Mannes streichelt, die besitzanzeigend auf ihrer Schulter ruht: »Du konntest mir nicht geben, was ich verdient habe. In der letzten Zeit hast du mich wie ein Dienstmädchen behandelt. Ich beschwere mich nicht. Aber ich glaube, ich verdiene etwas viel Schlimmeres. Ihn zum Beispiel. Er hat mich fast umgebracht.« Worauf Pepi entsetzt entgegenhält: »Vertrau' ihm nicht. Er wird wieder anfangen, dich wie seine Mutter zu behandeln.« Aber Luci ist sich ihrer ›Liebe‹ vollkommen sicher, denn: »Er hasst mich von ganzem Herzen. Er kann mir nicht vergeben, was ich ihm in den letzten Monaten angetan habe. Ich wäre verrückt, so eine Gelegenheit zu verpassen.«

Dabei bietet Luci ein Bild des Jammers: Ihr rechter Arm und ihr Kopf sind bandagiert, der Mund von den Schlägen verquollen, auf Wange und Stirn zeichnen sich Schürfwunden ab. Doch ihre ruhige, von einer tiefen Gewissheit zeugende Redeweise zeigt an, dass sie trotz ihrer Qualen eine Art ›Erfüllung‹ gefunden hat. Die bittere Ironie der Szene besteht darin, dass die typische spanische Hausfrau, die Almodóvar in *Womit hab' ich das verdient?* noch differenzierter porträtieren wird, gerade im Zuge der größtmöglichen

Entfremdung ein ekstatisches, religiös gefärbtes ›Genießen‹ zu empfinden scheint …

Das erzählerische Grundgerüst, das aus zwei Paaren (Pepi und Bom, Luci und ihr Mann) sowie einem ›überzähligen‹ Element besteht, das zwischen den Figuren symbolisch weitergegeben wird und durch das überhaupt erst eine Handlung in Gang kommt, findet sich nicht in allen, aber doch in auffällig vielen Filmen Almodóvars wieder. Schon das *Labyrinth der Leidenschaften*, in das der Regisseur den Zuschauer als nächstes führt, endet damit, dass zwei Paare im Bett landen, wobei ein abhebender Jet den zwischen ihnen zirkulierenden Phallus repräsentiert. In *Matador* steht dem Paar, das den Liebestod stirbt, wiederum ein zweites Pärchen gegenüber. In *High Heels* wird diese ›Viererkette‹ zunächst durch einen Mord aufgerissen, wodurch eine Leerstelle entsteht, die jedoch durch eine Schwangerschaft wieder ausgefüllt wird. *Kika* erzählt von einem Figuren-Quartett, in dem – ähnlich wie in *Live Flesh* und in *Sprich mit ihr* – zwei der Charaktere sterben müssen.

Der Vater und die Sonne. Laberinto de pasiones (Labyrinth der Leidenschaften, 1982)

> »In einer der Fassungen des Drehbuchs kamen übrigens Dalí und der Papst nach Madrid und verliebten sich leidenschaftlich ineinander.«
>
> Pedro Almodóvar

Almodóvars zweiter Spielfilm, *Laberinto de pasiones*, entsteht unter ähnlich amateurmäßigen Bedingungen wie das Debüt *Pepi, Luci, Bom*, diesmal jedoch ist der Kameramann ein Profi, weswegen die Köpfe nicht mehr abgeschnitten und die Bilder nicht mehr überbelichtet sind. Mit umgerechnet 175.000 Dollar (vgl. Smith 1994: 32) bewegen sich die Kosten nach wie vor im Rahmen einer Low-Budget-Produktion. Da in *Pepi, Luci, Bom* der Ton miserabel war, die Musik aber wieder eine zentrale Rolle spielt, fließt das meiste Geld in die sorgfältig ausgearbeitete Tonspur, für die der Wim-Wenders-Tontechniker Martin Müller verantwortlich zeichnet. Erneut bildet das pulsierende Nachtleben der *movida* den wichtigsten thematischen Bezugsrahmen: Eine Kamerafahrt, mit der Almodóvar grell kostümierte Paradiesvögel, Prostituierte und Transvestiten auf dem Straßenstrich zeigt, diente einer deutschen Fernsehreportage als ›authentisches‹ Dokument für die Lebhaftigkeit der Szene …

Als *Labyrinth der Leidenschaften* Ende 1990 auch in Deutschland anlief, nachdem im Juli und im August des Jahres kurz hintereinander *Matador* und *Fessle mich!* gestartet waren, wurde der Film eher zurückhaltend aufgenommen. Die Kritikerin der *Frankfurter Allgemeinen Zeitung* sah in dem Frühwerk eine »grob gearbeitete Vorstudie« (Lueken 1990) zu seinem Meisterwerk *Frauen am Rande des Nervenzusammenbruchs*, mit dem Almodóvar »den Schlusspunkt unter sein Thema setzte« (ebd.). In *Labyrinth der Leidenschaften* sieht sie »schon wieder … schrill kostümierte Typen, hyperaktiv in

Almodóvar als tuntiger Sänger

immer noch der gleichen urbanen Undergroundidylle, dekoriert im Tuntenbarock« (ebd.). Der Kritiker der *Süddeutschen Zeitung* sah nicht einmal eine Handlung: »Alles ist im Wandel in diesem Film, doch zu einer richtigen Handlung kommt es nicht, so schnell wechseln Szenen und Akteure« (Goettler 1990).

Auf den zweiten Blick überrascht dieser frühe Film aber gerade durch die traumwandlerische Sicherheit, mit der er die vielschichtige und vielstimmige *Erzählung* strukturiert, die zu Almodóvars raffiniertesten Plots zählt und durch das Prinzip der Verkehrung strukturiert ist. Almodóvar entwirft eine schrille Welt aus Plüsch, Hysterie und Drogenkonsum, in der Nymphomanie und Homosexualität ganz alltäglich sind und in der die einzige heterosexuelle Liebesgeschichte des Films am Ende geradezu märchenhafte Züge bekommt. *Labyrinth der Leidenschaften* erzählt die Geschichte zweier ›Königskinder‹, eines Prinzen und einer (Szene-)Prinzessin, die füreinander bestimmt sind, sich aber zunächst permanent verfehlen. Erst am Schluss kommen sie glücklich zusammen und fliegen mit dem Düsenjet in die Karibik. Das ist umso ›witziger‹, als der Prinz eigentlich stockschwul und seine Prinzessin eine exzessive Nymphomanin ist. Wenn sie am Ende einer turbulenten Handlung

Antonio Banderas als Sadec (links) und Imanol Arias als Riza

doch zusammenkommen, sind beide ›geheilt‹[1]: seine Homosexualität und ihre Nymphomanie haben sich als etwas ›Falsches‹ herausgestellt, als jene Art von ›Irrtum‹, der strukturell mit jener berühmten ›falschen Tür‹ vergleichbar ist, durch die der Held unwissentlich tritt und so die Handlung der typischen Filmkomödie in Gang setzt: In Gérard Ourys Pierre-Richard-Komödie *Le Coup Du Parapluie* (Der Regenschirmmörder, F 1980) beispielsweise verwechselt ein einfältiger Schauspieler das Hotelzimmer eines Mafiosos mit dem direkt daneben befindlichen Büro der Casting-Agentur, bei der er sich um ein Engagement bewerben will, und ist, als der Mafioso – der einen ihm avisierten Profikiller erwartet und sich ebenfalls in der Identität seines Gegenübers täuscht –, ihn tatsächlich engagiert, fortan felsenfest davon überzeugt, in einem Film die Rolle des Killers zu spielen. Während seine Auftraggeber immer wieder verblüfft sind, wie kaltschnäuzig der vermeintliche ›Trottel‹ einen Mord nach dem anderen begeht, bekommt der ›Schauspieler‹ von alldem nichts mit – für ihn fließt, wenn überhaupt, nur Filmblut.

Das Genre der Komödie variiert immer wieder die Geschichte eines Subjekts, das in eine ›falsche Welt‹ bzw. einen anderen »Vorstellungskreis« (Freud) versetzt wird – und zwar ohne sein Wissen

1. Man hat Almodóvar aufgrund dieser Auflösung vorgeworfen, er desavouiere Homosexualität.

oder gegen seinen Willen.[2] Eine Verkettung komischer Effekte entsteht jeweils dadurch, dass das Subjekt aufgrund seiner falschen Prämissen einen ›Fehler‹ nach dem anderen begeht, genau dadurch aber ›instinktiv‹ alles *richtig* macht und allen Gefahren und Bedrohungen mit traumwandlerischer Sicherheit entgeht.

Dieses komödiantische Grundprinzip der *Verwechslung* wird von Almodóvar nicht einfach nur reproduziert, sondern geradezu potenziert: Die Dichotomie zwischen ›richtiger‹ und ›falscher‹ Welt wird in sich noch einmal gedoppelt, denn parallel zum ›eigentlichen‹ Happy End, bei dem Prinz und Prinzessin der Sonne entgegenjetten, sieht der Zuschauer, wie dieselbe Prinzessin nicht minder glücklich im Bett ihres Vaters landet. Dieses verblüffende Finale, das auf surreale Weise verdoppelt erscheint, ist in Wahrheit nur ein einziges mit zwei Aspekten. Anders als in der herkömmlichen Komödie lösen sich am Ende von *Labyrinth der Leidenschaften* nicht alle Irrtümer glücklich auf. Wie bei einem raffinierten Witz, der erst einen Moment später wirkt, sieht sich der Zuschauer durch das doppelte Happy End in die Zweideutigkeit einer *Pointe* entlassen.

Der Plot, der zu dieser Pointe hinführt, ist ein wahres Labyrinth: Es gibt nicht weniger als 20 handlungstragende Figuren (insgesamt sogar 33), deren Schicksale im Zeitraffertempo entwickelt und auf komplexe Weise aufeinander bezogen und ineinander verwickelt werden. Zum Personal zählen unter anderem eine Männer- und eine Frauen-Punkband, eine Gruppe islamistischer Fundamentalisten, eine Psychoanalytikerin, ein Biogynäkologe, der Schah von Persien und seine Frau sowie der umnachtete Besitzer einer chemischen Reinigung, der seine Tochter mit seiner Ehefrau ›verwechselt‹.

Im Zentrum dieses Labyrinths der Leidenschaften stehen zwei Hauptfiguren: Ohne voneinander zu wissen, streifen Sexilia (Cecilia Roth), eine nymphomanische Pop-Sängerin, und Riza Niro (Imanol Arias), schwuler Sohn des entmachteten Kaisers von Tiran,

2. »In Chaplins Filmen«, so Slavoj Žižek in einer seiner hellsichtigsten Analysen, »findet man sogar eine spontane Theorie über den Ursprung der Komik in solchen Verwechslungen: In *The Circus* gerät der Vagabund auf der Flucht vor seinen Verfolgern auf ein Akrobatenseil hoch unter der Zirkuskuppel; um nicht in die Tiefe zu fallen, versucht er verzweifelt das Gleichgewicht zu halten, was vom unwissenden Publikum, das seine Verbiegungen für den Auftritt eines Clowns hält, mit Beifall und schallendem Lachen bedacht wird – den Ursprung der Komik muss man immer in solch einer grausamen, rücksichtslosen Blindheit suchen, in unserer Verblendung für die wahre Tragik der Situation« (Žižek 1991: 129).

über den Rastro, Madrids berühmten Flohmarkt. Beide verbergen ihre lüsternen Blicke, die jeweils auf den Phallus ihrer potenziellen Sexualpartner gerichtet ist, hinter schwarzen Sonnenbrillen. In einer Szene spiegelt sich Rizas Gesicht in einer Batterie von Sonnenbrillen, eine symbolische Entsprechung der Pluralität der Sexualpartner. Der Blick auf den *verhüllten* Phallus ist ein Motiv, das am Ende, wenn auch mit umgekehrtem Vorzeichen, wiederkehren wird: als silbrig schimmerndes Flugzeug, mit dem das Traumpaar abhebt.

Ohne Notiz voneinander zu nehmen, laufen Riza und Sexilia einander bis zur Mitte des Films mehrfach über den Weg. Ihre erotischen Abenteuer werden in zwei parallelen Strängen geschildert, in denen beide, wie in der Anfangsszene deutlich wurde, offenbar das gleiche suchen: den Phallus. Riza, der inkognito in Madrid ist, schläft zunächst mit dem Schauspieler Fabio und später mit Sadec (Antonio Banderas in seiner ersten Rolle), dem Mitglied einer muslimischen Guerillatruppe aus Tiran, der mit einer außerordentlichen Spürnase ausgestattet ist und in dessen Wohnung Poster von Julio Iglesias, Bruce Lee und Ayatollah Khomeini hängen.

Als Riza bei einem Punk-Konzert den Sänger der Band vertritt, kommen er und Sexilia zum ersten Mal in direkten Kontakt – zwischen den beiden ›funkt‹ es spontan. In der nächsten Szene ist zu sehen, wie Sexilia keine Lust mehr auf ihrer Männer-Orgien hat. Auch Riza empfindet, nachdem Amors Pfeil ihn traf, beim homoerotischen Sex nur noch Langeweile. Sexilia und Riza sind plötzlich ›wie ausgewechselt‹. Die beiden zieht es magisch zueinander – und trotzdem: als Sexilia den Prinzen im Hotel besucht, genügt es beiden, einander keusch in den Armen zu halten. Eben noch haben sie ihre Sexualpartner wie die Hemden gewechselt, nun scheint ihnen die Lust vergangen. Sie können (oder wollen) nicht miteinander schlafen, stattdessen verhalten sie sich wie Kinder.

Unterdessen kommt Rizas Stiefmutter Toraya nach Madrid. Die Ex-Kaiserin von Tiran ist eine Patientin von Sexilias Vater Dr. de la Peña. Durch den berühmten Biogynäkologen und Wegbereiter der künstlichen Befruchtung, über den es zu Beginn des Films in einem Zeitungsartikel heißt, ihm sei die »asexuelle Reduplikation von sechs identischen Wellensittichen« geglückt, hat Toraya ihre Fruchtbarkeit wiedererlangt. Im Gegensatz zu Soraya, die vom Schah verstoßen wurde, weil sie keine Kinder bekommen konnte, hat Toraya dieses Projekt nicht aufgegeben. Sie sucht deshalb nach ihrem Stiefsohn, denn sie will mit Rizas Samen dem entmachteten Kaiser einen weiteren Sohn schenken. Wie Soraya steht auch Almodóvars Toraya vor einer wahren *Mission impossible*. Der Kaiser begnügt sich nämlich nicht mit nur einem Sohn: »Er wollte viele Kinder haben, die halbe Nation sollte sein Blut in sich tragen«, erinnert sich der Biogynäkologe, der dem Kaiser einmal begegnet ist.

Wegweiser durch dieses scheinbar undurchschaubare Labyrinth der Leidenschaften, Nebenhandlungen und Querverbindungen ist die Geschichte Sexilias. Ihre verschütteten Erinnerungen an ein gemeinsame Erlebnis mit Riza, an das beide sich zunächst nicht erinnern, sind traumatisch und müssen von der Psychoanalytikerin Susana freigelegt werden, bei der Sexilia wegen ihrer notorischen Sonnenlichtphobie in Behandlung ist. Susana stellt sich als »Psychoanalytikerin aus der Lacan-Schule« vor, erweist sich jedoch – da sie während der Sitzungen Wäsche bügelt und sich Pralinen in den Mund wirft – eher als Karikatur ihres Berufsstandes. Dass Lacan selbst sich während der Sitzungen nicht wesentlich anders und oft sogar wie ein Rüpel benommen hat (um der Idealisierung seiner Person entgegenzuwirken), kann Almodóvar nicht gewusst haben, macht aber die Figur der Analytikerin umso interessanter.

Susanas Interesse an ihrer Patientin Sexilia ist allerdings nicht ganz uneigennützig. Die füllig-frivole ›Hysterikerin‹ macht kein Geheimnis daraus, dass sie mit Sexilias Vater ins Bett will. Obwohl der in seiner Praxis unfruchtbaren Frauen reihenweise Kinder ›macht‹, ist Dr. de la Peña ein ausgesprochener Sexmuffel: »Sex hat mich noch nie interessiert«, erklärt der Melancholiker, »auch nicht, als ich jung war. Es liegt etwas Schmutziges, etwas Abstoßendes in der Vereinigung zweier Körper. Das war auch der Grund dafür, mich der künstlichen Befruchtung zu widmen.«

In einem der zahlreichen Nebenstränge – die, wie wir am Ende erfahren, ähnlich wie im Traum keine ›Nebenstränge‹ sind, sondern Kommentare und Spiegelungen der Haupthandlung – will die überdrehte Analytikerin den keuschen Doktor auf ihre Weise ›kurieren‹, wirkt dabei aber eher wie die Ursache seiner ›Krankheit‹: In einem Café redet sie derart penetrant auf ihn ein, dass sogar der Kellner sich im Vorbeigehen einmischt und dem Doktor ungeduldig zuruft: »Dann bums' sie doch endlich!«

Susanas analytische Arbeit, ein wesentlicher Aspekt des Films, kulminiert in einer Szene, in der Sexilia, dem Nervenzusammenbruch nahe, in ihre Praxis kommt. Sexilia hat gerade eine traumatische Situation erlebt, die wie der Freudsche ›Wiederholungszwang‹ strukturiert ist. Nachdem sie Riza kennen gelernt hat, schwebt sie zunächst im siebenten Himmel – bis sie ihren Prinzen in seinem Hotel besucht und Zeugin wird, wie er von Toraya verführt wird. Traumartig und unwirklich wird diese Szene, als die Ex-Kaiserin Sexilia mit einem Taschenspiegel blendet – und dadurch ein Trauma reaktiviert. Völlig aufgelöst eilt Sexilia nun zur Analytikerin, die ihre Patientin – ähnlich wie Sean Connery in Hitchcocks *Marnie* – mit ihrem Symptom, der Sonnenlichtphobie, konfrontiert und so in Sexilia eine Kindheitserinnerung weckt.

Diese Erinnerung entfaltet der Film in Form einer gestaffelten Rückblende, die erstmals während des Konzertes einsetzt, als Sexilia Riza auf der Bühne bewundert und dabei unbeabsichtigt in einen Scheinwerfer schaut, der sich daraufhin in eine Sonne verwandelt. Die durch die Konfrontation mit der Sonne (bzw. deren Repräsentationen Scheinwerfer und Spiegel) ausgelösten *Flashbacks* illustrieren, wie Sexilia in ihrer Kindheit auf ähnliche Weise durch das Sonnenlicht geblendet wurde. Als etwa achtjähriges Mädchen ist sie mit dem Vater im Urlaub und hat am sonnigen Mittelmeerstrand den kleinen Riza getroffen. Die beiden spielen eine Art ›Doktorspiel‹, Riza hat seine kleine Freundin bis zum Hals in den Sand eingegraben und macht, als sie sich beklagt, sie bekäme keine Luft, auf der Höhe ihres Genitals ein (Luft-)Loch.

Das ›unschuldige‹ Spiel der beiden wird jäh gestört von Rizas Stiefmutter Toraya, die den Jungen hinter einen Strauch zerrt – schon damals versuchte Toraya dem Kaiser ein Kind zu schenken. So erweist sich die Szene, in der Sexilia Toraya mit Riza im Hotel überrascht, im Nachhinein als Wiederholung jener ›Urszene‹, in der die damalige Kaiserin den Jungen am Strand zu verführen versucht hatte.

Die kleine Sexilia kommt hinzu, missversteht die Szene und wendet sich enttäuscht ab, da sie aus Rizas Verhalten schließt, dass er Toraya lieber mag als sie. Hilfesuchend wendet sie sich an ihren Vater, doch der lässt sie im Stich. Resigniert bietet Sexilia sich daraufhin einer Gruppe Jungs an: »Ich will die Frau von allen sein«, erklärt sie trotzig. Während einer ihr den Träger ihres Badeanzugs aufknüpft auszieht, bemerkt sie wiederum nicht, wie Riza sie beobachtet, der sich unterdessen aus Torayas Umklammerung befreit hat. Der nun ebenfalls Enttäuschte wird von einem *Jungen* getröstet …

Almodóvar erklärt, die Rückblenden gehörten zu den Szenen, »die ich in *Labyrinth der Leidenschaften* am meisten mag« (Strauss 1998: 45), denn in ihnen gelingt ihm offenbar eine augenzwinkernde Parodie auf die konventionell ›psychologische‹ Erklärung für Nymphomanie und Homosexualität. Almodóvar bestätigt das auch: »Ja, die Psychoanalyse und die Psychoanalytikerin werden rein parodistisch eingesetzt. Ich wollte etwas machen, was ich sonst nicht immer wage, eine Parodie aller dieser Filme – einschließlich gewisser Filme von Hitchcock, den ich sehr mag –, wo eine sehr ausgetüftelte Rückblende in die Kindheit die Traumata deutet und etwas erklärt, das nicht zu erklären ist« (ebd.: 44).

Interessanterweise unterläuft Almodóvar im folgenden Satz eine Fehlleistung: »Die beiden Hauptpersonen von *Labyrint der Leidenschaften*«, heißt es im direkten Anschluss, »beziehen sich oft auf ihre Nymphomanie, und ich habe sie davon im Rahmen einer Psychoanalyse sprechen lassen, um *a contrario* darauf zu bestehen, dass es für dieses Verhalten keine Erklärung gibt. Jedenfalls ist das meine Meinung« (ebd.: 44f.).

Wen Almodóvar mit »die *beiden* Hauptpersonen« meint, ist zunächst unklar. Denn die Hauptpersonen des Films sind, so scheint es zumindest, Sexilia und Riza. Letzterer kann aber nicht zu den »beiden Hauptpersonen« gezählt werden, die Almodóvar hier meint und die »im Rahmen einer Psychoanalyse« über Nymphomanie sprechen: Riza macht keine Psychoanalyse.

Almodóvars Fehlleistung deutet auf jene unauffällige ›Verschiebung‹ hin, die sich im gesamten filmischen Kontext widerspiegelt, in dem Riza, wie der Ausgang des Films belegen wird, immer mehr zur Nebenfigur wird. Die Haupthandlung konzentriert sich auf Sexilia, deren Sonnenlichtphobie in der Rückblende übrigens ebenfalls erklärt wird: In der Szene, als die kleine Sexilia völlig aufgelöst ihren Vater um Hilfe bittet und ihn dabei am Arm zieht, reißt dieser sich los, denn er befindet sich gerade in einem wichtigen Gespräch mit dem Kaiser von Tiran über künstliche Befruchtung. Sexilia fällt hin, schaut hilflos zu ihrem Vater auf. Als er sich abwendet, gibt die Bewegung seines Kopfes die Sonne, die er zuvor verdeckt hatte, frei, wodurch Sexilia geblendet wird. Der väterliche Blick wird durch das blendende Sonnenlicht ersetzt, das Sexilia fortan in Form ihrer Phobie als *Symptom* begleitet.

Deutlich wird, dass die Rückblende aus zwei thematischen Schichten besteht, deren eine die parodistisch gebrochene Erklärung für Sexilias und Rizas sexuelle Orientierungen lanciert, deren andere jedoch – und dies unparodistisch – um den Vater und seine Symbolisierung durch die Sonne kreist. Unübersehbar ist dabei die sexuelle Symbolik der durch den Vater verursachten Blendung.

Über diese zweite thematische Schicht, die aus der sonstigen parodistischen Überzeichnung der Rückblende deutlich heraussticht, erschließt sich nun eine Bedeutungsebene, die von den stereotypen ›psychologischen‹ Erklärungsschablonen – unter die Almodóvar auch die Psychoanalyse subsummiert – nicht erreicht wird.

Almodóvar konterkariert hier seine eigene parodistische Intention. Deshalb greift die Bewertung, die Rückblende sei »formelhaft, plakativ: eine Popversion der Psychoanalyse, die im amerikanischen Kino der Vierziger und Fünfziger glaubhaft wirkt, aber nicht mehr zu Beginn der Achtziger« (Haas 2001: 41) zu kurz. Während nämlich die parodistische Darstellung der Ursachen von Nymphomanie und Homosexualität – das wechselseitige Missverständnis einer Situation samt dadurch bedingter wechselseitiger Enttäuschung – sich als falsche Fährte erweist, die entsprechend zu jenem ›falschen Happy End‹ führen wird, bei dem Riza und Sexilia auf wundersame Weise von ihren Perversionen ›geheilt‹ werden (was Almodóvar zu Recht als unrealistisch bezeichnet), lanciert die Blendungsszene eine ganz andere Erklärung für Sexilias Nymphomanie: ihr inzestuöses Begehren nach dem Vater. Allein dieses inzestuöse Begehren strukturiert die labyrinthische Handlung des Films durch alle Verästelungen hindurch bis zum Ende.

Im Stil einer ›wilden Deutung‹ benennt dieses inzestuöse Begehren nun gerade jene Figur, die von allen Profis in diesem Film am meisten zu versagen scheint, die Psychoanalytikerin Susana: »Es mag dir wir ein Gemeinplatz vorkommen, aber Schuld daran trägt dein Vater. [...] Ich werde es dir erklären. Du hasst die Sonne, weil du dich mit ihm identifizierst, du bist in ihn verliebt, sogar sehr verliebt. Du schläfst mit jedem Mann, um zu sehen, ob er reagiert oder bemerkt, ob du existierst. Aber dein Vater ist blind, vollkommen blind.«

Obwohl diese Deutung ebenso parodistisch wirkt (und von Almodóvar wohl auch so intendiert ist) wie die in der Rückblende lancierte Erklärung für Sexilias Nymphomanie, ist sie pfiffiger als viele Äußerungen der psychoanalytischen Mainstream-Literatur zu diesem Thema. Gemäß Susanas Deutung ist Sexilias Perversion ein *»acting out«*, also eine unbewusste ›Inszenierung‹, die sich an den Vater wendet im Sinne eines Appells: ›Sieh doch (endlich) ...‹ Darin ist sie vergleichbar mit Freuds junger Homosexueller, die mit ihrer Freundin demonstrativ durch Wien flaniert in der Absicht, bei der mehr als wahrscheinlichen Begegnung mit ihrem Vater diesen zu einer Reaktion zu provozieren.

Vor dem Hintergrund dieser Deutung lässt sich nun die Situation in der Rückblende, als Sexilia ihren Vater ›zu Hilfe rufen will‹, ganz anders interpretieren: Die Kleine hat gesehen, was die (Stief-)Mutter mit Riza anstellt, und hat es, auf ihre kindliche Weise, durchaus richtig gedeutet. Nun will sie, dass ihr Vater mit ihr das gleiche macht. Der Vater aber zeigt ihr nur schroff sein absolutes Desinteresse. Er war schon damals ein Sexmuffel ...

Zu guter Letzt widerspricht Susanas Deutung der Sonne als Vatersymbol auch nicht der Erfahrung Freuds, der etwa in seiner Analyse des paranoischen Senatspräsidenten Schreber geltend macht, »dass die Sonne nichts anderes ist als [...] ein sublimiertes Symbol des Vaters« (Freud 1911c: 290).

Dementsprechend kehrt das Motiv der Sonne im Film mehrfach wieder. Aufgrund ihrer Lichtphobie sieht man Sexilia tagsüber fast nur mit dunkler Sonnenbrille, und sie besuchte – ein unwiderstehlicher Kalauer – »auch nur das Abendgymnasium«. Und als sie während des Konzerts Riza auf der Bühne ohne Sonnenbrille beobachtet und dabei ihre Liebe ausgerechnet zu jenem Jungen entflammt, der sie vermeintlich doch so enttäuscht hat, verwandelt sich einer der Scheinwerfer in eine ›Sonne‹, wodurch bereits jener *Flashback* angekündigt wird, den später die Analytikerin auslöst, indem sie Sexilia mit Sonnenlicht blendet.

Doch die Rückblende führt Sexilia, nachdem sie ihre traumatische Vergangenheit vergegenwärtigt hat, nicht wirklich zu Riza, sondern – ganz im Sinne von Susanas Deutung – zu ihrem *Vater*. Entsprechend erlebt Sexilia nicht nur ein, sondern zwei Happy Ends: Die ›normale heterosexuelle‹ Geschichte endet damit, dass sie mit Riza im Flugzeug abhebt, in der ödipalen Version landet sie im Bett mit ihrem Vater. Nicht zufällig ist ihre leibliche Mutter tot, und Sexilia wird sich auch gegen andere Mutterfiguren wie Susana und Toraya erfolgreich durchsetzen: »Tag, Susana, entschuldige, dass ich dich unterbreche«, erklärt Sexilia der lästigen Analytikerin, die sich noch immer zwischen die beiden drängen will, »aber ich bin gerade mit meinem *Vater* im Bett«.

Doch der Vater weiß nicht, dass er ›in Wahrheit‹ nicht mit seiner Tochter, sondern mit deren Double im Bett liegt. Allein, der Glaube, mit der Tochter zu schlafen, hat eine sehr heilsame Wirkung auf ihn: »Wie konnte ich nur über Sex sprechen, ohne zu wissen, was es ist. Du hast es mir beigebracht!«

Als ›gute Tochter‹ geht sie nicht nur mit dem Vater ins Bett, sie stützt auch dessen schwaches Begehren: Sie ›kuriert‹ ihn nicht nur von seiner Abneigung gegen Sex – sie hilft ihm auch noch aus seiner beruflichen Krise, indem sie ihm den geschwundenen Glauben an sein Lebenswerk zurückgibt. Dr. de la Peña hätte eigentlich allen Grund, über seine bahnbrechenden wissenschaftlichen Erfolge zu frohlocken. Beispielsweise hat er einer unfruchtbaren Frau zu einem Kind verholfen. Doch die patzige Mutter, nicht zufällig ebenfalls eine Patientin Susanas, erachtet ihre Tochter Marie-Carmen als »Monster« – nicht etwa weil sie missgebildet, sondern weil sie vorlaut und altklug ist und so die Schwäche der Mutter bloßlegt. Diese beiläufige Skizzierung der Rivalität zwischen Mutter und Tochter wird Almodóvar in *Womit hab' ich das verdient?* und vor allem in *Mein blühendes Geheimnis* noch deutlicher beschreiben, wo Rossy de Palma und Chus Lampreave einen auf groteske Weise ritualisierten Kleinkrieg miteinander führen.

Ist also die kleine Marie-Carmen nur in den Augen ihrer konkurrierenden Mutter ein Monster, so liegt dieser ›Fehler‹ allem Anschein nach nicht im Sach- und Zuständigkeitsgebiet Dr. de la Peñas als Wissenschaftler. Trotzdem empfindet der Biogynäkologe die vermeintliche ›Entartung‹ des Kindes als schwere wissenschaftliche Niederlage. Der Witz besteht darin, dass de la Peña als ›Erzeuger‹ funktioniert, als *Vater* jedoch versagt hat. Aus ähnlichem Grund ist in seinen Augen auch der Versuch mit den geklonten Kanarienvögeln gescheitert – weil sie nicht singen: »Und wenn sie nicht singen, sind sie nicht perfekt. Und das bedeutet, meine Arbeit ist nicht perfekt.« So kommt der Doktor zu dem Schluss: »Ich bin beruflich total frustriert.«

Von dieser Trübsal wird er erst durch den (vermeintlichen) Inzest ›geheilt‹. Im Gegensatz zur Analytikerin Susana schafft Sexilia es, ihn von seiner Sexabneigung zu kurieren, und bringt obendrein die geklonten Sittiche zum Zwitschern. Erstaunt stellt der Vater fest, er kenne seine Tochter eigentlich gar nicht (darin ist er verwandt mit dem an Alzheimer leidenden Vater der Nonne Rosa in *Alles über meine Mutter*).

Doch diese Unkenntnis ist ihrerseits ein doppeldeutiges Motiv. Der Zuschauer kennt natürlich bereits den Grund für diese ›Entfremdung‹, die im Zeichen einer glücklichen (Wieder-)Begegnung stattfindet. In dem wichtigsten Seitengang im Labyrinth der Leidenschaften gibt Almodóvar der gesamten Geschichte einen geradezu irrwitzigen Dreh, indem er parallel erzählt, dass Sexilia in gewisser Weise tatsächlich nicht Dr. de la Peñas Tochter ist …

Schon eine ganze Weile vorher hat Almodóvar gezeigt, wie Sexilia in einer Textilreinigung von Queti bedient wird, einer ihrer leidenschaftlichsten Verehrerinnen. Sexilia trifft sie zufällig auf der Straße wieder, als Queti die Kleider ihres Idols trägt. Statt sie zurechtzuweisen, akzeptiert sie Queti als Freundin, um sie ganz selbstverständlich in die Szene einzuführen. Quetis Charakter ist eine Variation der Figur der Luci in *Pepi, Luci, Bom*. Wie dieser gelingt

Queti der ›Ausbruch‹ aus ihrer ›perversen‹ Familiensituation, und zwar auf eine Art, die es nur bei Almodóvar gibt. Queti ist das Opfer ihres Vaters. Der narzisstische, vorwiegend an Kosmetik, Körperpflege und Frauenzeitschriften interessierte Besitzer der Reinigung, der die Falten in seinem Gesicht am liebsten wie bei einer Hose »herausbügeln« würde, ist durch eine Überdosis des Aphrodisiakums »Vitopens«[3] zum nimmermüden Sexprotz mutiert. Damit nicht genug: Seit seine Frau mit einem anderen durchgebrannt ist, ist er ›verrückt‹ geworden: er ›verwechselt‹ seine Tochter mit der abwesenden Gattin und fesselt sie wie im Softsexfilm ans Bett, um sie täglich zu missbrauchen. Als fügsame Tochter legt Queti nur schwachen Protest ein, verabreicht ihm aber, um seinen sexuellen Appetit einzudämmen, heimlich das Gegenmittel »Benzamuro«[4].

Eine Wende zeichnet sich für Queti durch die Bekanntschaft mit Sexilia ab, die sich als Mitglied der *movida* mit Drogen bestens auskennt und ihren eigenen »Chemiefreak« kontaktiert. So stellt sich, typisch Komödie, heraus, dass die Bewusstseinstrübung von Quetis Vater erst durch die Kombination von Vitopens und Benzamuro ausgelöst wurde: »Du darfst ihm kein Benzamuro geben, es sei denn du willst gebumst werden, Tag für Tag«, erklärt Sexilia im Plauderton. Ganz beiläufig antizipiert sie damit jene spätere Szene, in der Queti (als Verdoppelung Sexilias) sagt: »Tag, Susana, entschuldige, dass ich dich unterbreche, aber ich bin gerade mit *meinem Vater* im Bett«.

Wir befinden uns im Zentrum des Labyrinths der Leidenschaften: Die Frage, wer hier mit wem im Bett liegt, lässt sich nicht eindeutig beantworten. Virtuos spielt Almodóvar mit dem Motiv des Doppelgängers und der Verdoppelung einer Figur, die in verschiedenen Kontexten verschiedene Funktionen erfüllt: Im Zuge einer wahrlich atemberaubenden Volte zeigt der Film, wie Queti ihren ›paranoiden‹ Vater verlässt (zu dem im fliegenden Wechsel, ganz nebenbei, die Ehefrau zurückkehrt). Sie hat sich mit Sexilia abgesprochen, die sie in eine Klinik für plastische Chirurgie bringt, wo Queti sich – ohne dass der Zuschauer diese Prozedur mitbekommen würde – zu einer perfekten Doppelgängerin Sexilias umoperieren

---

3. Spot auf die Flasche, während die Stimme des Vaters die Aufschrift abliest: »Vitopens – Macht den Penis über einen langen Zeitraum hart und steif. Zu empfehlen für reife, impotente und lustlose Männer.«
4. Spot auf die Flasche, während Quetis Stimme die Aufschrift zitiert: »Benzamuro – Dämpft sehr stark den Sexualtrieb. In der Brunftzeit neutralisiert es die sexuellen Triebe der Tiere mit starker Konstitution.«

lässt. Quetis Identitätswechsel ist eine für Almodóvars Inszenierungsstil typische Ellipse. Wer die kurze Einblendung des Schildes mit dem Hinweis auf eine Klinik für plastische Chirurgie übersieht, wird die Verdoppelung der Figur Sexilia nicht verstehen und dem Film, wie einige Kritiker tatsächlich monierten, einen logischen Fehler vorwerfen.

Erst diese Verdoppelung jedoch motiviert das doppelte Filmende: Sexilia hat sich mit Riza, nachdem sie ihn mit Toraya ertappte, zunächst überworfen, um sich nun ganz beiläufig mit dem Prinzen zu versöhnen. Verglichen mit dem konventionellen Happy End im Hollywoodfilm wird die große Liebe zwischen den beiden geradezu ›lieblos‹ in Szene gesetzt. Nach einem hektischen Dialog im Taxi sehen wir sie auf dem Flughafen nicht wie erwartet in einer Großaufnahme. Ganz unspektakulär passieren die beiden mit einem Kofferkuli den Check-in – und verabschieden sich damit aus dem Film.

Doch dieser Abgang ist wiederum nicht ganz eindeutig: Nicht zufällig war Queti schon immer ein großer Fan der Popsängerin Sexilia, bereits durch das Tragen ihrer Kleider hat sie sich mit ihr identifiziert. Nun nimmt sie als ihr physisches Ebenbild gleich ganz ihren Platz ein, der durch ihren Abflug freigeworden ist: Nicht nur als Sängerin in der *movida*, sondern hauptsächlich bei Dr. de la Peña, ...

Nach ihrem Identitätstausch nimmt Queti die Rolle Sexilias ein – aber im Hinblick auf ihr Inzestproblem ist sie dieselbe geblieben: Die neue Rolle ist mit der alten zwar strukturell identisch: auch als Sexilia ist und bleibt Queti eine Tochter, die mit ›ihrem‹ Vater schläft. Was sie jedoch bisher als Missbrauch erlebt hat, erweist sich nun als Erfüllung eines unbewussten Wunsches. Damit nicht genug, erfüllt Queti stellvertretend auch den Inzestwunsch Sexilias.

Die auf ihren Vater fixierte Sexilia ›löst‹ am Ende ihr Problem dadurch, dass sie sich einfach verdoppelt. Während sie sich von ihrem *Lookalike* Queti im Bett vertreten lässt, hebt sie zur selben Zeit gemeinsam mit Riza per Düsenjet zur Karibikinsel Contadora ab, wo die kaiserliche Familie im Exil lebt: »Alles, was ich dir bieten kann, ist ein Leben in Wohlstand und Luxus«, sagt Riza einmal zutiefst bedauernd zu Sexilia.

Als Melodram interpretiert, entspräche dieses Happy End in der Tat einer »dreifache[n] Rekonstruktion traditioneller bürgerlicher Kinowerte« (Haas 2001: 40): Die Frau wird von der Nymphomanie, der Mann von seiner Homosexualität ›kuriert‹ – und die Liebenden kriegen sich. »Der Sprung aus dem Labyrinth der Leidenschaften versetzt Sexilia und Riza in einen Luftkorridor, durch den sie mit Düsentempo ins ewige Glück reisen. […] Der ekstatische, exhibitionistische Koitus im Flugzeug besiegelt ein Liebesbündnis, das für immer und ewig gilt« (ebd.: 41, 40).

»Sexual healing«: Sexilia alias Queti (Cecilia Roth) und ihr (vermeintlicher) Vater, der melancholische Biogynäkologe Dr. de la Peña (Fernando Vivanco)

Wer den Film nicht vor Augen hat, dem bleibt aufgrund dieser Schilderung das Wesentliche verborgen: Der Koitus im Flugzeug ist nicht »exhibitionistisch«, weil Almodóvar ihn bewusst nicht *zeigt*. Er blendet nicht, wie man aus der Beschreibung schließen könnte, ins abhebende Flugzeug. Das heterosexuelle Glück, das einen Homosexuellen und eine Nymphomanin scheinbar eint, ist daher nur ein *Fake*. Nicht umsonst wird dieses ›Glück‹ nicht auf die übliche Weise inszeniert, statt des glücklich vereinten Paars sieht man nur einen abhebenden Jet von außen. Gerade indem der Zuschauer aber nicht *sieht*, sondern eben nur per Off-Dialog *hört*, wie Riza und Sexilia es »wie in *Emmanuelle 1*« im davonbrausenden Flugzeug[5] zu machen scheinen, wird der konventionelle Hetero-Sex eben nur *suggeriert*.

Was *stattdessen* zu sehen ist, erhält dafür eine sehr exponierte Bedeutung: »Ein Flugzeug – ein silbern schimmernder Phallus – steigt steif in den graublauen Himmel« (ebd.: 37). Das phallische

5. *Emanuelle 1* (F 1973) ist ein Softsexfilm, der für seine ›spektakuläre‹ Sex-Szene im Flugzeug berühmt wurde.

Flugzeug ist aber kein Symbol für die »ekstatische sexuelle Begegnung« zwischen Riza und Sexilia im Jet, es verweist auf die parallel erfolgende Bettszene, die der Film an Stelle des ausgeblendeten Paares Riza und Sexilia zeigt.

Hier sehen wir Queti, die zugleich nicht Queti ist, mit einem Mann, der ihr Vater und zugleich nicht ihr Vater ist: Gemäß der Logik der Erzählung ist Queti im Bett mit Sexilias Vater. Aber ihre Aussage am Telefon »Ich bin im Bett mit *meinem* Vater« bezieht sich auf ihre Identität *als* Sexilia. Der Subtext des Films, der durch die *Flashbacks* impliziert wird, suggeriert, dass es Sexilia selbst ist, die mit ihrem Vater ins Bett geht.

Wie im Traum bleiben hier einander widersprechende Bedeutungen nebeneinander bestehen. In dieser Lesart hat »der Zauberstab der Liebe« (ebd.: 41) – das phallische Flugzeug – gerade nicht »alle Probleme restlos verschwinden lassen« (ebd.). Stattdessen ergeht der Film sich in einer ebenso lustvollen wie augenzwinkernden Choreographie der Symptome und ›Perversionen‹. Der Triumph des Inzests über das konventionelle heterosexuelle Happy End gerät dabei nicht zur ideologischen Aussage, sondern bewahrt die Zweideutigkeit einer *Pointe*.

Tiger im Konvent. Entre tinieblas (Das Kloster zum heiligen Wahnsinn, 1983)

»Der Mensch ist erst wirklich errettet, wenn er begreift, dass er das schmutzigste Wesen ist.«

Im Sommer 1992 wurde in den USA überraschend ein Film zum Kassenhit, der Motive aus Krimi, Komödie und Musical mixte, um die Handlung in einem Nonnenkloster anzusiedeln. In *Sister Act* (Sister Act – Eine himmlische Karriere, USA 1992) spielt Whoopy Goldberg eine Nachtclubsängerin, die zufällig Zeugin eines Mordes wird und daraufhin vor den Killern ihres Mafia-Liebhabers in ein Kloster flüchtet. Der Konflikt zwischen ihrem amoralischen *way of life* und dem im Konvent institutionalisierten Triebverzicht (»No sex, no booze, no men. No way«, lautete der Werbeslogan) entlädt sich in einer Reihe komischer Effekte. Die Nonnen lassen sich von der Vitalität der Sängerin anstecken – sie essen heimlich Eiscreme, frohlocken als tanzende *Streetworker*, und ihr verstaubter Kirchenchor avanciert dank Whoopy Goldbergs musikalischem Gefühl zu einer landesweit berühmten Gospel-Revue, die sogar den Papst entzückt …

Zwischen *Sister Act* und *Entre tinieblas*, Almodóvars drittem Spielfilm, der zehn Jahre früher entstand, gibt es mehr als nur zufällige Ähnlichkeiten. Auch in *Entre tinieblas* verbirgt sich eine Sängerin in einem Kloster, um ihren Verfolgern zu entgehen, und in beiden Filmen, die jeweils mit einem großen Konzert enden, hat die Musik eine zentrale dramaturgische Funktion. Aber während in der Disney-Version die ›subversive Sinnlichkeit‹ des Gospel-Chores mit dem päpstlichen Segen geadelt wird, sieht sich die sündige Mutter Oberin am Ende von Almodóvars Film nicht nur von Gott, sondern, schlimmer noch, auch von ihrer Geliebten, der Sängerin Yolanda Bell, verlassen.

Sister Act übernimmt Almodóvars Grundidee, unterwirft den Plot jedoch dem konservativen Kodex des Disneyschen Familienkinos: Whoopy Goldberg verkörpert die aus Dutzenden von Sportler-Komödien bekannte stereotype Figur eines ›gefallenen Engels‹ bzw. eines in Ungnade gefallenen ›Champions‹, der sich selbst läutert, indem er eine verwaiste Gruppe von Menschen (sei es die jamaikanische Bobmannschaft oder ein Basketballteam, bei dem niemand einen Ball fangen kann) dazu bringt, an sich zu glauben und so über sich hinauszuwachsen. Die Bolero-Sängerin Yolanda Bell erfüllt in *Entre tinieblas* eine völlig andere Funktion, denn im Gegensatz zu *Sister Act* sind die Nonnen bei Almodóvar keineswegs ein armseliger Haufen, sondern eine autarke, selbstbestimmte Gruppe von Individualistinnen, deren jeweilige Vitalität und Kreativität im Praktizieren einer eigenwilligen Form von Religion aufgeht: Die Schwestern vom Orden der »demütigen Erlöserinnen« schneidern ausgefallene Kleider, halten einen ausgewachsenen Tiger als Haustier und verfassen nebenher pornographische Romane. Im Gegensatz zu Maggie Smiths Oberin in *Sister Act* kämpft die Mutter Oberin bei Almodóvar nicht tugendhaft gegen die Sünde – sie pflegt stattdessen mehrere homosexuelle Beziehungen und spritzt sich Heroin …

Offenbar zu Recht schreibt Christoph Haas: »Die Oberin lebt ein im wörtlichen Sinne pervertiertes, verkehrtes Christentum« (Haas 2001: 50f.). Nicht zufällig entspricht diese Einschätzung der des Bayerischen Rundfunks, der die für Oktober 1994 angesetzte Erstausstrahlung des Films im *Free-TV* aus sittlichen Gründen zu verhindern wusste (im *Free-TV* lief der Film tatsächlich erst 1998). *Entre tinieblas* ist der bislang einzige Film Almodóvars, der in Deutschland nicht den Weg ins Kino fand und deswegen für seine Erstausstrahlung im Pay-TV 1993 mit dem irreführenden Fernsehtitel *Das Kloster zum heiligen Wahnsinn* zur harmlosen Klamotte verunglimpft wurde. Der englische Verleihtitel *Dark Habits* trifft allerdings ebenso wenig den Sinn des spanischen *Entre tinieblas*, mit dem Almodóvar an jene biblische Finsternis anspielt, die während der Kreuzigung eintrat, als Christus sich von Gott verlassen wähnte (Markus 15,33; Lukas 23,44). Almodóvar interpretiert diese Finsternis als Metapher für die buchstäblich von Gott verlassene Religiosität der Franco-Zeit. Man wird *Entre tinieblas* also nur dann wirklich gerecht, wenn man jenes »pervertierte, verkehrte Christentum« im Kontext der repressiven Funktion betrachtet, die der Katholizismus in Spanien spielte (und noch immer spielt).

Filmplakat zu »Entre tinieblas«

Im Gegensatz zu den ehemaligen sozialistischen Diktaturen, in denen die Kirche eine Keimzelle der späteren Demokratie war, bildete in Spanien eine europaweit einzigartige Allianz zwischen Staat und Kirche das ideologische Fundament des faschistischen Regimes. Ein nicht unwesentlicher Aspekt des spanischen Faschismus ist wie in allen ›fundamentalistischen‹ Systemen die Unterdrückung der Frau. Die rigorose und einseitige Auslegung des Katholizismus führte unter Franco zu einer wahren ›Geschlechter-Apartheit‹, die darin gipfelte, dass dem Ehemann im Fall der »Beschmutzung der Ehre« sogar das Recht der straffreien Tötung seiner untreuen Gattin eingeräumt wurde.

Der Katholizismus in Spanien ist also für sich genommen schon ein »pervertiertes, verkehrtes Christentum.« Vor diesem Hintergrund entspricht bereits die Grundidee des Films, eine kirchliche Institution wie ein Nonnenkloster als eine Art ›alternatives Frauenhaus‹ vorzuführen, einer für Almodóvar typischen Überzeichnung. Almodóvar differenziert zwischen der allgemeinen, staatlich sanktionierten ›Perversion‹ und einer Subversion, die sich den Katholizismus individuell anverwandelt und so, mit und gegen Adorno, eine Art ›richtiges Leben im Falschen‹ ermöglicht.

Dieses Grundmotiv geht auf Almodóvars persönliche Erfahrung in der Klosterschule der Salesianer zurück, auf die er in *La mala educación* noch ausführlich zurückgreifen wird. Almodóvar beschreibt dort ein Klima der allgegenwärtigen homoerotischen Repression. Gang und gäbe ist, dass das Ritual, nach dem die Padres stündlich Messen lesen müssen, »zu einem intimen, geheimen nächtlichen Akt« (Strauss 1998: 56) wurde, in dem der Geistliche seine pädophilen Empfindungen für seinen Lieblings-Messdiener ausdrückte: »Ich habe mich im übrigen dieser Erfahrung, als ich *Entre tinieblas* schrieb, ausgiebig bedient« (ebd.). Almodóvar erzählt, wie er diese Praktiken für sich privat ummünzte, indem er als Solosänger im Chor »den Gesang demjenigen von meinen Kameraden [widmete], der mir der liebste war. Das war ein sehr überlegter, kalkulierter Akt, ich machte dem Kameraden, der mir gefiel, ein Zeichen, er signalisierte mir, dass er verstanden hatte, und ich begann, für ihn zu singen« (ebd.).

Almodóvar beschreibt hier in nuce die Grundidee seines späteren Films: Im Rahmen eines pervertierten kirchlichen ›Diskurses‹ schafft der junge Solosänger sich – wie die Nonnen in *Entre tinieblas* – durch eine Art Subversion des Religiösen einen ›authentischen‹ Freiraum. Yolanda verkörpert nun eine Figur, die von außen in diese ›falsche Welt‹ eindringt, wodurch sich nachhaltig verändert. Aber im Gegensatz zur Disney-Komödie *Sister Act* geschieht der Wandel nicht dadurch, dass Yolanda eine Art ›Heldin‹ ist, die den Nonnen dazu verhilft, sich selbst und ihre schlummernden Fähigkeiten zu erkennen. Das haben sie bereits, wie sich an ihren schillernden Namen abzeichnet: Sor Rata (dt. Synchronfassung:

Schwester Straßenratte), Sor Estiércol (Schwester Kot), Sor Perdida (Schwester Chaos) und Sor Víbora (Schwester Kobra). Die Namen entsprechen dem Programm der »Gemeinschaft der demütigen Erlöserinnen«: »Der Mensch ist erst wirklich errettet, wenn er begreift, dass er das schmutzigste Wesen ist«, erklärt die Mutter Oberin Yolanda bereits kurz nach ihre Ankunft.

Schwester Straßenratte ist die frühere Geliebte der Mutter Oberin. Um den Schmerz der Zurückweisung zu kompensieren, beutet sie heimlich die Schicksale der »erretteten« Straßenmädchen aus, die im Kloster Unterschlupf finden. Unter dem sprechenden Pseudonym Concha Torres verarbeitet sie deren Geschichten zu Romanen mit unwiderstehlichen Titeln wie *Nimm deinen Hut, Kanaille*, *Ich bin kein Traum* oder *Sekretärinnen im Tal der Tränen*. Doch Schwester Straßenratte, mit deren Figur Almodóvar auf die ebenfalls unter Pseudonym schreibende Leo in *Mein blühendes Geheimnis* vorgreift, ahnt zunächst nicht, dass ihre Romane nicht nur beachtliche Kritikererfolge, sondern auch ausgesprochene Bestseller sind – von deren einträglichem Honorar ihre eitle Schwester, die sich für Concha Torres ausgibt, ausgesprochen ›gut‹ lebt. In einer wunderbar beiläufig inszenierten Szene ist zu sehen, wie ein ratloser Literaturkritiker beim Versuch eines Interviews nicht fassen kann, dass die Autorin dieser intelligenten Romane privat nur eitlen Stuss von sich gibt und großkotzig auf ihren ›Kunstgeschmack‹ verweist, der sich dem Zuschauer in Gestalt einer ebenso teuer wie geschmacklos eingerichteten Wohnung mit grotesk-kitschigem Zimmerspringbrunnen darbietet – während in der Bücherwand nebenan meterweise Cervantes-Blindbände aus Pappe stehen …

Sor Estiércol (Schwester Kot) ist eine Mörderin, die ihre Sünden büßt, indem sie über Scherben läuft und beim Gemüse schneiden darauf abzielt, sich zu verstümmeln. Auf LSD hat sie eigentümliche Visionen, die Almodóvar durch einen ironischen Ausflug ins Psychedelische illustriert: »Diese Torte ist der Leib Christi. Ich sehe seinen nackten, geschundenen Leib in Sirup getaucht. Und er presst seine Wunden an meine Lippen, damit ich sie aussaugen kann.«

Schließlich kümmert Sor Perdida (Schwester Chaos) sich um das ›Baby‹ des Klosters, einen zahmen Tiger, den sie im Klostergarten aufgezogen hat und der auf den sinnigen Namen Eros hört. In der wohl schrillsten Szene des Films sitzt das Tier in einem Käfig, dessen Gitterstäbe aus einem Bettgestell improvisiert sind, und wird mit üppigen Fleischklumpen gefüttert, derweil die hungernde Schwester Straßenratte sich im Hintergrund mit Feldarbeit plagt. Schwester Chaos spielt für den Tiger Bongos, damit er sich an seine

»Heimat in Afrika« erinnert – obwohl jeder weiß, dass Tiger nicht aus Afrika kommen. Die Szene wirkt, als hätten Luis Buñuel und Herbert Achternbusch gemeinsam das Drehbuch geschrieben.

Der Tiger verkörpert »die Gegenwart des Männlichen« (ebd.: 59), er ist auf ähnliche Weise ein ›phallisches Element‹ wie später der Klöppel der Glocke, durch den Leo in *Mein blühendes Geheimnis* eine relative Unabhängigkeit von Männern gewinnt. Als symbolisches Substitut des Phallus steht der Tiger, der auf dem Filmplakat nicht umsonst in Nonnentracht erscheint, für die relative sexuelle Unabhängigkeit der autarken Frauengemeinschaft.

Zwar gibt es im Kloster tatsächlich einen Mann, den unvermeidlichen Kaplan, doch der verkörpert einen ausgesprochen sinnlichen Typ, der vor den Wandlungsworten gerade noch eine Zigarette ausdrückt und im Grunde seines Herzens eigentlich auch eine ›Frau‹ ist. Entsprechend wird er durch einen begeisterten Monolog über die Haute Couture im Film eingeführt: »Haben Sie schon gehört, dass *My Fair Lady* wieder läuft. Cecil Beaton hat den Oscar für die besten Kostüme bekommen. Was für Modelle – und diese Hüte. Audrey Hepburn trägt einen riesigen weißen Hut mit schwarzen Bändern etwas schräg auf dem Kopf, mit einem raffinierten Schleier aus feinster Spitze. Und alles durchwirkt mit feinen süßen Blumen: einfach göttlich!«

Der Kaplan empfindet eine ebenso stille wie gemäß dem katholischen Dogma ›verbotene Liebe‹ zu Sor Víbora (Schwester Kobra), die ihm schon zu Beginn beim Anlegen des ›weibischen‹ Messgewands hilft. Allein ihretwegen hat er sich auf eine ›weibliche‹ Rolle eingelassen und sich in die Schneiderei des Klosters versetzen lassen, wo Schwester Kobra, eine passionierte Modedesignerin, in einem der schrillsten Monologe des Films die Prinzipien ihrer Kreationen erklärt, während sie Yolanda ihre Modellkleider zeigt: »Die ›Erretteten‹ haben sie genäht. Für uns Schwestern sind sie von großem ethischen Wert. Inzwischen hat sich einiges in der Kirche geändert – aber nicht, was das Rituelle angeht. Ich denke, dass der Glaube in der Kunst des Ornaments seinen ästhetischen Ausdruck findet.« So hat Schwester Kobra für jede Saison ein entsprechendes Modell entworfen, das Yolanda mit staunenden Augen bewundert. »Man muss eben dem Zeitgeist gehorchen«, fährt Kobra fort: »Lurex [...] die Kopfbedeckung ist auch aus Lurex [...] Im nächsten Jahr wird dieser Stoff voll im Trend liegen [...].« – Dass die Ornamentik eine ästhetische Reaktion auf das christliche Bilderverbot ist, zählt gewiss zu den kunstgeschichtlichen Gemeinplätzen. Aber dass der muffige Katholizismus mit seinen ›Ritualen‹ Inspirationen und avantgardistische Impulse für die Entwicklung der Mode liefert, wenn auch nur augenzwinkernd, ist eine ausgesprochen ›almodóvarische‹ Idee.

Der Witz dieser religiösen Travestie besteht darin, dass die Nonnen in einem institutionellen Rahmen, der traditionell ein Instrument weiblicher Unterdrückung darstellt, ihr eigenes Begehren entfalten: Sie schneidern, schriftstellern und verkehren mit ›wilden Tieren‹. Doch Almodóvar beschreibt hier keine ›feministische Utopie‹, denn der Umgang der Frauen untereinander ist alles andere als herrschaftsfrei. Schwester Kot buhlt um die Gunst der Oberin, indem sie in deren Auftrag Schwester Straßenratte nachspioniert. Als die beiden, jeweils das schlechte Gewissen vor der anderen verbergend, einander im Gang begegnen, geben sie sich gegenseitig und vollkommen synchron den Segen: »Der Herr segne dich. Und möge dir all deine Sünden verzeihen.« Durch diese Spiegelsituation wird der Inhalt des Segens ins Gegenteil ›pervertiert‹, nämlich zu einer Aggression, die aber in der religiösen Geste aufgehoben ist.

Das fragile Gleichgewicht dieser abgeschlossenen Gemeinschaft bricht wie in *Sister Act* durch die von außen hereinkommende Figur Yolandas auf, deren Funktion jedoch nicht die der Retterin ist. Die wohl schönste Szene des Films schildert ihre Ankunft in der Klosterkapelle, wo gerade eine Messe gelesen wird. Der Priester spricht die Wandlungsworte, als sich im Hintergrund die Flügeltür öffnet und Yolanda – in Anspielung an den Engel bei Mariä Verkündigung – im gleißenden Gegenlicht wie eine Heilige ›erscheint‹. Die Oberin – seit einem Besuch ihres Konzertes unsterblich verliebt in die Sängerin – geht auf Yolanda zu, und zwar mit einem Ausdruck religiöser Entrückung, den die Darstellerin Julieta Serrano mit subtiler Zurückhaltung mimt.

Diese ›Verschiebung‹ des Sinns der Heiligen Kommunion von der rituellen Vereinigung mit Gott hin zu einer erotischen Annäherung ist kein plumpes Sakrileg, denn in der Folge rückt das ›Martyrium‹ der Mutter Oberin im Sinne einer profanen Passionsgeschichte ins Zentrum. Beispielsweise drückt die Oberin ihre Verehrung für Yolanda aus, indem sie vom Gesicht der stark geschminkten Sängerin mit einem Handtuch eine Art ›photographischen‹ Abdruck macht – eine Anspielung auf die Heilige Veronika und das Turiner Grabtuch, auf dem die Gesichtszüge Christi abgebildet sein sollen. Trotz dieser ›sakral‹ überhöhten Liebe versucht die Oberin ihr Liebesobjekt auf sehr weltliche Art zu unterwerfen. In der ›skandalösesten‹ Szene des Films, die wohl auch dazu geführt hat, dass er von den Filmfestspielen in Cannes zurückgewiesen wurde, verführt sie Yolanda zum Heroinkonsum, indem sie sich selbst den ersten Schuss setzt. Denn die Oberin weiß, dass sie in dieser Beziehung überlegen ist: »Ich bin sehr stark. Das Heroin ist meiner Natur nicht gewachsen«, erklärt sie, die weiche Drogen verachtet.

Der Tausch Liebe gegen Heroin entspricht der Fortführung und Umkehrung jener Beziehung, aus der Yolanda fliehen musste. Eine ebenso kurze wie prägnante Vorgeschichte erzählt, wie Yolanda unglücklich verliebt ist in Jorge, einen Junkie, der zu schreiben versucht und ihre Hingabe ausbeutet, um an Stoff zu kommen. Als er an einem mit Strichnin versetzten Schuss stirbt, den sie ihm gerade besorgt hat, greift sie, bevor sie das Weite sucht, nicht etwa nach seinem nunmehr verwaisten Kätzchen, sondern zielsicher nach seinem Tagebuch: Yolanda muss wissen, ob er über sie *geschrieben* hat, ob sie in seinen Phantasien einen *Platz* eingenommen hat …

Das Heroin, das sie ihrem Freund als ›Liebesunterpfand‹ besorgt hatte, verabreicht ihr nun die Mutter Oberin, um sie an sich zu binden, was ihr auch zeitweise gelingt. Wenn die beiden sich nach dem ›Abendmahl‹ gemeinsam aus dem Fenster des Refektoriums übergeben, weil sie aufgrund der Droge nichts bei sich behalten können, so ist das ihr intimster Moment neben jener zentralen Szene, in der Yolanda die Oberin in ihrem Arbeitszimmer besucht, weil sie Koks braucht. Yolandas Eintritt in die Kammer der Oberin ist dem Auftritt in einem Musical nachempfunden. Sie singt eine warmherzigen Bolero mit dem Titel *Encadenados* (»in Ketten«), der aus dem Off eingeblendet wird, obwohl es scheint, als würde die Oberin ein Schallplatte hören. Während Yolanda Drogen nimmt, lobpreist die Oberin die Selbstzerstörung als ästhetische Erfahrung: »Ja, in der Selbstzerstörung liegt die wahre Schönheit. Als Kind wollte ich Ringe unter den Augen haben. Hat aber nicht geklappt, weil ich vor Gesundheit nur so strotzte. Aber wenn ich mal krank war, betrachtete ich voller Entzücken mein Gesicht in einem Spiegel.« Yolandas Blick gleitet über die Wand, an der Fotos weiblicher Filmstars wie Ava Gardner, Marilyn Monroe und Brigitte Bardot hängen, die wie Ikonen angeordnet sind. »Das sind einige der großen Sünderinnen unseres Jahrhunderts. Du wirst dich fragen, warum sie da hängen. […] Gerade in den unvollkommenen Geschöpfen spiegelt sich die Schönheit und die Größe Gottes wider. Jesus starb nicht am Kreuz, um die Heiligen zu retten, sondern nur um die Sünder zu erretten. Wenn ich diese Frauen betrachte, empfinde ich ihnen gegenüber die tiefste Dankbarkeit. Für diese Schönheiten ist Jesus Christus gestorben und wieder auferstanden.«

Das aber ist nicht Yolandas Welt. Sie macht einen kalten Entzug (»Wenn wir auf *turkey* sind, büßen wir für unsere Sünden«) und löst damit ihre erzwungene Beziehung zur Oberin, für die sie nur Verachtung übrig hat. »Sie sind nichts weiter als ein gefügiges Werkzeug in meinen Händen«, sagt sie zu ihr, »das ist der Grund, warum ich Sie hasse.« Dieser Hass ist in gewissem Sinne das Erbe ihrer vorangegangenen Beziehung, denn Yolanda spricht hier nicht ihre eigenen Worte, sondern einen an sie adressierten Satz ihres toten Freundes, der exakt diese Worte in sein Tagebuch geschrieben und dazu angemerkt hatte: »Eines Tages wirst du gehen, aber bevor du mich verlässt, werde ich mich rächen. Denn unsere Liebe war der höchste Preis, den ich für das Heroin zu zahlen hatte.«

Yolanda (Cristina Sánchez Pascual) wird bei ihrem großen Auftritt begleitet von Schwester Straßenratte (Chus Lampreave), Schwester Chaos (Carmen Maura) und Schwester Kot (Marisa Paredes).

Yolandas Liebesbeziehungen erweisen sich so als Kette von Unterwerfungen und Tauschgeschäften. Das deutet sich bereits in jener Rückblende an, in der die Mutter Oberin zum ersten Mal in die Garderobe der Sängerin kommt, um von Yolanda ein Autogramm zu erbitten. Da die noch unbekannte Künstlerin keine Autogrammkarten besitzt, nimmt sie kurzerhand ein Foto von sich und Jorge, schneidet den Freund mit der Schere weg und signiert die übrig gebliebene Hälfte des Bildes für die Oberin – die ihr als Gegengabe eine mit Pailletten bestickte Tasche überlässt. Yolanda benutzt die Oberin, um von Jorge loszukommen, doch Jorges weggeschnittenes Konterfei – ein Motiv, das in *Alles über meine Mutter* wiederkehrt – wirkt hier buchstäblich wie ein Signifikant, das heißt, er bildet ein Glied in einer *Kette*. In der nächsten Station dieser Kette nimmt Yolanda nämlich den symbolischen Platz Jorges ein: Sie konsumiert Drogen, ist aber als geliebtes Objekt in die Machtposition gewechselt. So wird auch Yolanda sich an der Oberin rächen: sie wird ohne Abschied gehen und ihr überdies jenen Brief entwenden, mit dem die Oberin die Marquise, Millionärin und ehemalige Mäzenin des Klosters, erpressen wollte. Das letzte Bild des Films zeigt die Mutter Oberin von außen durch ein Fenster. Als sie bemerkt, dass Yolanda ohne Abschied gegangen ist, stößt sie einen langen Verzweiflungsschrei aus, der vom Grund ihrer Seele zu kommen scheint.

Nach den beiden vorangegangenen Filmen ist dies ein überraschendes Ende, mit dem Almodóvar einen neuen Ton anschlägt. Im Interview erklärt er, dass er in der ursprünglichen Drehbuchfassung eigentlich Yolandas Geschichte erzählen wollte: »Ich habe mir eine Geschichte um eine Frau ausgedacht, die alle Männer und alle Frauen verrückt macht, die singt, sich betrinkt, Drogen nimmt, zeitweise abstinent wird und außerordentliche Erfahrungen macht, für die normalerweise hundert Jahre nicht reichen würden« (Strauss 1998: 50). Denn: »Beim Abfassen des Drehbuchs hatte ich Josef von Sternbergs Arbeit mit Marlene Dietrich im Sinn, besonders *Blonde Venus*, wo sie eine Hausfrau spielt, die Sängerin, Spionin, Nutte wird, die Welt durchquert und eine Unzahl von Abenteuern erlebt« (ebd.). Entsprechend hatte diese Geschichte einen völlig anderen Schluss: »Ich hatte ein anderes Ende gedreht, viel unterhaltsamer und komischer, mehr im Einklang mit dem komischen Genre des Films. Die Nonne, die mit Drogen gehandelt hat, kommt ins Gefängnis, und Yolanda wird bei der Marquise leben, die entdeckt hat, dass ihr Enkel in Afrika lebt und dort, nachdem er von Affen aufgezogen wurde, eine Art Tarzan geworden ist; nun holt sie ihn nach Hause in ihre Villa, wo die letzte Szene des Films spielt: Yolanda ist dabei, den kleinen Tarzan zu verführen« (ebd.: 62f.).

Es stellte sich jedoch schnell heraus, dass die Yolanda-Darstellerin Cristina Sánchez Pascual, die bärtige Frau aus *Pepi, Luci, Bom*, »nicht fähig war, den Traum in die Wirklichkeit umzusetzen« (ebd.: 50), und Almodóvar »das Drehbuch umschreiben und meine Ambitionen zurückschrauben« (ebd.) musste. Eine extrem heikle Situation für den jungen, aufstrebenden Regisseur, denn *Entre tinieblas* ist »der erste Film, bei dem mir angemessene Mittel zur Verfügung standen« (ebd.: 52). Die Geschichte um diese finanziellen Mittel könnte wiederum Teil eines Almodóvar-Films sein, was sie auch in gewisser Weise ist. Denn diese Mittel hatte der spanische Multimillionär Hervé Hachuel zu Verfügung gestellt, der zu dieser Zeit unsterblich in Cristina Pascual verliebt war. Sie drohte ihn zu verlassen, und um sie zu halten, finanzierte er ihr einen Film mit einem Regisseur ihrer Wahl. Süffisant merkt Almodóvar an: »Das Konzept des Auftrags ist zum Konzept des Stils des Films geworden« (ebd.: 50). Mit anderen Worten: Als der Regisseur bemerkte, dass seine Hauptdarstellerin schauspielerisch den Ansprüchen nicht genügte, er sie aber um des Projekts willen nicht feuern konnte, gestaltete er die Geschichte so um, dass aus dem *aktiven* Vamp eine *passive* Figur wurde – das Objekt der Begierde der Oberin, die dadurch zur eigentlichen tragischen Hauptfigur des Films aufstieg.

Die Abwandlung des Konzepts schlägt sich jedoch auch in der größeren Subtilität des Erzählens nieder: »Als ich *Entre tinieblas* drehte, [...] habe ich die Kraft der Großaufnahme erkannt [...]. Ich musste eine Art Scham überwinden – in der Großaufnahme entblößt man die Figur, den Schauspieler, und man entblößt sich selbst. Man spricht mit dem Herzen. Es kommt nicht nur darauf an, die Technik zu meistern, man muss auch ihre Moral verstehen. [...] Die Großaufnahme ist eine Art Röntgenbild der Figur, und sie erlaubt nicht zu lügen« (ebd.: 52f.).

Die Qualität des Films besteht darin, dass er gerade in diesem Sinne nicht lügt. Er steuert auf den Moment zu, in dem die Oberin verlassen wird – ein Moment, der überraschend kommt, auch wenn er durch die einmal mehr überaus verschlungene Geschichte unterschwellig vorbereitet worden ist: Der Konvent der Mutter Oberin, so erfahren wir schon ganz zu Anfang aus einer für Almodóvar typischen *backstory*, wurde von einem reichen, tyrannischen Vater unterstützt, jedoch nicht aus altruistischen Motiven. Denn dieser inzestuöse Vater trieb seine über alles ›geliebte‹ Tochter hinter die Klostermauern, weil er ihr nicht gestattete, ihre große Liebe zu heiraten: »Als Ehemann und als Vater war er eine Kanaille«, erklärt die resolute Marquise stellvertretend für alle spanischen Witwen, um zu präzisieren: »Außerdem war er ein Faschist.« Er ließ für die Tochter ein exaktes Abbild ihres Kinderzimmers einrichten, einen Raum, in dem die Zeit still steht. Indem Yolanda dieses Zimmer bezieht, wird sie für die Marquise zum Ersatz ihrer Tochter, die, wie wir ebenso in der *backstory* erfahren, als Missionarin nach Afrika auswanderte. Ein ans Kloster adressierter Brief ist ihr erstes Lebenszeichen. Mit diesem Brief will die resolute Oberin die Marquise erpressen, die ihre Millionen verprassen will, ohne wie ihr verstorbener Mann das Kloster weiter zu finanzieren. Doch ihr Plan scheitert, denn Yolanda wird die Oberin nicht nur verlassen, sondern ihr auch den *Brief* stibitzen, um ihn der anfangs äußerst unsympathischen, später immer menschlicher erscheinenden Marquise auszuhändigen. War die

Marquise anfangs wie eine typische Frauenkarikatur im Stile Hitchcocks erschienen, so entpuppt sie sich allmählich als typische ›Almodóvar-Frau‹, die sich durch Leidensfähigkeit, gesunden Egoismus und vor allem dadurch auszeichnet, dass sie etwas von *Kosmetik* versteht: »Das einzige, was eine Frau ausmacht, ist ihre äußere Erscheinung«, erklärt die Marquise einmal.

Yolanda (Cristina Sánchez Pascual) und die Marquise (Mari Carillo) haben gemeinsame Interessen.

Am Ende hat also die Mutter Oberin den rettenden Brief verloren, ihr Kloster wird aufgelöst, und ihre große Liebe ist grußlos verschwunden. Obwohl sie keine direkte Sympathieträgerin verkörpert, identifiziert man sich mit dieser ausgesprochen ambivalenten Figur, weil ihr bei lebendigem Leibe das Herz herausgerissen wird. Rückwirkend erhält der komödiantische Film durch dieses Ende eine völlig andere Tonart, was sich jedoch bereits im Vorspann andeutet, der die sich verdunkelnde Stadt zeigt, wozu leise, traurige Klavierakkorde ertönen. Es ist das erste Mal, dass Almodóvar zu jener ›Wahrhaftigkeit‹ der Empfindung vordringt, die seine späteren Filme ab *Das Gesetz der Begierde*, vor allem aber seit *Mein blühendes Geheimnis* auszeichnen. Im Gegensatz zu *Pepi, Luci, Bom* und *Labyrinth der Leidenschaften*, deren komödiantische Struktur den Figuren keine wirkliche ›Tiefe‹ verleiht, gelingt Almodóvar in *Entre tinieblas* erstmals die für ihn typische Mischform: Die Komödie steht im Dienst des Melodrams. Im Rahmen der komödienhaft ›verkehrten Welt‹ der religiösen Satire erzählt der Film den herzzerreißenden *Amour fou* der Mutter Oberin – der ersten Figur in Almodóvars Universum, die den unverwechselbaren *human touch* seiner späteren Frauenfiguren bekommt. Der Schrei der Mutter Oberin kommt wahrlich aus der ›Mitte der Finsternis‹.

Die Eidechse kennt den Mörder. ¿Que he hecho yo para menecer esto! (Womit hab' ich das verdient?, 1984)

»Meine Filme handeln im allgemeinen von Müttern [...].«
Pedro Almodóvar

Hausfrau Gloria (Carmen Maura), die Hauptfigur in Almodóvars viertem und bis dahin aufwändigsten Spielfilm *Womit hab ich das verdient?*, ist nicht zu beneiden. Sie wohnt mit ihrer Familie in einer tristen Madrider Stadtrandsiedlung direkt an der stark befahrenen Autobahntangente M-30. Die Betonwüste stammt »aus dem Bauboom der Glanzzeit des Franco-Regimes [und] entspricht den Vorstellungen der Machthaber vom Komfort für das Proletariat« (Strauss 1998: 73). Denselben Vorstellungen entsprechend führt Gloria einen fünfköpfigen Haushalt, geht aber heimlich nebenher putzen, denn ihr Mann Antonio bringt als Taxifahrer nicht nur zu wenig Geld nach Hause – er sieht auch aufgrund seines überkommenen Ehrenkodexes keine Notwendigkeit, mehr zu verdienen. Stattdessen kritisiert er seine Frau: »Du denkst immer nur ans Geld.« Doch die Anspielung auf das romantische Ideal, nach dem Geld allein nicht glücklich macht, ist eine bittere Ironie, denn Gloria hat nicht einmal genug, um ein paar Stationen mit dem Bus fahren zu können, so dass sie, voll bepackt mit Einkaufstüten, zu Fuß gehen muss und in den Regen kommt. – Dennoch lässt Antonio, wenn er abends vor dem Fernseher seine Schweißfüße auspackt und bedient werden will, seine Frau spüren, dass er eigentlich etwas Besseres verdient hat ...

Mit in der beengten kleinen Hochhauswohnung lebt Glorias zuckerkranke Schwiegermutter (Chus Lampreave), die mitten im Sommer friert, Süßigkeiten und Mineralwasser hortet und nur gegen Barzahlung an die Familienmitglieder rausrückt. Glorias Teenager-

Sohn Toni dealt mit Drogen und kann die Unterschrift seines Vaters perfekt nachmachen; sein kleiner Bruder Miguel geht für Geld mit den Vätern seiner Freunde ins Bett: Wahrlich eine schrecklich nette Familie.

Womit hab' ich das verdient? erzählt die Geschichte Glorias, die in nahezu jeder Szene als gehetzte und frustrierte Hausfrau gezeigt wird, die den ganzen Film hindurch nur für wenige Momente einmal zur Besinnung kommt. »Diese Figur ist den von Sophia Loren und vor allem von Anna Magnani gespielten Hausfrauen sehr verwandt: schlecht angezogen, ungekämmt, ständig mit den Kindern schimpfend, mit allen möglichen Problemen konfrontiert« (ebd.: 65). Almodóvars Bezugnahme auf den italienischen Neorealismus, die sich bereits in der charakteristischen Titelmelodie ankündigt, bleibt jedoch indirekt. Neorealisten wie de Sica (*Ladri di Biciclette* [Fahrraddiebe], I 1948) oder Rossellini (*Roma, Città Aperta* [Rom, offene Stadt], I 1945) positionierten die Kamera fast nur auf der Straße, um das Elend des Proletariats ›authentisch‹ zu dokumentieren. *Womit hab' ich das verdient?* spielt dagegen zu 80 Prozent in Glorias Wohnung, die Almodóvar ebenso wie den Hochhausflur samt Fahrstuhl im Studio nachbaute: »Die Glanzlosigkeit« der Welt, in der Gloria lebt, so Almodóvar im Interview, »spiegelt die Hässlichkeit des Lebens der Figur von Carmen Maura wider, und diese Hässlichkeit herzustellen hat mich ebensoviel Arbeit gekostet wie die leuchtenden und farbigen Dekors von *High Heels*. [...] Die Kleider, die Carmen Maura trägt und die für mich sehr wichtig sind, gehörten meinen Schwestern oder Freundinnen meiner Schwestern, von denen ich sie mir geholt habe. Carmens Kostüme mussten unbedingt hässlich sein, von der gewöhnlichen Hässlichkeit abgetragener Kleidung« (ebd.: 72f.).

Trotz dieser ›naturalistischen‹ Szenerie ist *Womit hab' ich das verdient?* kein typisches Melodram. Glorias Tristesse wird immer wieder durch komische und groteske Momente gebrochen: Vanessa, die leidgeprüfte Tochter der zickigen Nachbarin Juani, kann mit übersinnlichen Fähigkeiten Tapeten an die Wand kleben, eine mit Blutspritzern befleckte Eidechse wird ›Zeuge‹ eines Mordes, und Gloria tauscht ihren Sohn Miguel gegen einen Lockenstab – ohne dabei als Rabenmutter zu erscheinen. Von Szene zu Szene wechselt Almodóvar den Tonfall, wodurch der Film zu einer virtuosen Mischung aus Neorealismus und schwarzer Komödie wird. Gemäß dem ästhetischen Programm von *Pepi, Luci, Bom*, wo es heißt, dass man im Film künstlichen Regen verwendet, weil der echte künstlich aussieht, erlebt der Zuschauer in *Womit hab' ich das verdient?* ein per-

Gloria (Carmen Maura) und der impotente Polizist Poto (Luis Hostalot)

manentes Wechselbad zwischen Glorias realistisch gezeichneter Misere und surrealen Momenten, in denen ihr Leben wie ein absurdes Theater erscheint.

Dieses Wechselspiel strukturiert auch die Handlung. Am Ende einer komplizierten Entwicklung, die nicht minder verschlungen ist als das *Labyrinth der Leidenschaften* und nicht weniger (Neben-)Figuren zählt, wird Gloria auf ebenso witzige wie ergreifende Weise ›zu sich‹ kommen. Als ihr Mann Antonio sich ostentativ für eine andere Frau fein machen will, kommt es zum erwarteten Streit, in dem Gloria ihn im Affekt mit einem exorbitanten Schinkenknochen erschlägt. Sie geht dabei nicht nur straffrei aus, es eröffnet sich ihr auch eine Perspektive aus der scheinbar nicht enden wollenden Tristesse.

Dieser ›Ausweg‹ wird über eine Kette von Verlusterfahrungen erreicht: Gloria ›verliert‹ ihren Mann, den einen Sohn gibt sie selbst weg, der andere Sohn und die Großmutter werden sie verlassen. Doch der Verlust impliziert paradoxerweise ein ums andere Mal eine Art von ›Gewinn‹. Der Film knüpft eine subtile Motivkette, entlang deren Gloria nach und nach zu einem eigenen Begehren findet – und zwar durch eine schier unaufhörliche Serie von Verfehlungen und Ersetzungen. Diese Serie bildet den latenten Erzählfaden und beginnt bereits in der Szene, als Gloria das Sportstudio betritt, wo sie nebenher putzt. Ihr deutliches Interesse an den *Kendo-Stäben*, mit denen Männer, deren Gesichter hinter Schutzmasken verborgen sind, martialische Kampfsportübungen absolvieren, knüpft an die unmittelbar vorangegangene Szene an, in der Gloria einen Platz überquert, auf dem ein Filmteam gerade sein Equipment aufgebaut hat. Wie zufällig wird Gloria einige Schritte lang von einem Tontechniker verfolgt, der ein auffälliges Stabmikrophon trägt, das er scheinbar nach ihr ausstreckt.

Das Mikrophon und die Kendo-Stäbe fügen sich zu den ersten beiden Gliedern einer assoziativen Kette, die sich in Glorias Interesse an der Männlichkeit eines nackten Kampfsportlers fortsetzt, der nach dem Training als letzter noch unter der Dusche steht. Der Polizist Polo, der später noch eine zentrale Rolle spielen wird, bemerkt Gloria und winkt sie in unzweideutiger Absicht zu sich – doch als er mit ihr vögeln will, kann er sie nicht befriedigen.

Gloria erlebt seine Impotenz zunächst als Frustration, die sie auf ihre Weise kompensiert. Zu der programmatischen Liedzeile »Nur nicht aus Liebe weinen« aus einem berühmten Chanson des UFA-Stars Zarah Leander lässt sie den Polizisten stehen, um sich einen jener Kendo-Stäbe zu greifen, deren Analogon ihrem Liebhaber unter der Dusche ›gefehlt‹ hat. Als der Polizist, der sich inzwischen angekleidet hat, sie dabei überrascht, reagiert sie verschämt. Doch das Prinzip der Substitution, ein Stock für einen fehlenden Phallus, das sie hier anwendet, wird sie am Ende zumindest ein Stück weit aus ihrem Unglück herausführen. Denn wenn sie im Affekt ihren Mann erschlägt, so ist die Ausführung der Tat ein Echo auf ihr Erlebnis im Kendo-Studio. Und wenn der Polizist Polo, der nicht zufällig in diesem Fall ermittelt, die Tatwaffe, die ihrerseits deutlich an einen Kendo-Stab erinnert, nicht finden kann, so ist dieses berufliche Unvermögen eine symbolische Entsprechung seiner Impotenz – aus der Gloria auf paradoxe Weise einen Vorteil zieht, weil sie straffrei davonkommt.

Bis bei Gloria die Sicherung durchbrennt, muss sie jedoch erst noch eine ganze Reihe weiterer Frustrationen erleben. So kommt sie in einer der nächsten Szenen nach dem Sportstudio heim, wo ihr Mann bereits stumpf in die Glotze schaut. Wie Antonio registriert auch der Zuschauer nur unterschwellig, dass Almodóvar persönlich in einem TV-Spot auftritt, wo er im Kostüm eines Husaren via Playback *La bien pagá* singt, ein populäres andalusisches Lied über die Hure als die »gut bezahlte Frau«. Die anschließende Szene, in der Antonio seine Frau im Schlafzimmer wie ein Stück Vieh ›nimmt‹, ironisiert diese Lobeshymne auf die Prostitution als Ökonomie des Geschlechterverhältnisses. Als Ehefrau hat Gloria sich an Antonio zwar ebenso ›verkauft‹, wird aber im Gegensatz zu *La bien pagá* alles andere als »gut bezahlt«. Sie erhält von ihrem ›Freier‹ weder Geld noch Lust. Gloria erlebt die eheliche Sexualroutine nicht anders als zuvor die ›Duschszene‹. Zwar ist Antonio im Gegensatz zu dem Polizisten Polo *nicht impotent* – doch das Ergebnis bleibt für sie das gleiche. Der Phallus ist für sie weder in der einen noch in der anderen Szene zu *haben*.

Gloria (Carmen Maura), ihre Nachbarin Cristal (Verónica Forqué) und der Knüppel

Als im Anschluss an den ›Quickie‹ die Nachbarin und Freundin Cristal klingelt, geht es wiederum um den Phallus als begehrtes Objekt und seine Nicht-Verfügbarkeit. Die Edelprostituierte soll einen extravaganten Freier mit einer *Peitsche* zufrieden stellen und fragt, da sie selbst keine besitzt, bei Gloria nach, als ginge es um eine Tasse Mehl. Gloria kann jedoch nur mit einem dicken *Knüppel* aus der Sammlung ihrer Schwiegermutter dienen ...

Die filmische Aufmerksamkeit wendet sich nun erstmals von Gloria ab, um dem Weg dieses weiteren phallischen Repräsentanten zu folgen, der eine (Neben-)Geschichte in Gang setzt, an deren Ende der Knüppel wie ein Bumerang zu Gloria zurückkehren wird. Denn mit dem unförmigen Instrument ist Cristals Freier nicht gedient. Lucas Villalba ist nämlich kein echter ›Kunde‹, sondern ein

Schriftsteller, der wegen notorischer Erfolglosigkeit einen Porno schreiben will und hierfür Feldforschung betreibt. Lucas ist offensichtlich kein Nietzsche-Leser, sonst hätte er die Peitsche selbst mitgebracht.

Cristals nächster Freier ist »ein Exhibitionist«, der zwar keine Peitsche, dafür aber seinen ›Stock‹ selbst mitbringt. Erneut wird Gloria von Cristal in eine ›Stock-Aktion‹ involviert, diesmal muss sie, während der »Exhibitionist« vor den beiden Frauen einen heißen Strip hinlegt und dabei eine zur Karikatur überzogene Eloge auf seinen »Riesenschwanz« hält, als ›Zeugin‹ seiner männlichen Pracht fungieren: »Auf den ersten Blick könnte man mich für sehr schlank halten. Aber das täuscht. Die Arme zum Beispiel sind viel muskulöser, als sie wirken. Aber ein Mann, der fickt nicht mit den Armen. Vielleicht kommt der Brustkorb Ihnen schwächlich vor. Aber fickt ein Mann mit dem Brustkorb? Die Beine sind nicht die eines Sportlers. Aber ein Mann fickt nicht mit den Beinen. Mit was fickt ein Mann?«

Wie einer jener tückischen Gymnasiallehrer, die ihre Schüler zunächst einschläfern, um dann abrupt jemanden aufzurufen, wendet er sich an Cristal, die ihm versonnen zugehört hat, nun aber völlig überrascht ist und, obwohl sie sich als Hure mit derartigen Dingen auskennen müsste, nicht ganz folgen kann, weswegen Gloria ihr die Antwort souffliert: »Mit dem Schwanz!« – »Ganz genau, darauf wollte ich hinaus. Ihr müsst wissen, was ich hab', ist ein Riesenschwanz. Jedesmal wenn er eindringt in die Vagina einer Frau, zerreißt es sie. Deswegen gehe ich zu Prostituierten. Ja, die sind nämlich schon etwas ausgeweitet. Wisst Ihr, alle anderen Frauen haben Angst vor mir. Eigentlich sollte es ihnen gefallen, aber nein. Gut – und die Sahne! Ihr habt ja gar keine Ahnung. Einfach wunderbar! Dickflüssig, sie ist ausgezeichnet für die Haut.«

Nach dem impotenten Polizisten und dem gefühllosen Ehemann führt Almodóvar hier einen dritten Typ Mann ein, der nicht nur ›weiß, was Frauen wünschen‹ – er *hat* es auch: einen »Riesenschwanz«. Der aber lässt Gloria vollkommen kalt. Sie denkt nur nervös daran, was sie zu Hause noch alles zu erledigen hat, und spielt, während der »Exhibitionist« mit Cristal zur Sache kommt, gedankenverloren mit ihrem soeben erworbenen *Lockenstab* …

Dieser Lockenstab, der die vermeintliche Omnipotenz des narzisstischen Freiers ganz nebenbei substituiert, steht wiederum in Zusammenhang mit einer weiteren Kette ›phallischer Ersetzungen‹: Glorias jüngerer Sohn Miguel findet, wenn er nach Hause kommt, meist nur einen leeren Kühlschrank vor. Als Miguel auch noch zum

Zahnarzt muss, bei dem obendrein einige Rechnungen offen sind, bemerkt Gloria, wie überaus ›kinderfreundlich‹ der Dentist ist, und überlässt ihm nach kurzer Verhandlung ihren Sohn zur ›Adoption‹. Sozial-realistische Motive (Gloria ist bettelarm und froh darüber, ein hungriges Maul weniger stopfen zu müssen) und groteske Überspitzung (der pädophile Zahnarzt ist die grelle Karikatur eines Kinderschänders) fließen in dieser Szene bruchlos ineinander. Auf der latenten Erzählebene gibt Gloria ihr Kind, nach Freud der Phallus der Mutter, für ein anderes phallisches Objekt: In der unmittelbar folgenden Szene ist Glorias Hand zu sehen, die in der Auslage eines Schaufensters nach dem Lockenstab greift, von dem wir bereits wissen, dass sie ihn sich *gewünscht* hat.

Geweckt wurde das Begehren nach dem Lockenstab durch eine weitere Freundin aus dem Hochhaus, die Schneiderin Juani, die Gloria vorlebt, was eine Frau äußerlich aus sich machen kann. Juani steht Gloria mit jenen ›gut gemeinten‹ modischen Ratschlägen zur Seite, in denen sich nur ihre Eitelkeit und ihr vermeintlich höherer sozialer Status ausdrücken. Die Schneiderin, eine prototypische ›Zicke‹, steckt voller Wut, die sie immer wieder an ihrer Tochter Vanessa auslässt: »Die Figur kommt in meinen Filmen tatsächlich mehrfach vor, sie geht zurück auf etwas, was ich bei spanischen Müttern beobachtet habe, die oft frustrierte Frauen sind, verbittert, weil ihr Mann weggegangen ist oder weil er nicht ihren Erwartungen entspricht, und die das ihr Kind bezahlen lassen. Oft sieht man auf der Straße ein Kind hinfallen, und die Mutter gibt ihm, statt ihm auf die Beine zu helfen, eine Ohrfeige, weil es hingefallen ist« (ebd.: 46).

Ähnlich wie das durch künstliche Befruchtung entstandene Kind in *Labyrinth der Leidenschaften* ist Vanessa eine Tochter, die dafür büßen muss, dass ihr Vater die Mutter verlassen hat. Wütend zerreißt die Mutter ein Foto, das die Tochter mit dem verhassten Vater verbindet. Die übersinnlichen Fähigkeiten, mit denen Vanessa sich rächt, indem sie Haushaltsgeräte und den Fahrstuhl des Wohnblocks lahm legt, sind eine witzige Anspielung auf Brian de Palmas *Carrie* (Carrie – Des Satans jüngste Tochter, USA 1976), wo ebenfalls eine allein erziehende Mutter ihre Tochter quält, die sich am Ende bitter rächt.

Doch Almodóvar kehrt dieses Motiv um: Als Vanessa, wieder einmal bei Gloria ›geparkt‹, ihrer Wunschmutter auf magische Weise die Tapezierarbeiten abnimmt und die Schränke herumfliegen lässt, sehen wir Gloria das erste und einzige Mal im Film *lächeln*. Ansonsten hat sie stets einen angespannten, besorgten Gesichtsausdruck. Den Stress durch die mehrfache Belastung kann Gloria nur mit Aufputschmitteln und dem Sniffen von Klebstoff bewältigen. Als die Apothekerin ihr die Tabletten verweigert, ist Gloria – obwohl sie sich inzwischen mit dem Lockenstab die Haare gemacht und so wenigstens ihr Äußeres etwas verbessert hat – »mit den Nerven völlig am Ende«. Einsam und ohne einen Hoffnungsschimmer läuft sie an einem anonymen Wohnblock entlang, zu hören ist herzzerreißende Musik.

Die Musik ist auch in der nächsten Szene entscheidend: Zu Hause hat ihr Mann ausgerechnet jene Zarah-Leander-Platte *Nur nicht aus Liebe weinen* aufgelegt, die Gloria schon seit geraumer Zeit zum Wahnsinn bringt. Denn mit dieser Musik demonstriert Antonio, dass er noch immer an seine verflossene deutsche Nazi-Geliebte Ingrid Müller denkt, die er – wie wir aus der *backstory* erfahren – während seiner Zeit als Gastarbeiter in Deutschland kennen gelernt hatte. Ingrid Müller wird – motiviert durch den verkrachten Schriftsteller Lucas Villalba (Cristals erster Kunde) – indirekt dazu beitragen, dass Gloria einen *Akt* begeht, mit dem sie die grundlegende Zäsur in ihr Leben einführt …

Dieser Akt ist der logische Endpunkt einer Reihe skurriler Geschichten, die eben nur scheinbar parallel nebeneinander herlaufen. In einer vermeintlichen Nebenhandlung, deren Bedeutung der Zuschauer erst im Nachhinein entschlüsseln kann, hat Almodóvar bereits erzählt, wie der erfolglose Autor Villalba Antonio in dessen Taxi kennen lernt. Der erfolglose Schriftsteller erfährt dabei, dass Antonio ein Experte im Nachmachen von Handschriften ist und für die Biographie Zarah Leanders, die im Film »Lotte von Mossel« heißt (»Ich glaube, sie war auch ein kleiner Nazi«), sogar *Hitlerbriefe* fälschte[1]. Lucas wittert seine Chance, denn er hat gerade »die Biographie eines Diktators geschrieben«, die »mit einigen Korrekturen die Biographie Hitlers sein könnte.« Er will, dass der Taxifahrer für ihn Hitlerbriefe fälscht – aber trotz garantierter Millionengewinne lehnt der stolze Antonio empört ab, und zwar mit der pathetischen Begründung, dass es sich um ein »Verbrechen« handele …

Lucas insistiert und hält dem Taxifahrer seine früheren Fälschungen vor, doch die sind nach Antonios Auffassung »gerechtfertigt, weil Hitler *tatsächlich* Briefe an Lotte von Mossel geschrieben« habe, die nur »verloren gegangen sind«. Aus Antonios Erzählungen

1. In die spanischen Kinos kam Almodóvars Film 1984, kurz nach dem weltweiten Skandal um die von Konrad Kujau gefälschten Hitler-Tagebücher, die der *Stern* am 28. April 1983 veröffentlicht hatte.

Toni (Juan Martínez) gibt seiner Mutter (Carmen Maura) zum Abschied das Geld, das er mit Drogen verdient hat.

schließt Lucas jedoch haarscharf, dass diese Information nur von Antonios Geliebter Ingrid Müller, Lotte von Mossels Freundin, stammen kann. Aus Liebe zu ihr hatte Antonio Hitlers Handschrift gefälscht: »Ich hab' all diese Briefe geschrieben. Das Nachahmen von Schriften – das kann ich. Vorsicht! Deswegen bin ich kein Fälscher. Ich tat es für sie, für Ingrid Müller. Eigentlich liegt mir das Fälschen nicht, aber sie hat mich darum gebeten. Sie wissen ja, wie das ist, wenn Frauen sich etwas in den Kopf gesetzt haben.« – »Und es ist nie herausgekommen?« – »Was für eine Frage! Nicht einmal Hitler, er möge ruhen in Frieden, hätte irgend etwas davon gemerkt!«

Das Motiv der gefälschten Unterschrift bildet, wie eine spätere Szene zeigt, die Achillesferse von Glorias maroder Familie. Als Toni, der gerade mit Haschisch gedealt hat, nach Hause kommt und sich aufs enge Sofa dazuquetscht, muss er dem Vater beweisen, dass er in seine Fußstapfen tritt – und zwar indem er die *väterliche Unterschrift* perfekt nachmacht. Die Unterschrift impliziert zugleich die Funktion des *Namen-des-Vaters*. Doch dieser Name ist gefälscht, er ist nicht mehr jenes singuläre Element, »das Reale im Symbolischen« (Lacan 1994: 210), das nach Lacan das Gesetz der symbolischen Ordnung stützt.

Diese Aushöhlung des Gesetzes in der Figur des Vaters, der

sich dem Gesetz, das er repräsentiert, nicht unterwirft, weil er aus Liebe fälscht, spiegelt sich in einer nur scheinbar absurden Wendung der Geschichte: Um Antonio zu weiteren Fälschungen zu motivieren, fliegt Lucas kurzerhand nach Berlin,[2] wo er die heruntergekommene Ingrid Müller vor dem Selbstmord bewahrt und dazu bringt, Antonio in Madrid anzurufen. Dieser Anruf, den Gloria mithört, aber nicht versteht, weil ihr Mann deutsch spricht, weckt das schlummernde *Begehren* Antonios. Gloria, die, wie wir wissen, auf Entzug ist und deren Nerven blank liegen, entgeht dies nicht. Doch in seiner Pose als Gockel, der sich für eine andere Frau herausputzt, ist Antonio ebenso wenig ›authentisch‹ wie in seinem doppeldeutigen Bezug aufs Gesetz – was ihm das Genick brechen wird. Als Gloria entdeckt, dass das »Schwein [...] schon wieder meine *Haarnadeln* benutzt hat, um sich die Ohren sauber zu machen«, setzt sich die ›phallische Motivkette‹ fort, die mit dem Mikrophon, dem Knüppel der Schwiegermutter, dem Kendo- und dem Lockenstab sowie dem impotenten Polizisten Polo begann: Gloria weigert sich, Antonios Hemd zu bügeln und bekommt dafür eine Ohrfeige. Blut tropft herab auf jene Eidechse, die Toni und die Großmutter als Haustier halten. Gloria schlägt mit dem Knochen einer *Schinkenkeule* zurück – und wendet dabei exakt jene Schlagtechnik an, die sie im Kendo-Studio beobachtet hat. Antonio taumelt zurück, schlägt im Fallen mit dem Genick auf die Kante des Spülbeckens und stirbt.

Als der impotente Polizist Polo mit zwei unfähigen Gehilfen die Ermittlungen in diesem Todesfall übernimmt, setzt sich die latente Erzählung der ›phallischen Transformationen‹ fort. Deshalb verwundert es nicht, dass Polo auf der Suche nach der Mordwaffe nicht fündig wird: Inzwischen ist der Schinkenknochen im Kochtopf gelandet, in den einer der ahnungslosen Ermittler hineinschaut: »Ich finde, es riecht ganz gut.«

Almodóvar hat sich hier geschickt bei der Folge *Mordwaffe Lammkeule* (Lamb to the Slaughter, USA 1958) aus der legendären US-Fernsehserie *Alfred Hitchcock Presents* bedient. In dieser Episode, die auf der 1953 erschienenen gleichnamigen Kurzgeschichte von Roald Dahl basiert, will Barbara (»Miss Ellie«) Bel Geddes ihren Mann daran hindern, dass er sie wegen einer anderen verlässt, und erschlägt ihn mit einer *tiefgefrorenen* Lammkeule. Auf der Suche nach der Mordwaffe werden die Ermittler nicht fündig, weil das

2. Bis hin zu seinem Melodram *Alles über meine Mutter*, das teilweise in Barcelona entstand, ist dies das einzige Mal, dass Almodóvar eine längere Szene außerhalb Madrids drehte.

Tatwerkzeug inzwischen von Barbara Bel Geddes in bester Hausfrauenmanier zubereitet – und von den ahnungslosen Polizisten gleich am Tatort verspeist wurde.

Das Motiv der Schinkenkeule ist gleichwohl mehr als nur eine Verbeugung Almodóvars vor Hitchcock und Dahl, denn Almodóvar verdeutlicht hier ein im Original nur implizit angelegtes Motiv. So liegt der Polizist Polo zwar richtig mit seiner Vermutung, Antonio sei mit einem massiven Gegenstand erschlagen worden: »Haben Sie eine Eisenstange im Haus, einen Baseballschläger, einen Engländer, einen Schaubenschlüssel?«

Die Großmutter (Chus Lampreave) und die Eidechse Dinero

Wie in Edgar Allan Poes Kurzgeschichte, wo die Polizisten den *entwendeten Brief* nicht entdecken, obwohl er zerknüllt vor ihren Augen liegt, kann der Polizist die Mordwaffe jedch nicht finden, weil sich ihre äußere Erscheinung auf eine sehr spezifische Weise gewandelt hat. Seine Unfähigkeit, diesen Wandel zu erkennen, hat etwas mit Polo selbst und seinem delikaten Problem zu tun. Als Polizist versagt er aus demselben Grund wie als Mann. Nebenbei erfahren wir nämlich, dass Polo aufgrund seiner Erektionsstörung einen Psychiater aufsucht: »Die Impotenz entsteht meines Wissens aus einer Ejakulationsangst heraus,« erklärt der Arzt. Seine Deutung ist hier – wie zuvor schon die Deutung der Psychoanalytikerin Susana in *Labyrinth der Leidenschaften* – nicht einfach nur dahingesagt. Die Ejakulation ist in der Tat problematisch, weil der Höhepunkt der Lust, wie Lacan in seinem Seminar über die Angst ausführt, zugleich der Höhepunkt der Angst ist. Das Subjekt »ejakuliert auf dem Höhepunkt der Angst« (Lacan 1962/63). Das dadurch implizierte Abschwellen des Organs ist nicht nur ein physiologischer Prozess, sondern wird durch die Angst bewirkt. Im Unbewussten fungiert das Abschwellen so als Kastrationsäquivalent.

Der Impotente sucht hier eine paradoxe Lösung. Er kommt dem Fall des Phallus zuvor, er ›opfert‹ gewissermaßen den erigierten Penis, um die Omnipotenz des imaginären Phallus zu retten. Die Mordwaffe Schinkenknochen kann Polo also deswegen nicht finden, weil sie im *weichgekochten* Zustand einem symbolischen Äquivalent jener Kastration entspricht, die für Polo problematisch ist und der er durch seine Erektionsstörung zuvorkommt.

Die ›phallische Motivkette‹ setzt sich fort, als der Polizist Gloria verhört und ihm dabei das Haustier über den Fuß kriecht, jene Eidechse, die, weil sie so grün ist, auf den Namen *Dinero* hört. Das Reptil trägt Blutspuren auf dem Rücken, die von jener Ohrfeige herrühren, die Antonio – bevor Gloria ihn erschlug – seiner ungehorsamen Gattin verabreicht hatte: »Die Eidechse kannte den Mörder«, sagt der Kommissar erbost, als einer seiner trotteligen Kollegen zunächst auf das Tier tritt und es danach – weil es ihn »nervös« macht – mit einem Fußtritt aus dem Fenster befördert.

Als der ältere Sohn Toni mit der Großmutter in deren Heimatdorf zurückkehrt, bleibt Gloria ohne Mann, ohne Kinder und ohne Haustier – dafür aber mit Tonis Drogengeld (*Dineros*) – allein zurück in der Wohnung, deren bedrückende Leere Almodóvar durch einen langsamen 360°-Schwenk auf eindrückliche Weise vergegenwärtigt. Gloria beugt sich über die Balkonbrüstung und macht Anstalten, sich hinunterzustürzen. Doch nach einem endlosen Moment des Zögerns, einem Stillstand der Zeit, tritt ihr Sohn Miguel seitlich ins Bild, winkt ihr von unten herauf zu – und der eingefrorene Film läuft weiter.

Miguel hat den pädophilen Zahnarzt verlassen, weil er, wie er selbst findet, noch zu jung ist, um sich »dauerhaft an jemanden zu binden.« Er will bei ihr bleiben: »Ich finde, die Familie braucht einen Mann.« – Miguel ist freilich kein »Mann«, sondern ein *Kind*. So hat Gloria, nachdem sie zunächst alles verloren hat, am Ende in einem Wohnblock, der auf den sinnigen Namen *La Concepción* (Die Empfängnis) hört, in gewisser Weise ›ein Kind bekommen‹.

Wie in vielen Filmen Almodóvars ergibt sich auch am Ende von *Womit hab' ich das verdient?* eine Viererstruktur aus zwei Paaren: Die Großmutter geht mit dem älteren Sohn aufs Land zurück (ein Motiv, das sich ebenfalls durch Almodóvars Filme zieht), und Gloria bekommt ihren jüngeren Sohn zurück. Dafür hat sie ihren Mann ›gegeben‹ – er war in dieser Familie das ›überzählige‹ Element. Ebenso wie der Polizist Polo, der eine Beziehung zu Cristal hat, sie jedoch gleichzeitig erpresst, verkörpert er das alte Spanien des frankistisch legitimierten Machismo. Antonios groteske Weigerung, für den Schriftsteller die Hitlerbriefe zu fälschen, mit der Begründung, dies sei ein Gesetzesbruch, steht in grobem Missverhältnis zu seiner Unfähigkeit, das väterliche Gesetz tatsächlich zu repräsentieren. Dieser Vater, der darauf Wert legt, dass seine Söhne so wie er selbst Unterschriften fälschen können, war, wie am Ende deutlich wird, von Anfang an das störende Element in der Familie. Nicht zufällig ist seine Mutter über seinen Abgang nicht gerade betrübt. Und auch Crystal sagt, als sie vom Ableben zunächst der Eidechse und danach Antonios erfährt, nur: »Ach, der auch?«

Hinter der grellen Karikatur kommen damit auch tragische Züge zum Vorschein. Antonios Ende ist so unrühmlich, wie seine ganze Existenz es war. Gloria hat ihm förmlich zeigen müssen, wie man mit dem Phallus ›richtig‹ umgeht. Sowohl er als auch Polo haben bewiesen, dass sie ›es‹ nicht können, sie sind beide Stümper, Versager. Die Frau muss das ›Ding‹ selbst in die Hand nehmen, auf ›männliche‹ Männer ist, wie so häufig bei Almodóvar, kein Verlass.

Die schwarze Sonne. Matador (Matador, 1986)

»*Matador* ist natürlich kein Film über den Stierkampf.«
Pedro Almodóvar

Mit seinem fünften Film, *Matador*, macht Almodóvar den größten künstlerischen Schritt. *Matador* reicht zwar nicht ganz an den kommerziellen Erfolg von *Womit hab' ich das verdient?* heran. Doch die Form des Geschichtenerzählens wird transparenter, und die Bilder haben mehr Ruhe und Tiefe, so dass *Matador* der erste ›große‹ Film Almodóvars ist: »Mit dem Film habe ich tatsächlich angefangen, mir meines Interesses für die Möglichkeiten der visuellen Schreibweise des Kinos bewusst zu werden und zu verstehen, dass mich die Sprache des Kinos faszinierte« (Strauss 1998: 90). Erstmals arbeitet der Regisseur mit einem Koautor, Jesús Ferrero, zusammen, der »mir dabei half, von der zentralen Geschichte nicht zu sehr abzuschweifen« (Edwards 2001: 56) und so das ›Labyrinth der Leidenschaften‹ seiner vorherigen vier Filme zugunsten einer einzigen Liebesgeschichte auszudünnen. Das Thema des Todes, das schon in *Womit hab' ich das verdient?* ins Spiel kam, wird dabei zum zentralen Motiv: *Matador* erzählt ein erotisches Melodram, in dem das genuin spanische Thema des modernen Stierkampfes einen rituellen *Liebestod* metaphorisiert. Die Assoziation zwischen *Corrida* und Koitus ist ein Motiv, das die Literatur allerdings schon seit den zwanziger Jahren kennt:

»[W]enn das furchtbare Tier [= der Stier] ohne langen Aufenthalt und ohne Ende wieder und wieder unter der Capa hindurchschießt, nur einen Fingerbreit von der Körperlinie des Toreros entfernt, hat man das Gefühl einer totalen und wiederholten Projektion, wie sie dem physischen Liebesspiel eigen ist. Und in der gleichen Weise empfindet man die Nähe des Todes. Solche Folgen von geglückten *pases* sind selten und entfesseln in der Menge ein wahres Delirium; die Frauen erleben in diesen pathetischen Momenten einen Orgasmus, so sehr spannen sich die Muskeln ihrer Beine und ihres Unterleibes« (Bataille 1972: 35).

Im Gegensatz zur Pornographie von George Bataille erzählt Almodóvar keine voyeuristische ›Geschichte des *Auges*‹, sondern eine vergleichsweise subtile Geschichte des *Sehens*. Die Gewaltsamkeit der sprachlichen Überschreitung, die Bataillesche ›Transgression‹, interessiert Almodóvar nur indirekt als Motiv einer Liebesgeschichte, die nach den Gesetzen des Melodrams zum Scheitern verurteilt ist. Abgesehen von einigen schockierenden Bildern – etwa die *Splattermovies*, die in der Eröffnungssequenz auf einem Fernsehbildschirm zu sehen sind – bleibt Almodóvars visuelle Sprache ausgesprochen sublim: Wenn der Ex-Stierkämpfer Diego Montes (Nacho Martínez) seine schützende Sonnenbrille abnimmt und erstmals bewusst seine große Liebe María Cardenal (Assumpta Serna) erblickt, die gleich darauf hinter einer Dampfwolke verschwindet, so erinnert diese ›magische Erscheinung‹ an die großen Momente des Hollywood-Kinos – etwa wenn das Gesicht der Garbo sich in *Anna Karenina* (Anna Karenina, USA 1935) aus den Schwaden einer Dampflokomotive herausschält. Und wenn die beiden einander später, nach einer spannenden ›Verfolgungsjagd‹, die Almodóvar mit augenzwinkernden Anleihen bei William Friedkins *French Connection* (French Connection, USA 1971) inszeniert, auf der ›Brücke der Selbstmörder‹ wiederbegegnen – derweil der Horizont von der untergegangenen Sonne rot glüht –, so scheint in diesen Bildern die Zeit stillzustehen.

Das Bild der *Sonne* (und der Sonnenbrille), der Eindruck *still stehender Zeit* und das Thema des *Sehens* sind nicht nur ästhetische Motive, sie strukturieren auch den Plot, der zwar geradliniger und konzentrierter erscheint als in den früheren Filmen, deswegen aber nicht weniger Untiefen und Assoziationen birgt. Wie schon *Labyrinth der Leidenschaften* erzählt *Matador* die Geschichte eines heterosexuellen Paares, das füreinander bestimmt zu sein scheint und dessen Schicksal von der Sonne in paradoxer Weise ›überschattet‹ wird. Denn der Liebestod, den Diego und María miteinander – und doch nicht wirklich gemeinsam – sterben, geschieht während einer Sonnenfinsternis. Der durch die Verfinsterung metaphorisierte Übergang von einer »profanen [...] in die nicht lineare sakrale Zeit« (Stiglegger 2002: 22) impliziert motivisch das Grundthema des *Se-*

hens: »M. für Matador und m. für *mirar* (sehen)« (Smith 2000: 65), erklärt Almodóvar im spanischen Presseheft zu *Matador*.

Diegos und Marías gemeinsame Obsession gipfelt darin, etwas *sehen* zu wollen, das grundsätzlich nicht zu sehen ist: »*Schau' mich an*, wie ich sterbe!« sagt María ganz am Ende zu Diego – doch sie hat ihn während des finalen Liebesakts bereits mit einer phallischen Haarnadel ›fachmännisch‹ wie einen Stier getötet: *Er kann sie nicht mehr sehen*.

Springen wir von diesem logischen Endpunkt zurück an den Ausgangspunkt der Geschichte, so sehen wir bereits in der ersten Szene Diego in einer Situation, die auf das Sehen zentriert ist: Der Matador sitzt vor dem Fernseher und masturbiert zu einem Best-Of-Zusammenschnitt einschlägiger B-Horror-, Slasher- und Splatterfilme von Jess Franco und Lucio Fulci (unter anderem *New York Ripper* [Lo Squartatore di New York, I 1981]). Gemeinsames Merkmal dieser clipartig collagierten Todesszenarien (die in der deutschen Fassung drastisch gekürzt wurden) sind die *weit aufgerissenen Augen* der Frauen, deren Kopf von einer Kreissäge abgetrennt wird; meistens jedoch werden die weiblichen Opfer von einem zumeist maskierten Killer mit einem Messer ›penetriert‹. Diego identifiziert sich mit diesen anonymen Killern: In einer völlig übertriebenen Haltung sitzt er vor dem Apparat, die Mattscheibe zwischen seinen weit gespreizten Beinen, als wollte der Masturbierende jene Messer, mit denen die Frauen *wieder und wieder wie in einer Endlosschleife* erstochen werden, *imaginär* durch seinen Phallus ersetzen.

Zwischen Diego und María gibt es im Hinblick auf das Sehen eine Rollenverteilung: Sie möchte gesehen werden (»*Schau' mich an*, wie ich sterbe!«), und er will in den Augen seiner weiblichen Opfer etwas Bestimmtes sehen. Auf diese Weise, so scheint es, kommen die beiden zusammen. María und Diego, so erfahren wir im Lauf des Films, sind – wie Sexilia und Riza in *Labyrinth der Leidenschaften* – ›Serientäter‹. Sie töten ihre Liebhaber während des sexuellen Aktes. Dieses Motiv ist jedoch ambivalent, denn das Töten ist eine Verschiebung ihres eigentlichen Wunsches, selbst ›getötet‹ bzw. beim Sterben gesehen werden. María will dabei *gesehen* werden, wie sie stirbt – aber nicht von irgend jemandem. Bis sie sich sicher ist, dass Diego ›der Matador‹ ist, der den ›ultimativen Stoß‹ beherrscht, wird sie seine Annäherungsversuche abwehren. Dasselbe gilt für Diego, auf den die Blicke der sterbenden Frauen erotisierend wirken – jedoch nur als *Videobild*, gleichsam an einem ›anderen Schauplatz‹.

Mit einer *realen* Frau vermag der hinkende Torero tatsächlich nur wie mit einer ›Leiche‹ zu verkehren: Wenn er mit seiner Freundin Eva schläft, befiehlt er ihr »Stell' dich tot«, um so ihren *Blick* zu vermeiden. Er kann einer realen Frau nicht auf die gleiche Weise begegnen wie jenen Frauen auf den Videos. Durch diese Vorkehrung schützt er seine (Alibi-)Freundin Eva, aber das Motiv ist ambivalent, denn ebenso schützt Diego sich vor der Wirkung des weiblichen Blicks. Dieser Blick wirkt auf Diego erotisierender als der eigentliche sexuelle Akt, er birgt etwas, das Diego vorher als Stierkämpfer suchte und nun als Serienmörder sucht. Seine Freundin Eva schließt er aus dieser Suche aus. Diego weiß, dass er sie, wenn er mit ihr schläft, im Grunde ›betrügt‹. Zum Ausgleich bekommt sie hinterher, wenn er sie nach Hause zu ihre Mutter zurückschickt, immer jene Würste (*chorizos*) geschenkt, die Diegos Verwalter herstellt. Es hat den Anschein, als ob Diego mit diesem ›phallischen‹ Geschenk eine Art Schuld an Eva abträgt.

Das Motiv des *Sehens* wird Diego und María, die einander bis zur Hälfte des Films nicht persönlich begegnet sind und auch nichts von ihrer gemeinsamen ›Perversion‹ wissen, überhaupt erst zusammenführen. Während sie unabhängig voneinander ihre Ritualmorde begehen, werden sie von einer dritten Person auf paradoxe Weise ›gesehen‹ – und somit erst in einen gemeinsamen Fokus gebracht: Gebannt lauscht Stierkampfschüler Ángel (Antonio Banderas) den Ausführungen seines Lehrers Diego, der nach einer schweren Verletzung durch ein Stierhorn nicht mehr in der Arena auftreten kann und nun eine Schule für Toreros leitet. Während Diego das Ritual des idealtypischen Todesstoßes als einen präzise kalkulierten und zugleich ästhetischen *Akt* beschwört, bei dem es nicht nur auf Geschicklichkeit und Mut, sondern ebenso auch auf das Herz ankommt, ›sieht‹ bzw. *halluziniert* Ángel ein erotisches Szenario, das einen metaphorischen ›Kommentar‹ zu Diegos Ausführungen bildet. Während er seinem Lehrer zuhört, scheint Ángel die Szenerie vor seinem geistigen Auge in gewisser Weise sogar *mitzuerleben*:

»Erscheint der Torero in der Arena«, so Diegos Stimme, »taxiert er den Stier aus der Distanz und entscheidet sich für eine bestimmte Art des Kampfes.« Zu sehen ist María, die auf einem weiten, lichtüberfluteten Platz erscheint. Sie trägt ein elegant fallendes weißes Kleid, das ein wenig wie eine Toga wirkt; ihr schwarzes Haar ist kunstvoll hochgesteckt. Mit einer knappen, aber bestimmten Geste winkt sie einen vorbeikommenden jungen Mann, einen Stierkämpfer, zu sich heran. In einem leeren Zimmer, in dem das dunkle Bett und das Weiß der Wand einen harten Kontrast bilden, verführt

María (Assumpta Serna) und Diego (Nacho Martínez) sind füreinander bestimmt.

sie ihn im Nu. Der Mann ist passiv, lächelt, weiß kaum, wie ihm geschieht. Wiederum erscheint die erotische Begegnung wie eine Paraphrase auf Diegos Vortrag – als er demonstriert, wie der Torero den Stier mit der *Capa* pariert, lässt Maria mit der gleichen Geste ihr Kleid fallen. Und als Diego an einer gehörnten Stier-Attrappe (*carretón*) demonstriert, wie der Degenstoß auszuführen ist, lässt Maria sich von dem jungen Mann penetrieren, bleibt dabei aber in der aktiven Position. So wird sie auch Diegos folgende Erklärungen zum Stierkampf in die Tat bzw. einen *Akt* umsetzen: »Ein guter Degenstoß ist immer das Ergebnis einer guten Naharbeit. In jeder guten Naharbeit kommt der Moment, in dem der Stier nicht mehr angreift. Er bittet uns um den Tod, um uns seinen Tod zu offenbaren.« Im Augenblick seines Orgasmus ersticht María ihren Liebhaber mit einer langen, dolchartigen Haarnadel, und zwar an einer hierfür zuvor mit Lippenstift markierten Stelle im Nacken: In der Terminologie des Stierkampfes handelt es sich um das »Nadelgrab«, an dem die Linie der Schulterblätter des Stiers sein Rückgrat kreuzt; jene Stelle, die der Matador vor seinen Schülern am Beispiel des Stieres beschrieben hatte. Die entsprechende Stelle im Nacken ihres Liebhabers, die María zuvor mit ihrem Lippenstift markierte, entspricht symbolisch dem weiblichen Genitale …

Die Assoziation zwischen *Corrida* und Koitus, die so durch

zwei parallelgeschnittene Szenenfolgen entsteht, täuscht über das erzählerische Paradox hinweg, dass Marías Morde auf der filmischen Ebene zwar ›real‹ geschehen, gleichzeitig aber von Ángel ›halluziniert‹ werden. Die metaphorische Substitution der Erotik durch den Stierkampf und umgekehrt geschieht zwar formal durch die filmische Montage; inhaltlich vollzieht sie sich jedoch vor dem ›geistigen Auge‹ Ángels, der somit das Subjekt und imaginäre Zentrum der Erzählung bildet.

Ähnlich wie in *Womit hab' ich das verdient?* entspricht das Motiv der ›außersinnlichen Wahrnehmung‹ auch in *Matador* nicht der Konvention des phantastischen Films. Stattdessen dient es einem erzählerischen Kunstgriff, mit dem Almodóvar nicht nur die Erzählstränge verknüpft. Durch die ›Visionen‹ Ángels wird die Liebesgeschichte zwischen María und Diego gewissermaßen an einen ›anderen Schauplatz‹ gerückt. Ángel fungiert dabei im mehrfachen Sinne als ›Medium‹: Ohne ihn würden sich die Wege Diegos und Marías gar nicht kreuzen. Erst in seiner ›Perspektive‹ werden die beiden zum Paar. Wie ein Kind, das durchs Schlüsselloch seine Eltern im Schlafzimmer beobachtet und den sexuellen Akt als Gewaltausübung erlebt, wird Ángel alle weiteren erotischen Begegnungen zwischen Diego und María auf diese ›übersinnliche‹ Weise miterleben. So besteht die paradoxe erzählerische Bewegung des Films aus der Perspektive Ángels in einer sukzessiven Annäherung an jenen Moment, in dem seine ›Eltern‹ den Koitus unter der Sonnenfinsternis vollziehen – jener phantasmatische Punkt, an dem er, der Beobachter, erst gezeugt werden wird …

Bis zu dieser metaphorischen ›Geburt‹ ist Ángel von der symbolischen Ordnung, sprich: von der Sexualität ausgeschlossen. Mit diesem ihn quälenden Thema tritt er nach der Stierkampflektion an seinen väterlichen Mentor Diego heran. Als er ihm gesteht, er sei gehemmt und habe noch nie mit einer Frau geschlafen, fragt Diego seinen Schüler, ob er möglicherweise homosexuell sei (ein Motiv, das in *Matador* unterschwellig stets präsent ist). Ángel ist brüskiert und will seinem Lehrer das Gegenteil beweisen, indem er dessen Freundin Eva, ein attraktives Model, das direkt gegenüber wohnt, zu vergewaltigen versucht – um sich hinterher selbst anzuzeigen. Als diese Selbstbezichtigung kläglich scheitert, findet er auf dem Schreibtisch des Kommissars Fotografien, auf denen er jene Ritualmorde Marías wiedererkennt, die er in seinen Halluzinationen ›gesehen‹ hat. Spontan beschuldigt sich Ángel, all jene Männer getötet zu haben, die, wie auf den Fotos zu erkennen ist, alle durch einen Stich in den Nacken gestorben sind. Durch die erstaunte Nachfrage des Kommissars kommt das Gespräch auf den Stierkampflehrer Diego Montes, worauf Ángel auch Fotos getöteter Frauen vorgelegt bekommt, deren Morde er ebenso gesteht: Ähnlich wie bei der Parallelisierung von *Corrida* und Koitus stellt Ángel durch sein Doppelgeständnis eine *assoziative Verknüpfung* zwischen den voneinander unabhängigen Mordserien Diegos und Marías her.

Ángel kommt in Untersuchungshaft und wird von niemand anderem als María verteidigt. Aus diesem Grund ist sie auch dabei, als Ángel dank seiner ›übersinnlichen Fähigkeiten‹ die Polizei zu jenen Frauenleichen führt, die er in Diegos Garten verscharrt haben will. María ist sofort klar, dass Ángel die Morde nicht begangen hat. Jetzt versteht sie, dass Diego, den sie früher als großen Stierkämpfer verehrte, noch immer ein ›Matador‹ ist, das heißt, dass er wie sie selbst ein *Mörder* ist. Mariá gesteht Diego ihre Liebe: »Ich versuchte dich nachzuahmen, als ich tötete.« Sie zeigt ihm ihr Privatmuseum, das sie für Diego in jenem abgelegenen Landhaus eingerichtet hat, in dem die beiden ihren Liebestod zelebrieren werden …

Die Geschichte, die mit einem (scheinbar) glücklichen ›Stierkampf der Liebe‹ *endet*, nimmt ihren logischen *Ausgang* von einer anderen erotischen Szene, die einen satirischen Kommentar zu dem emphatischen Finale bildet: Als Ángel Diegos hübsche Freundin Eva zu vergewaltigen versucht und dabei mit einem Messer bedroht, nimmt er sich den gut gemeinten ›väterlichen‹ Ratschlag Diegos zu Herzen: »Mädchen sind wie Stiere, du musst sie in die Enge treiben, dann ist es ganz einfach.«

Doch für Ángel ist ›es‹ alles andere als einfach, als ›Matador der Liebe‹ scheitert er radikal. Die Vergewaltigungsszene ist ähnlich grotesk wie später in *Kika*. Als Ángel sein Schweizer Taschenmesser auspackt, um Eva zu bedrohen, klappt er zunächst nicht die Klinge, sondern den Korkenzieher aus (›to screw‹ ist im Englischen ein vulgärer Ausdruck für ›vögeln‹). Und nachdem er, wie es scheint, den Akt vollzogen hat, bekommt er ein schlechtes Gewissen – als würde ihm plötzlich bewusst, dass Eva die Geliebte seines väterlichen Mentors und somit in der Position eines ›verbotenen Objekts‹ ist. Ángel entschuldigt sich höflich, sie will ihn mit einer Verwünschung stehen lassen, doch als sie sich im strömenden Regen beim Hinfallen eine leichte Schramme auf der Wange zuzieht, fällt Ángel, als er *das Blut* sieht, unmittelbar in Ohnmacht …

Das Motiv des Stierkämpfers, der kein Blut sehen kann, ist mehr als nur ein ironisches Aperçu. Wenn Ángel später im Krankenhaus beim Anblick eines blutenden Patienten erneut in Ohnmacht fällt, bestätigt seine Mutter Berta (Julieta Serrano), eine fana-

María (Assumpta Serna) tötet ihr Opfer

tische Anhängerin von *Opus Dei*, die zur Selbstkasteiung am Oberschenkel ein Bußband trägt, dem Kommissar beiläufig, ihr Sohn habe *noch nie Blut sehen können*. Durch diese Information verschafft sie ihrem Sohn ein Alibi – dies jedoch ungewollt, denn in ihren Augen entspricht das Eingeständnis, dass Ángel kein Blut sehen kann, einer radikalen Entwertung ihres Sohnes. Mit wenigen Pinselstrichen zeichnet Almodóvar so die Beziehung einer dominanten, herrischen Mutter zu ihrem schwächlichen Sohn, wie wir sie in seinem nächsten Film *Das Gesetz der Begierde* wieder sehen werden. Die Mutter will, dass der Sohn ihr den verstorbenen Mann ersetzt, weiß aber nur zu gut, dass dies nicht möglich ist, weil schon ihr toter Gatte kein wirklicher ›Mann‹ war. Entsprechend unnachgiebig maßregelt sie Ángel pausenlos: Wenn er sich in sein Zimmer oder ins Bad einschließt, steht sie sofort nörgelnd vor der Tür. Als er ihr bei Tisch erklärt, er denke an das Unwetter (während seines Vergewaltigungsversuchs), entgegnet sie: »Du bist mein Unwetter. Manchmal glaube ich, du bist genauso verrückt wie dein Vater. Friede seiner Seele.« Ängstlich gesteht Ángel: »Ich glaube auch, ich bin verrückt, Mama. Du solltest mich zu einem Psychiater bringen.«

Diesen Ruf nach dem Vater versucht die Mutter in ihrem Sinne zu manipulieren, indem sie ihn statt zum Psychiater zur

Beichte schicken will: »Wann hast du vor, endlich deinen *Beichtvater* zu besuchen. [...] Das war eine der Regeln, wieder in diesem Haus zu leben. Du bist schon zwei Monate hier, ohne in der Kirche erschienen zu sein.«

Die Kirche und der Beichtvater sind, wie wir in einer späteren Szene sehen, eine Verlängerung des mütterlichen Willens, deren Dominanz – wie in *Das Gesetz der Begierde* – mit der Schwäche des Vaters korrespondiert. Um sich dem mütterlich-kirchlichen Einfluss zu entziehen, geht Ángel nicht zum Priester, sondern, wie Almodóvar durch eine geschickte Überblendung zeigt, zum Kommissar: »Ich will eine Vergewaltigung anzeigen«, erklärt Ángel dem Gesetzeshüter. »Was, du bist [vergewaltigt worden]?« – »Nein, ich bin der Täter.« – »Bist Du sicher?«

Die absurde Gegenfrage des Kommissars, ob Ángel sich sicher sei, erhält im Nachhinein ihren Sinn. Denn als Eva vorgeladen wird, gibt sie zu Protokoll, dass es sich lediglich um einen *Vergewaltigungsversuch* handele – Ángel habe das Sperma zwischen ihre Beine gespritzt, eine Penetration fand nicht statt. Ähnlich wie Victor in *Live Flesh*, der nach der ersten Begegnung von Elena spöttisch vorgehalten bekommt: »Du hast ihn nicht reingesteckt, sondern dir nur zwischen meinen Beinen einen runtergeholt«, muss auch Ángel die körperliche Liebe erst ›lernen‹. Und wie in *Live Flesh* entspricht dieser Lernprozess dem Abtragen einer *Schuld* – die durch das Gesetz und den Kommissar repräsentiert wird.

Aber für Ángel ist es nicht so einfach, ›schuldig‹ zu sein. Ähnlich wie in Luis Buñuels Groteske *Das verbrecherische Leben des Archibaldo de la Cruz* (Ensayo de un Crimen, Mexiko 1955), auf die Almodóvar sich in *Live Flesh* erneut beziehen wird, begeht Ángel eine *falsche Selbstbeschuldigung*. Ángel steht vor dem Paradox, einen nicht vollzogenen Akt *aktenkundig* machen zu wollen. Auf diese Weise versucht er das Problem zu lösen, das der sexuelle Akt für ihn impliziert: Durch seine halluzinative Identifizierung mit dem väterlichen Mentor Diego entsteht die Assoziation zwischen Erotik und Stierkampf: Ángel erlebt die sexuelle Annäherung an eine Frau wie eine ›Kastration im Realen‹ – und fällt in Ohnmacht.

Diese Ohnmacht ist zugleich symptomatisch für die Rolle Ángels im Film. Zwar bildet er das narrationslogische Zentrum, aber im Gegensatz zu *Live Flesh*, wo die Geschichte Victors sich ebenso auf das Thema der Schuld bezieht (und wiederum durch den Bezug zu Buñuels *Das verbrecherische Leben des Archibaldo de la Cruz* kommentiert wird), ist Ángels Entwicklung nicht als Emanzipation angelegt. Seine Funktion besteht darin, das ›Auge‹ zu sein, durch das wir die Geschichte Diegos und Marías sehen, die sich als eine Abfolge von Seh- und Schau-Spielen erweist.

Wie Marco, der in *Sprich mit ihr* seine zukünftige Geliebte Lydia erstmals auf einem *TV-Schirm* sieht, nimmt auch Diego María zum ersten Mal wahr, als die Anwältin im *Fernsehen* ein Interview über die Verteidigung des vermeintlichen Serienmörders Ángel gibt. Als er sie kurz darauf auf der Straße sieht, legt er die *Sonnenbrille* ab und nimmt sie, wie die Garbo in *Anna Karenina*, als *Erscheinung* wahr, die gleich wieder in einer Dampfwolke verschwindet. María übernimmt die aktive Rolle, sie lotst Diego quer durch die Stadt, um ihn in einem *Kino* die programmatische Schlussszene von King Vidors *Duel in the Sun* (Duell in der Sonne, USA 1945) sehen zu lassen: Jennifer Jones und Gregory Peck kriechen tödlich verwundet aufeinander zu, um einander in den Armen haltend zu sterben …

Mit diesem Grundmotiv des Melodrams ist, wie es scheint, auch das Thema von *Matador* formuliert: Die unmögliche Liebe findet ihre ›Erfüllung‹ einzig dadurch, dass die Partner einander umbringen. Der Tod ist die logische Fortsetzung und phantasmatische Vollendung der im Diesseits unmöglichen Liebe. Allerdings gibt es hier eine grundlegende *Asymmetrie*: Jennifer Jones hat Gregory Peck *zuerst* niedergeschossen, und er stirbt vor ihr …

In *Matador* ›deutet‹ Almodóvar die Phantasie des Liebestodes, die in *Duel in the Sun* auf emphatische Art bebildert wird, indem er das Grundmotiv des *Sehens* hervorhebt: Ähnlich wie die Unfall-Junkies in David Cronenbergs *Crash* schaut Diego sich wieder und wieder jenes Video an, auf dem dokumentiert ist, wie er von einem Stier beinahe getötet wird. Als er im Stil von Antonionis *Blow up* plötzlich auf diesen Bildern erkennt, dass María mit ihrem markanten schwarzweißen Kleid unter jenen Zuschauern sitzt, die in der Arena damals seiner ›Kastration im Realen‹ beiwohnten, scheint der Matador am Ziel seiner Wünsche: Sie hat ihn in einer tödlichen Situation gesehen, und sein Phantasma gipfelt darin, *dass sie ihn wirklich als Toten sieht* …

Umgekehrt hat auch María den Matador Diego in ihrer Verehrung als eine Art toten Heiligen angebetet. Ihr Landhaus hat sie zu einem Mausoleum für den verehrten Stierkämpfer hergerichtet, in dem sie seine *Capa*, seine *Muleta* (den Degen), Plakate und andere Gegenstände wie Reliquien aufbewahrt. Selbst Gläser, aus denen er einmal getrunken hat, und Billardqueues, mit denen er einmal gespielt hat, sind hier in Glasvitrinen ausgestellt. Es fehlt nur noch der Meister selbst.

Almodóvars Inszenierung des Liebestodes gipfelt in einem

poetischen, allzu ›schönen‹ Bild, in dem der Kitsch dieser tödlichen Umarmung sich als ›falsche Fährte‹ erweisen wird. Vor prasselndem Kaminfeuer schlafen die beiden miteinander auf einer ausgebreiteten *Capa*. Zu hören ist das wehmütige Lied mit dem Titel: *Espérame en el cielo, corazón* (Warte auf mich im Himmel, mein Herz). Die beiden Nadeln für den tödlichen Stoß, den sie einander *synchron* geben wollen, liegen bereit. Doch auf dem Höhepunkt seiner Lust geschehen zwei merkwürdige Dinge, die das Phantasma eines *reziproken Liebestodes* unterwandern: »Bisher liebte ich immer alleine«, sagt María kurz zuvor, »ich liebe dich mehr als meinen eigenen Tod. Würde es dir gefallen, mich tot zu sehen?«

Dieser Wunsch, tot gesehen zu werden, wird sich für sie jedoch nicht erfüllen, denn als sie ihn ersticht, hält er sich nicht an seinen Teil der Abmachung. Wie ein erschlaffter Phallus hängt der tote Diego in ihren Armen. »Schau mich an!« sagt sie mit einem Anflug von Verzweiflung, »sieh, wie ich sterbe!« – aber genau das sieht er nicht, kann er nicht sehen: nicht nur, weil er tot ist, sondern auch, weil sich in diesem Moment die Sonne verfinstert …

Was María und Diego trotz der Sonnenfinsternis, dieser mythischen Dunkelheit, in emphatischer Weise *sehen* wollen, ›zeigt‹ der Film aus der Sicht des Kommissars. Gelenkt von den ›übersinnlichen Fähigkeiten‹ Ángels, der die Vorbereitungen zum Liebestod durch seine telepathischen Fähigkeiten wie bei einer Live-Übertragung miterlebt, trifft er mit Eva, Ángel und der Psychologin Julia bei dem abgelegenen Landhaus Marías ein. Im entscheidenden Moment, als María und Diego sich hier gegenseitig den Tod geben, setzt die länger angekündigte Verdunkelung ein. Ángel und der Kommissar sind vorbereitet und schauen durch gerußte Gläser in die verfinsterte Sonne. Sie sehen die Konjunktion der Gestirne, wie der Mond die Sonne ›berührt‹. Als Zuschauer sehen sie so symbolisch genau das, was Diego und María in ihrer gemeinsamen Phantasie auch ›sehen‹ wollen. Der Moment, in dem die Zeit still steht und die Gestirne miteinander ›kopulieren‹, symbolisiert in der Mythologie eine absolute sexuelle Begegnung.

Fasziniert von diesem einmaligen Schau-Spiel, kommen die Zuschauer nicht zufällig zu spät, um den Liebestod zu verhindern. Wenn der Kommissar angesichts des toten Paares erklärt, er habe nie einen friedlicheren Ausdruck gesehen – eine schwärmerische Bemerkung, die er schon angesichts der Leichen auf den Tatort-Fotos machte –, so formuliert er hier die ›Hollywood-Perspektive‹ des geglückten Liebestodes in *Duel in the Sun*. Doch die Sonne ist verdunkelt – was für das ›Duell‹ der Liebenden nicht folgenlos bleibt.

Die Sonne ist, wie wir aus *Labyrinth der Leidenschaften* wissen, ein Vatersymbol und als solches ein Motiv, das sich, wie Ernest Hemingway in seinem Essay *Tod am Nachmittag* schreibt, auch auf den Stierkampf bezieht: »Die Sonne ist sehr wichtig. Die Theorie, die Ausübung und das Schauspiel des Stierkampfs setzen alle die Gegenwart der Sonne voraus, und wenn sie nicht scheint, fehlt mehr als ein Drittel des Stierkampfs. Die Spanier sagen: ›*El sol es mejor torero.*‹ Die Sonne ist der beste Stierkämpfer, und ohne die Sonne ist der beste Stierkämpfer einfach nicht da. Er ist wie ein Mann ohne Schatten« (Hemingway 1977: 20).

Auch Diego wird im Moment der Sonnenfinsternis – die Ángel durch seine Schwindelanfälle ›vorhersieht‹ – zu einem »Mann ohne Schatten«. Diego und Ángel sind also gar nicht so verschieden voneinander.

Wenn Almodóvar den ›Stierkampf der Liebe‹ in eine Sonnenfinsternis verlegt, ihm gewissermaßen das Licht ausknipst, so betont er damit das Motiv des Visuellen. Gemäß der Logik des Phantasmas, das Almodóvar hier inszeniert, tötet María ihren Geliebten, will aber gleichzeitig, dass seine ›toten Augen‹ *sehen*, wie sie in diesem Augenblick ebenfalls stirbt. Das Scheitern dieser Reziprozität des Sehens, das versteckte Grundthema des Films, spiegelt sich im Motiv der Sonnenfinsternis.

Und wenn der Film den Matador als ›Peeping Diego‹ einführt, so thematisiert er ebenfalls das Sehen. Die Videobilder, auf denen die sterbenden Frauen mit den *weit aufgerissenen Augen* zu sehen sind, haben eine erotisierende Wirkung auf ihn. In Diegos Phantasie sehen diese angsterfüllten Augen jenen ›tödlichen Phallus‹, den er ihnen in der Rolle des Matadors ›gibt‹. Zentrales Merkmal dieses ›Schau-Spiels‹ ist, wie beim Stierkampf auch, die Wiederholungsstruktur. Nicht nur María ist eine Serien-Täterin, auch Diego ›besorgt‹ es auf diesem Video-Zusammenschnitt *einer nach der anderen*, ohne dabei selbst jene symbolische Kastration zu erleiden, die durch das Abschwellen des Penis beim sexuellen Akt impliziert ist.[1] Der Liebestod am Ende wiederholt aus seiner Sicht dieses virtuelle Szenario, mit dem Unterschied, dass María nun nicht nur auf einem Video, sondern *live* gegenwärtig ist. Dadurch gibt es *keine Wiederholung* mehr, sondern nur noch – so die Phantasie – einen einzigen

1. Zum Zusammenhang zwischen Voyeurismus, Pornographie, Wiederholungsstruktur, Perversion und »Verleugnung der Kastration« vgl.: Riepe 2004a, S. 137-145. Die Assoziation zwischen dem Abschwellen und der Kastration wird auch im Kapitel über *Womit hab' ich das verdient?* thematisiert.

›Stich‹. Die beiden suchen die ›Wahrheit‹ des Stierkampfes in der Wahrheit des Sehens, das in einem singulären Augen-Blick kulminiert.

Die motivische Kopplung zwischen Sehen und Töten ist in der Filmgeschichte nicht neu. In Michael Powells *Peeping Tom* (Peeping Tom – Augen der Angst, GB 1959) filmt der Serienmörder Mark Lewis Frauen in dem Moment, in dem er sie mit einem ›phallischen‹ Messer an der Spitze seines Kamerastativs tötet. Mit Hilfe einer Spiegelvorrichtung wird den Frauen dabei jeweils ihr eigener angsterfüllter Blick beim Sterben zu sehen gegeben. So ausgeklügelt diese Versuchsanordnung ist, sie bleibt für Mark Lewis so lange unbefriedigend, bis er am Ende ›versteht‹, dass er aus der ›Rückkopplung‹, in welcher der Tod sich gewissermaßen selbst anblickt, ausgeschlossen ist. Deshalb wechselt er am Ende *vor* seine eigene Killerkamera, die nun seinen Blick in dem Moment aufzeichnet, in dem das Messer in ihn eindringt. Auf diese Weise will er seinen eigenen Blick so sehen, als würde ein fremder Blick auf ihn zurückschauen. Was freilich nur in der Phantasie gelingen kann und nicht in der Realität.

Mit Händen zu greifen ist in diesem Szenario Lacans Theorem der Subjektspaltung, die nur im Imaginären rückgängig gemacht werden kann. Mark Lewis kann seinen eigenen Blick im Moment des Todes zwar aufzeichnen, aber er kann ihn, wie Ödipus auf Kolonos, der von seinen eigenen, herausgerissenen, vor ihm auf der Erde liegenden Augen ›angeblickt‹ wird, nicht *sehen*. Die beiden Positionen vor und hinter der Kamera kommen für Mark Lewis unmöglich zusammen.

Die logische Unmöglichkeit des phantasmatischen Szenarios, in dem Mark Lewis Sehender und Gesehener zugleich ist, kehrt in *Matador* wieder, mit dem Unterschied, dass die einander ausschließenden Positionen nun durch das Liebespaar Diego und María verkörpert werden. María will von seiner Perspektive aus ihren eigenen Tod sehen – was bedeutet, dass sie sich ›selbst‹, ihr phantasmatisch ›wahres Selbst‹, erblicken will. Diego, so ihre Phantasie, soll sie nicht einfach abstechen; sie möchte *sehen*, wie sie von ihm abgestochen wird – aber nur insofern als sie mit ihm als Matador identifiziert ist (»Ich habe immer nur dich imitiert«).

Aber diese Identifizierung scheitert, weil Diego im entscheidenden Moment schon tot bzw. ›kastriert‹ ist. Das Versprechen, das von seiner Rolle als ›der‹ Matador ausgeht, ist, dass er sich von ihr töten lässt, ohne dabei zu detumeszieren bzw. die Kastration zu erleiden. Aber diese Omnipotenz Diegos erweist sich als Mogelpackung. Der so emphatische Liebestod endet wie jeder ›normale‹ Koitus: Der Mann hat seinen Spaß und schläft hinterher ein. So wird María am Ende von Diego weder den kleinen noch den großen Tod bekommen.

María hat dieses Verfehlen offenbar antizipiert, denn nicht umsonst liegen nicht nur die beiden dolchartigen Haarnadeln, sondern ebenso ihr Revolver bereit, mit dem sie in einer früheren Szene Diego bedroht hatte. So tötet sie mit ihrem Dolch zunächst ihn und muss sich dann selbst in den Mund schießen (nachdem sie auffällig an dem Revolver gelutscht hat): »Diese ›Selbstmordtechnik‹ mit dem phallisch konnotierten Revolver ist in der filmischen Ikonographie eindeutig Männern vorbehalten« (Vossen 1998: 176).

María ›gibt‹ zunächst Diego den Tod und muss dann, weil Diego versagt hat, Selbstmord begehen. Ihr Versuch, dem Beispiel Marc Lewis' zu folgen und imaginär auf die ›andere Seite‹ zu wechseln, funktioniert nicht, denn die ›andere Seite‹ gibt es nicht mehr: »Schau mich an. Sieh, wie ich sterbe!«, sagt sie zu dem bereits Toten, und in ihrer Stimme liegt ein Anflug von Panik. So tötet sie sich selbst, verfehlt jedoch gerade damit ihr Ziel, sich von Diego umbringen zu lassen, mit dem sie identifiziert ist. Indem sie sich erschießt, ist María also nicht »der wahre und alleinige Matador« (ebd.: 176). María will den Phallus von Diego, aber gleichzeitig will sie ihn sich selbst geben.

Die strukturelle Diskrepanz in Vidors *Duel in the Sun*, wo die Liebenden sich gegenseitig erschießen und der Mann vorher ›einschläft‹, weitet sich in *Matador* endgültig zu einer Kluft. Der Film endet mit einem doppelten *Akt* Marías. Sie kann sich zwar töten, wird dabei aber, wie Marc Lewis, von niemandem ›gesehen‹. Das wahre *Duell in der Sonne* erfolgt im Schatten.

Matador ist ein Vorgriff auf das Thema Homosexualität in Almodóvars nächstem Film *Das Gesetz der Begierde*: »Das ist die Herrentoilette, hast du das Schild nicht gelesen?« sagt Diego, als er das erste Mal das Wort an María richtet. »Traue niemals Äußerlichkeiten« entgegnet sie – was Diego sich zu Herzen nimmt: Als es in der nächsten Szene – in der María noch nicht weiß, dass er noch immer ein ›Matador‹ ist – zur ersten erotischen Annäherung kommt, versucht sie ihn wie gewohnt mit ihrer dolchartigen Haarnadel zu töten. Doch Diego pariert den Angriff, und indem er ihr die Haarnadel abnimmt, entwaffnet er sie nicht nur, er ›kastriert‹ sie – scheinbar. Erst als er María kurz darauf während der Modenschau wiedersieht, wo ihr langer schwarzer *Zopf* zwischen ihren nackten Schulterblättern herunterhängt, ›weiß‹ Diego plötzlich, dass sie den Phallus noch immer besitzt.[2] Jetzt ist er vollends von ihr hingerissen, bewundert sie als Frau, aber auch als jemand, der, wie María einmal sagt, »einer anderen Gattung angehört – meiner«, der Gattung ›Mann‹.

2. »Die Zopfabschneider«, merkt Freud zu diesem Thema an, »spielen, ohne es zu wissen, die Rolle von Personen, die am weiblichen Genitale den Akt der Kastration ausführen« (Freud 1910c: 166).

Das Paradigma der Muschel. La ley del deseo (Das Gesetz der Begierde, 1986)

> »Es gibt Dinge, wie die Begierde, von denen man nur sprechen kann, indem man von sich selbst ausgeht und von sich selbst spricht.«
>
> Pedro Almodóvar

Über seinen sechsten Spielfilm *La ley del deseo* sagt Pedro Almodóvar, er sei »ein Schlüsselfilm in meiner Karriere. Ich habe für meine Filme in Spanien viele Preise bekommen, aber keinen einzigen für diesen. Ich will damit nicht sagen, dass man den Wert eines Films nach der Zahl der Preise beurteilen soll, die er bekommen hat, aber manchmal ist das Schweigen beredt« (Strauss 1998: 86). Erstmals thematisiert Almodóvar, der seine Homosexualität nie verborgen hat, eine schwule Liebesgeschichte. Das Drehbuch, das er zu *Das Gesetz der Begierde* verfasste, stieß auf wenig Gegenliebe. Fördergremien verweigerten die finanzielle Unterstützung, und auch das spanische Fernsehen zeigte kein Interesse, die Senderechte zu kaufen. »Es gibt in Spanien keine offizielle Zensur mehr, aber es gibt natürlich eine ökonomische und moralische Zensur« (ebd.). Notgedrungen wurde *Das Gesetz der Begierde* nicht nur thematisch, sondern auch in produktionstechnischer Hinsicht ein Schlüsselwerk. Es ist der erste Film, den Almodóvar, gemeinsam mit seinem Bruder Agustín, selbst produzierte, und zwar mit der hierfür eigens gegründeten Produktionsgesellschaft *El Deseo*. Das »Begehren«, Filme zu machen, spiegelt sich insbesondere in dem riskanten Schritt, den »ein Regisseur eigentlich nie machen soll« (ebd.) – den aber vor ihm bereits John Cassavetes bei der Produktion von *A Woman under Influence* (Eine Frau unter Einfluss, USA 1974) erfolgreich vorgemacht hatte: »Ich habe bei der Bank einen persönlichen Kredit aufgenommen. Wenn der Film nicht gegangen wäre, wäre das für meinen

Bruder und mich der totale Ruin gewesen; wir hatten alles investiert, was wir hatten, und sogar einiges, was wir nicht hatten. Aber von einem bestimmten Moment an haben wir uns gesagt, dass wir alles auf eine Karte setzen müssten. Wir hatten keine andere Wahl« (ebd.).

Das Wagnis erwies sich als Beginn einer Erfolgsgeschichte, denn »glücklicherweise ist *Das Gesetz der Begierde* sehr gut gegangen, und seither stehe ich jeden Morgen mit dem Gedanken auf, dass ich das damals richtig gemacht habe [...] nach *Das Gesetz der Begierde* war es viel leichter, *Frauen am Rande des Nervenzusammenbruchs* zu produzieren« (ebd.: 87) – jenen Film, mit dem Almodóvar seinen internationalen Durchbruch erzielen und eine Oscar-Nominierung erhalten wird.

Das Gesetz der Begierde war der erste Film Almodóvars, der, im Juni 1987, auch in deutschen Kinos zu sehen war. Der »Kinoscherz des spanischen Enfant terrible« (*Frankfurter Allgemeine Zeitung*) wurde durchaus positiv aufgenommen, wenngleich man dem »emotionalen Planspiel« (*Süddeutsche Zeitung*) des Spaniers auch skeptisch begegnete. »Kitschig, komisch und seltsam schön« fand ihn Andreas Kilb (Kilb 1987), der dem Film ansah, »mit wie wenig Geld er gemacht ist« (ebd.) – und vor allem, »mit wie viel Lust am Erzählen. [...] Das raffinierte Gefühlspuzzle [...] ist ein Schreibtischtraum, direkt in die Kamera getippt« (ebd.).

Mit eben dieser spürbaren Lust am Erzählen thematisiert *Das Gesetz der Begierde* das paradoxe Verhältnis zwischen literarischer Produktion, Homosexualität und dem Verlust eines ›Liebesobjekts‹. Ähnlich wie *Matador* endet *Das Gesetz der Begierde* mit einem Liebestod, doch die beiden Filme verhalten sich zueinander wie Antithesen. Während in *Matador* die ›ultimative Begegnung‹ scheinbar gelingt, in Wahrheit jedoch scheitert, eröffnet sich dem Schriftsteller Pablo Quintero (Eusebio Poncela) in *Das Gesetz der Begierde* durch den Selbstmord seines Geliebten Antonio (Antonio Banderas) ein, wenn auch schmerzlicher, Ausweg aus einer fatalen *Déformation professionelle*. Pablos Dilemma besteht darin, dass er als Schriftsteller »praktisch zum Schöpfer seines eigenen Lebens« (ebd.: 93) geworden ist. Wie in der Anekdote vom chinesischen Maler, der nach Vollendung seines Gemäldes in seinem (Selbst-)Bildnis verschwindet, lebt auch Almodóvars Hauptfigur in einer Art ›Bildnis des Pablo Quintero‹. Als erfolgreicher Autor, Film- und Theaterregisseur schafft er um sich herum eine hermetische Kunstwelt, die ihm seine (homo-)erotischen Wünsche narzisstisch widerspiegelt.

Doch in seiner geschlossenen Kunstwelt ist Pablo einsam.

Zwar lebt er mit seiner Schwester Tina (Carmen Maura) – die vor ihrer Geschlechtsumwandlung sein Bruder Tino war – und einem ›geborgten‹ Kind, Ada (Manuela Velasco), der Tochter von Tinas großer Liebe (die wiederum von der echten Transsexuellen Bibí Andersen gespielt wird), in einer familienartigen Beziehung, in der er durch seine großzügigen Schecks nebenbei die Funktion des ›Ernährer-Vaters‹ verkörpert. Doch von den zwei Männern, die Pablo wirklich *liebt*, ist er wie durch eine gläserne Wand getrennt. Schon bevor die Handlung einsetzt, hat Juan (Miguel Molina), ein junger Mann, der Männer wie Frauen mag, Pablo bereits verlassen, und zwar ›im Guten‹, was noch schmerzlicher ist. Jacques Brels paradigmatisches Lied *Ne me quitte pas*, interpretiert von einer Frau (Maisa Matarazzo), ist zu hören, als die beiden nebeneinander im Bett liegen, ohne miteinander zu schlafen. Und wenn Juan später auch noch aus Madrid weggeht, so ist dies für Pablo eine Dopplung des Verlassenwerdens.

Auch zu dem überdreht wirkenden Antonio, einem jungen Schwulen, der weit weg in Jerez bei seiner Mutter wohnt und nur gelegentlich nach Madrid kommt, hat Pablo keine wirkliche Beziehung, er ist eigentlich nur ein Lückenbüßer für Juan. Antonio tritt zunächst als glühender Bewunderer von Pablos Filmen in Erscheinung, doch als er ihn persönlich kennen lernt, erweist sich seine ›verrückte‹ Liebe zu seinem Idol als auf die Spitze getriebene Fortsetzung dessen, was Pablo in seinen Filmen anstrebt. Aufgrund eines ›Irrtums‹ – der exakt dem Grundparadigma von Pablos Schaffen entspricht – eskaliert die Situation, und Antonio bringt aus Eifersucht zunächst Pablos (Ex-)Geliebten Juan und am Ende sich selbst um. Erst in der dramatischen Schlussszene realisiert Pablo, dass Antonio seine große Liebe ist. Doch als er zu dieser Erkenntnis gelangt, ist es bereits zu spät …

Almodóvars Kunst besteht darin, diese selbstreflexive Geschichte um Schein und Sein, Liebe und Tod, Film, Theater und Literatur so zu erzählen, dass sie weder aufgesetzt noch kompliziert wirkt. Schritt für Schritt zeigt er, wie Antonio die fiktive Welt Pablos unterwandert, um ihr etwas zuzuführen, was ihr fehlt: nämlich das Fehlen selbst. Die Erzählung des Films entspricht einer imaginären Reise Antonios an diesen symbolischen ›Ort des Mangels‹, der bereits in der schillernden Eröffnungsszene präzise definiert wird.

Auf den Vorspann, bei dem beschriebene und zerknüllte Schreibmaschinenblätter wie von einer Taschenlampe angeleuchtet werden, folgt eine bühnenartig stilisierte Szene, die erst im Nachhinein als Film-im-Film erkennbar sein wird. In einem abgedunkel-

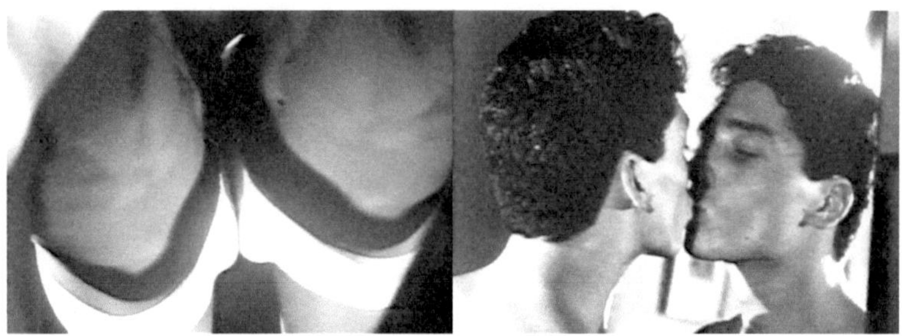

Der ›Narziss‹ in »Das Gesetz der Begierde«

ten Zimmer mit zugezogenen Vorhängen sitzt ein Strichjunge auf einem Bett und erhält Anweisungen aus dem Off: »Setz dich hin und zieh dich ganz langsam aus.« Der Junge gehorcht, doch als er sich zu schnell entkleidet, greift die Off-Stimme korrigierend ein und gibt obendrein die paradoxe Anweisung: »Sieh mich nicht an! Vergiss nicht, dass du allein bist.«

Der Stricher soll sich so verhalten, dass der Betrachter und Inszenator dadurch erregt wird: Wie in Jean Cocteaus *Orphée* soll er sein Spiegelbild küssen und dann noch seinen Schwanz gegen das im Spiegel reflektierte Genitale reiben; er soll sich auf den Bauch legen und sich zu den soufflierten Worten »Fick mich!« masturbieren: Und er soll dabei so tun, als ob ›er selbst‹ das alles von sich aus wollte.

Pablo Quintero ist nicht nur die Hauptfigur in *Das Gesetz der Begierde*, er ist zugleich Regisseur dieses Films-im-Film mit dem Titel *Das Paradigma der Muschel*, den Almodóvar geschickt in den Rahmen seiner filmischen Erzählung einbindet. So öffnet sich der Film-im-Film auf ein Studioszenario, in dem wir die letzte Phase seiner Postproduktion verfolgen. Vor einem Mikrophon stehen zwei ältere Männer, die den Film sehen und dabei den Stricher und den unsichtbaren Regisseur synchronisieren. Als ihre Arbeit vollendet ist und auf dem Filmstreifen das Wort »Fine« erscheint, springt Almodóvar mittels einer extremen Ellipse ans Ende der erfolgreichen Premierenvorstellung – die auch Antonio besucht hat.

Wie bereits in *Matador* spielt die Ebene des Sehens in *Das Gesetz der Begierde* eine zentrale Rolle. Das *Paradigma der Muschel* ist eine erotische Phantasie, die der Regisseur Pablo zwar ins Kino bringt, eigentlich aber nur als ein reines *Schau-Spiel*, als ›Privattheater‹ für sich selbst inszeniert. Nicht zufällig ist kein sexueller Akt zwischen zwei Männern zu sehen. Der Eindruck, dass der Beobachter aus dem Off gleichsam in seinen Film ›hineinsteigt‹, um den Stricher anal zu penetrieren, ist eine Täuschung, die allein auf der akustischen Ebene durch das Stöhnen der Synchronsprecher evoziert wird. Statt eines Beischlafs zeigt der Film-im-Film ein Szenario, in dem ein nicht sichtbarer Mann einen anderen Mann bei der Masturbation *beobachtet*. Die Art der dabei erzielten Befriedigung ist *autoerotisch*, sowohl in bezug auf den Stricher als auch auf den Beobachter.

Antonio (Antonio Banderas) gesteht Pablo (Eusebio Poncela) den Mord.

Der sich selbst befriedigende Strichjunge ist eine Art Marionette, die alle Anweisungen des Regisseurs ausführt und sich ›an dessen Stelle‹ masturbiert. Mit der Figur des käuflichen Liebhabers tritt der nicht sichtbare Regisseur sich selbst imaginär gegenüber. Diese narzisstische Beziehung verdoppelt sich im Film-im-Film noch einmal: Küsst der Stricher sein Spiegelbild, so erhält er die Anweisung: »Sieh dich an. Und jetzt küss deine eigenen Lippen. Stell dir vor, du würdest mich küssen.« Tritt der Stricher vor den wandgroßen Spiegel, um seinen Phallus widerzuspiegeln (»Und jetzt reib' deinen Schwanz gegen den Spiegel. Es gefällt dir«), so fließen Narzissmus und Autoerotismus auf eine Art ineinander, wie sie Freud in seinem Aufsatz über Leonardo da Vinci für die Struktur der Homosexualität beschrieben hat. Im Hinblick auf die Inversion des Ödipuskomplexes beschreibt Freud, wie der Homosexuelle »seine Liebesobjekte auf dem Weg des Narzissmus [findet], da die griechische Sage einen Jüngling *Narzissus* nennt, dem nichts so wohl gefiel wie das eigene

Spiegelbild [...]« (Freud 1910c: 170). »Der Knabe verdrängt die Liebe zur Mutter, indem er sich selbst an deren Stelle setzt, sich mit der Mutter identifiziert und seine eigene Person zum Vorbild nimmt, in dessen Ähnlichkeit er seine neuen Liebesobjekte auswählt. Er ist so homosexuell geworden; eigentlich ist er in den Autoerotismus zurückgeglitten« (ebd.). Doch der Autoerotismus impliziert zugleich jenes ›Fehlen des Fehlens‹, das erst durch Antonio in Pablos Welt eintreten wird.

Indem er diesen Narzissmus als erotische Phantasie in Szene setzt, zeigt Almodóvar, wie der Homosexuelle durch die gleichgeschlechtliche Objektwahl eine Spiegelfunktion realisiert. Der Narzissmus zielt darauf ab, die imaginäre *Präsenz* des Phallus zu ermöglichen, die an die Stelle ihrer *Abwesenheit* beim weiblichen, dem ›kastrierten‹ Objekt tritt. Die Verdoppelung des Phallus im Spiegel ist ein phantasmatischer Ersatz für den heterosexuellen Koitus: Im narzisstischen Spiegelobjekt trifft der Phallus nicht auf die mit der Frau assoziierte Kastration, sondern auf sich selbst. Ähnlich wie dem Fetischisten gelingt dem Homosexuellen so der »Triumph über die Kastrationsdrohung und der Schutz gegen sie« (Freud 1927e: 313). Impliziert ist damit jedoch ein struktureller *Mangel* – nämlich die Abwesenheit jenes ›Fehlens‹, das Antonio verkörpern wird.

Das Paradigma der Muschel zeigt eine homosexuelle Phantasie. Es bildet aber auch den Ausgangspunkt einer dramatischen Entwicklung: Der begeisterte Premierenbesucher Antonio spinnt den Film nämlich imaginär weiter. Nach der Vorstellung zitiert er auf der Kinotoilette die Worte »Fick mich!« und masturbiert dazu. Er will die Position von Pablos Liebesobjekt einnehmen. Doch diese Position ist problematisch, denn der Stricher im Film-im-Film ist nur Marionette und Spiegelbild Pablos ohne eigenständige ›authentische‹ Identität. Indem Antonio in die Rolle dieser imaginären Figur schlüpft und so der bloßen ›Wichsvorlage‹ zu einem Eigenleben und einem Begehren verhilft, treibt er die immanente Logik von Pablos Szenario heraus. Das ›Gesetz des Begehrens‹, so die korrekte Übersetzung des spanischen Titels, gipfelt darin, dass Pablo in Gestalt Antonios seinem eigenen ›kurzschlüssigen‹ Begehren wie einem Doppelgänger begegnen wird.

Antonios Anverwandlung setzt sich damit fort, dass er Pablo nach der Premiere von *Das Paradigma der Muschel* in einer Diskothek beobachtet. Er sitzt dabei an einer Videospiel-Konsole und zielt mit einem Gewehr auf einen Bildschirm. Damit ist zugleich das Thema des Films angedeutet: Antonio wird in Pablos ›mediale‹ Inszenierung den Tod, den fehlenden Verlust, einführen.

Als Nächstes kauft er sich das gleiche auffällige Hemd wie Pablo. Dass der Verkäufer kein Geld dafür will und ihm das Textil mehr als großzügig aufdrängt, gehört bereits zu der Vorstellung, dass Pablo nicht anders kann, als Antonio zu begehren.

In einer Fernsehshow beschreibt Pablo der Talkmasterin (wundervoll: Rossy de Palma) seinen idealen Liebespartner, der »nicht darauf brennen soll, zu jeder Fete mitzukommen. Ich würde lieber nach Hause kommen und es ihm erzählen. Er darf mich nicht beim Schreiben stören, sollte dieselben Bücher lesen wie ich, sollte in Medizin bewandert sein, Jura, und handwerklich begabt sollte er auch sein. Er sollte mich verehren, darf mir aber nicht lästig sein – und muss akzeptieren, dass ich ein Nichts bin«.

Mit diesem »Nichts« wird Pablo erst am Ende des Films konfrontiert. Gespannt verfolgt Antonio die Fernsehsendung und macht sich Notizen. Er studiert Pablo förmlich. Wie in einer Fußballkneipe ist der Apparat dicht unter der Decke angebracht. Um besser sehen zu können, muss Antonio daher auf eine Leiter klettern, so dass er Pablos Gesicht auf dem TV-Schirm wie in einem Spiegel erblickt.

Als er keine Karte für eine Theaterinszenierung Pablos mehr bekommt, entschließt Antonio sich, sein Idol zum ersten Mal anzusprechen: »Ich schlafe aber nicht mit Männern«, sagt er zickig – und wird von Pablo, der als berühmter Regisseur Männer haben kann, so viele er will, mit einem kühlen Lächeln stehen gelassen. Antonio verliert diesen ›*dating contest*‹ zwar, doch im auffälligen Kontrast zu seiner scheinbaren Unschuld und Unerfahrenheit schleppt er Pablo danach förmlich ab, geht mit ihm ins Bett und verhält sich am nächsten Morgen unter der Dusche wie ein langjähriger Ehepartner. Als er ungefragt Reparaturarbeiten in Pablos vernachlässigter Wohnung ausführt und sogar fachmännisch den Schimmel von der Badezimmerdecke entfernt, schlüpft er mehr und mehr in die Rolle des dominanten Partners. Statt Pablos Verbot zu befolgen, nichts anzufassen, fühlt Antonio sich in Pablos Wohnung wie zu Hause, durchwühlt ungeniert und dreist sogar dessen Schreibtisch. Dabei fällt ihm ein an Pablo adressierter Brief in die Hände:

»Ich habe Madrid nicht verlassen, um Dich zu vergessen, wie Du mir geraten hast. Wenn ich Dich vergesse, werde ich innerlich leer sein. Schreib mir, was Du so treibst, welches Buch Du liest, welchen Film Du gesehen hast, welche Platten Du Dir gekauft hast, ob Du Schnupfen hast oder weiter kokst. Ich möchte alles mit Dir teilen, aber schreib mir nicht, wenn Du jemanden kennen gelernt hast, der Dir gefällt. Das einzige, was ich nicht mit Dir teilen kann, bist Du. Ich möchte Dich wiedersehen. Entscheide Du, wann. Ich bete Dich an.«

Da Antonio keinen Grund hat, an der Echtheit des Briefes zu zweifeln, sucht er Juan, den vermeintlichen Autor der Liebeserklärung, auf und stößt ihn von einer Klippe, als der Versuch, ihn zu verführen, scheitert. Diese dramatische Entwicklung erscheint wie die logische Konsequenz aus *Das Paradigma der Muschel*. Aus Antonios Perspektive befindet sich Juan in der Position des Strichers aus dem erotischen Schau-Spiel, und er identifiziert sich nicht zuletzt dank Pablos Hemd mit jenem unsichtbaren ›Regisseur‹, der den Stricher wie eine Marionette dirigiert. Die beiden befinden sich in einer Spiegelfalle. Das abrupte Umschlagen von erotischer Annäherung (»Ich will alles besitzen, was Pablo gehört, denn ich liebe ihn«) in mörderische Aggression ist kein humanspezifisches Grundverhalten. Lacan erläutert dies u.a. in seinem Aufsatz über die *Aggressivität in der Psychoanalyse* und auch im Seminar über *Die Psychosen*. Die spiegelsymmetrische Identifizierung mit dem *Bild* des Artgenossen löst beim Tier überhaupt erst die Reifung der Geschlechtsdrüsen aus und führt den erotischen Verhaltenszyklus ein. Gleichzeitig bewirkt die Spiegelrelation jedoch auch eine aggressive Spannung, die daher rührt, dass der Platz des ›Subjekts‹ durch sein Spiegelbild besetzt ist.

Aus dieser aggressionsträchtigen Entfremdungsbeziehung des »ich bin, insofern als ich Du bin« (Lacan 1997: 357) führt allein die *Sprache* heraus. »Diese rivalitätshafte und konkurrenzhafte Basis am Grund des Objekts ist genau das, was im Sprechen überwunden wird« (ebd.: 50). »Das Sprechen konstituiert sich für uns aus einem *ich* [je] und aus einem *Du*. Das sind [zunächst] zwei Ebenbilder. Das Sprechen wandelt sie um, indem es ihnen ein gewisses angemessenes Verhältnis verleiht, aber – und das ist, worauf ich Nachdruck legen will – eine Distanz, die nicht symmetrisch ist, ein Verhältnis, das nicht reziprok ist« (ebd.: 324).[1]

Doch in *Das Gesetz der Begierde* unterliegt das Sprechen sowohl in der Situation, die Pablo in das *Paradigma der Muschel* inszeniert, als auch in der Situation, in der Antonio den Brief des vermeintlichen Rivalen liest, einer sehr spezifischen ›Störung‹ – einer Störung, die gerade den subjektivierenden Effekt des Sprechens wieder aufhebt, um es auf das Spiegelniveau des »reziproken Aus-

1. Die Struktur dieser »Verwandlung« konzeptualisiert Lacan mit der symbolischen Kastration, die das Ich aus dem bildhaften Register ausstreicht und in die defizitäre symbolische Ordnung einführt. Zum Zusammenhang zwischen der symbolischen Struktur des Ich, dem First-Person-Film und David Cronenbergs *Videodrome*; vgl. Riepe 2002b: 87-119.

schlusses« (ebd.: 242) zurückzuführen. Das zeigt sich besonders in der ›narzisstischen‹ Sprechsituation, die Pablo mit dem von Juan unterzeichneten Liebesbrief erzeugt.

Nachdem Juan Madrid verlassen hat, schickt er Pablo eine freundliche aber unverbindliche Postkarte, in der von einem auffälligen Leuchtturm die Rede ist: »Es würde dir gefallen, hier zu drehen«, fügt Juan hinzu. Pablo gefällt dies jedoch ganz und gar nicht. Handschriftlich notiert er: »Lieber Juan, ich habe deine Karte erhalten. Aber es ist nicht das, was ich erwarte. Ich werde mal einen Brief tippen, wie ich ihn gerne von Dir hätte. Und wenn es dir nichts ausmacht, unterschreib' ihn und schicke ihn zurück. Ich begehre dich wie immer.«

Tatsächlich unterschreibt Juan den ›vor-geschriebenen‹ Brief und schickt ihn an Pablo zurück. Allein Antonio weiß nicht, dass dieser ›perfekte Liebesbrief‹ nur ein (narzisstischer) »Scherz« ist, eine Botschaft, die Pablo an sich selbst adressiert hat.[2] Pablo wiederum weiß nicht, dass Antonios unwissende Perspektive auf den Brief genau jene Sichtweise des ›Fremden‹ ist, aus der er sich selbst sehen will. Mit anderen Worten: Er weiß nicht, dass Antonio sein ›Ebenbild‹ ist, eine lebendig gewordene Figur seiner literarischen Produktion. Pablo hat nicht bemerkt, dass Antonio die Position des Strichers aus *Das Paradigma der Muschel* längst eingenommen hat.

In dieser Konstellation lauert ein tragischer Konflikt. Der Stricher darf die Worte »Fick mich!« nicht als ein vom Subjekt des Regisseurs abgelöstes, eigenständiges ›*Du*‹ sprechen, sondern nur als ›gespiegeltes Ich‹. Doch diese Spiegelinszenierung wird unterbrochen, als der Stricher sich selbst zu Wort meldet. Der unsichtbare Regisseur hat ihm die Anweisung gegeben: »Sag mir, dass ich dich ficken soll« – worauf der Stricher protestiert: »Aber das war doch nicht ausgemacht!« Mit dem leicht ungeduldigen Tonfall desjenigen, der den anderen an eine ›Spielregel‹ erinnern muss, entgegnet der Regisseur: »Ich will doch nur, dass du es mir *sagst*.«

Der vermeintliche ›Irrtum‹ des Jungen besteht darin, dass er das symbolische Mandat des ›*Du*‹, das der Imperativ »Sag mir, dass ich dich ficken soll« beinhaltet, übernimmt, und sich dadurch als ›*ich*‹ angesprochen wähnt. In dem Moment, in dem er als *sprechendes Ich* ins Spiel kommt, bricht der Stricher aus der Spiegelsituation aus: Der fingierte andere wird zu einer ›authentischen‹ Person. Ge-

2. Neben der Szene, in der Carmen Maura dem Priester in der Kirche einen ›Besuch‹ abstattet, geht auch dieser ›perfekte Liebesbrief‹ auf eine autobiographische Erfahrung Almodóvars zurück (vgl. Vidal 1989: 196, zit. n. Smith 1996: 79).

nau das soll er aber nicht sein. Der Regisseur will, dass der Stricher nur den Anschein erweckt, als wäre er ein ›*Du*‹. In Wahrheit wird der Spiegel-andere gemäß dem Paradigma »Du wirst ich« (Strauss 1998: 91) in seiner Andersheit genichtet.

Den Effekt dieser Nichtung, die bereits in Pablos Interviewäußerung anklingt, er sei »ein Nichts«, können wir zugespitzt in der Begegnung zwischen Antonio und Juan beobachten. Als Antonio ihm sagt: »Ich will alles besitzen, was Pablo gehört, denn ich liebe ihn«, erklärt Juan scharf: »Ich gehöre ganz allein mir, sonst keinem!«

Diese ›Revolte des anderen‹, der sich weigert, genichtet zu werden, um als bloße Emanation von Pablos Fiktion zu fungieren, können wir ebenso in der Auseinandersetzung zwischen Pablo und seiner Schwester Tina beobachten, die als Frau mit starkem Begehren eingeführt wird. Als sie mit Pablo und Ada spät nachts nach Hause schlendert, sieht sie einen Straßenarbeiter, der mit einem Wasserschlauch den Gehsteig besprengt. Da es in Madrid extrem ›heiß‹ ist, tritt Tina unter den Wasserstrahl mit den Worten: »Spritz mich voll! Na komm schon. Nur keine Hemmungen. Halt voll drauf, damit ich richtig nass werde!«

Tina ist eine Schauspielerin, die ihre beste Zeit hinter sich hat und jetzt »auf Rentnerfeiern ihren Arsch hinhalten muss«. Deshalb ist sie zunächst heilfroh darüber, dass Pablo ihr nicht nur eine tragende Rolle in seiner Bühneninszenierung von Cocteaus *La voix humaine* gibt. In diesem Stück, das auch die Grundlage zu *Frauen am Rande des Nervenzusammenbruchs* bilden wird, bringt sich eine Frau, die von ihrem Geliebten verlassen wird, am Ende des letzten Telefonats mit ihm um, indem sie sich mit der Telefonschnur erdrosselt. Die Inszenierung des Stücks im Film konterkariert jedoch teilweise den Inhalt: »Almodóvar war verzweifelt über die Dekoration, und [Carmen Maura] saß in ihrer Garderobe und war deprimiert, weil er es war. Nach einer halben Stunde kam er grinsend auf sie zu und hielt zwei Äxte in den Händen. ›Such dir eine aus.‹ Sie verstand auf Anhieb. Sie spielte sich die Seele aus dem Leib, wobei sie mit ihrem Beil das Set, das ihnen beiden nicht gefiel, lustvoll zu Kleinholz zerlegte« (Matussek 1989: 207).

Die erzählerische Bewegung der fiktionalen Zerstörung der Fiktion wird noch deutlicher, wenn Pablo seiner Schwester Tina später die Hauptrolle seines nächsten Films auf den Leib schreiben will. Als sie bemerkt, dass er dafür ihre Lebensgeschichte in sein Drehbuch umsetzt, protestiert sie zornig: »Ich verbiete dir, mein Leben auszubeuten, halte dich verdammt noch mal raus. Egal, wie lächerlich es ist, ich habe ein Recht, respektiert zu werden. [...]

Meine Pleiten mit Männern sind kein Material für ein Drehbuch. Ich verbiete dir, damit zu spielen, ich lass' nicht zu, dass du darüber Witze machst. [...] Ich habe einen verdammt hohen Preis für diese Niederlagen zahlen müssen. Sie sind das einzige, was ich noch besitze.«

Mit dem etwas pathetisch wirkenden Ausbruch wehrt Tina sich dagegen, dass ihr ganzes Leben zur Fiktion eines anderen entwertet wird. Obwohl sie in dem geplanten Film eigentlich nur ›sich selbst‹ spielen würde, müsste sie dabei gerade dieses *Selbst* preisgeben. Sie ›selbst‹ wäre – als Mensch und als Schauspielerin – nur noch eine Marionette in Pablos Spiegelkabinett. Anders als Juan, der seine ›Revolte‹ mit dem Tod bezahlt, wehrt Tina sich erfolgreich gegen Pablos narzisstische Forderung »Du wirst ich« (Strauss 1998: 91).

Wiederum anders verhält sich dagegen Antonio – er will die *Verschmelzung*, die das narzisstische Paradigma »Du wirst ich« impliziert, sogar beschleunigen. Das Motiv seines Handelns spiegelt sich in seiner Familiengeschichte, die Almodóvar vielschichtig und nicht wie bei den übrigen Charakteren nur als *backstory* entwickelt. Antonio wohnt im Haus seiner herrischen, zänkischen Mutter, einem Ebenbild der Mutter in *Matador*: In beiden Fällen ist der Vater eine schwache, defizitäre Figur. »Ich komme mir manchmal vor, als ob ich Witwe wäre«, erklärt Antonios Mutter. In ihrem Haus verhält Antonio sich wie ein Teenager, der sich nicht abnabeln will, er verbirgt seine Homosexualität – von der die Mutter jedoch etwas ahnt. Nicht umsonst fragt sie argwöhnisch, warum Pablo, als er zu Besuch kommt, das gleiche Hemd wie ihr Sohn trägt. Sie ›versteht‹ dieses Zeichen der narzisstischen Spiegelsymmetrie und bezeichnet Pablo, ohne ihn überhaupt zu kennen, später als »einen perversen Kerl«.

Als Antonios Hemd aufgrund einer abgerissenen Tasche zum Indiz im Mordfall Juan wird, unterstützt die Mutter ihren Sohn nur allzu gerne dabei, das Textil zu vernichten: In ihren Augen verbrennt Antonio nicht nur ein gefährliches Beweisstück – viel wichtiger ist ihr, dass er sich damit von der Homosexualität abwendet, die das Hemd, das ja auch Pablo besitzt, impliziert.

Als der Kommissar im Zuge seiner Ermittlungen die Mutter fragt, ob sie die des Mordes an Juan verdächtigte Laura P. kenne, spielt sie ihm bereitwillig einen Brief zu, den sie bei ihrem Sohn ›gefunden‹ hat (»Meine Mutter ist Deutsche, sie spioniert gerne«) und der mit dem entsprechenden Kürzel unterzeichnet ist. Mit diesem Brief und der Falschaussage, er sei über Nacht zu Hause gewesen, verschafft sie ihrem Sohn ein Alibi und entzieht ihn dadurch dem *Zugriff des Gesetzes*. In ihren Augen hat sie aber dem ›Gesetz‹ hauptsächlich den Beweis dafür erbracht, dass Antonio kein Homosexueller ist.

Tina (Carmen Maura) erfährt am Telefon, dass Antonio (Antonio Banderas) ein zu allem entschlossener Mörder ist.

Das sexuelle und das kriminalistische Motiv koinzidieren: Der subtile Witz dieser komödiantischen Einlage gipfelt darin, dass die Mutter den Kommissar, der hier als ›väterlicher‹ Repräsentant des Gesetzes auftritt, durch diese Täuschung entwertet, seine Autorität unterwandert. Mit ihrer Haltung gegenüber dem ›väterlichen‹ Gesetz reproduziert die Mutter jene spezifische Familiensituation, die für die homosexuelle Inversion, wie Freud sie beschreibt, charakteristisch ist. Absurd wird die Szenerie vor dem Hintergrund, dass Laura P. keine reale Frau, sondern nur der Name ist, mit dem Pablo seinen Brief unterschrieben hat, und zwar auf Antonios Wunsch hin, der vor seiner Mutter verbergen will, dass ein (homosexueller) Mann ihm Liebesbriefe schreibt.

Als Antonio seinem Geliebten die Tat gesteht (»Dieser Mord wird uns für immer vereinen«) und ihn leidenschaftlich küsst, bemerkt Pablo, dass Antonio ›wahnsinnig‹ ist. Nur mit einem *Biss in Antonios Lippen* kann er sich zur Wehr setzen. Diese Verletzung erscheint wie das aggressive Gegenstück zu jenem narzisstischen Kuss, den der Stricher in *Das Paradigma der Muschel* seinem Spiegelbild – bzw. Pablo sich selbst gab. Durch seine Affekthandlung wird Pablo zudem in eine typisch ›weibliche‹ Rolle gedrängt. Er flieht zurück nach Madrid, erleidet unterwegs einen schweren Autounfall – und verliert nicht nur die Kontrolle über seine ›Fiktion‹, sondern vorübergehend auch das Gedächtnis.

Antonio (Antonio Banderas) hat Tina (Carmen Maura) in seiner Gewalt.

Im Krankenhaus erzählt seine Schwester Tina ihm, in der Hoffnung, dass so sein Gedächtnis wiederkehrt, die gemeinsame Familiengeschichte: Sie sei früher ein Mann gewesen, habe ein Verhältnis mit ihrem Vater gehabt, mit dem sie nach Marokko gegangen sei – Pablo kann sich nicht erinnern.

Eigenartigerweise hat Pablo, als Tina ihm die Schreibmaschine ins Krankenhaus bringt, nicht die geringste Lust zu schreiben. Er ›ahnt‹, dass seine Misere ›literarischer Natur‹ ist. Der Gedächtnisverlust ist ein Versuch, aus dem hermetischen Spiegelgefängnis seiner schriftstellerischen Produktion auszubrechen. Ähnlich wie in David Cronenbergs *Naked Lunch* ist auch Pablos ›Literatur‹ immer ›gefährlicher‹ geworden: Die Madrider Polizei hat seine Wohnung durchwühlt und dabei ein Manuskript gefunden, in dem ›Laura P.‹ vorkommt. Da Pablo unter diesem Namen das Leben seiner Schwester fiktionalisiert hat, gerät Tina aufgrund ihrer nicht zufälligen Ähnlichkeit mit Laura P. unter Mordverdacht.

Als Pablo schließlich sein Gedächtnis wiederfindet, wird ihm klar, dass seine Schwester in akuter Lebensgefahr schwebt: Überglücklich hat die Frau, die mit Männern stets nur Pleiten erlebt hat, ihm von ihrem phantastischen neuen Liebhaber erzählt. Es ist niemand anderer als Antonio, der sich für Tina interessiert, weil sie ein Teil von Pablos Leben ist. Polizei und Überfallkommando belagern nun Pablos Wohnung, wo Antonio sich mit Tina und einem Polizisten verschanzt hat. Antonio lässt Tina im Austausch gegen Pablo frei. Die beiden verbringen eine Stunde zusammen, in der Pablo sich seiner Liebe zu ihm bewusst wird. Als Antonio sich nach Ablauf der Frist umbringt, steht der Wohnungsaltar in Flammen. Pablo hält den toten Antonio wie in einer Pietà in seinen Armen.

Man hat Almodóvar aufgrund dieses Filmendes Homophobie vorgeworfen: »Der obsessive Liebhaber Antonio erschießt sich und zahlt somit den Preis für seine kriminelle Leidenschaft. Aber es ist so, als ob Pablo auch schon tot wäre, als Lebender. Ein unheilvolles Bild für schwule Männer [...]« (Smith 2000: 90).

Diese Deutung wird Almodóvar nicht gerecht. Obwohl der Film mit einer definitiven Verlusterfahrung endet, ist unübersehbar, dass Pablo durch dieses ›Opfer‹ in paradoxer Weise auch etwas *bekommt*. Die Liebesgeschichte zwischen ihm und Antonio führt zu einem – wenn auch tragischen – Ausweg aus seiner ›paradigmatischen‹ Spiegelfalle. Als Schriftsteller und Regisseur, der schreibend eine Welt um sich imaginiert, hat Pablo auch seine ›Objekte‹ erschaffen. Aber es sind in Wahrheit nur Pseudo-Objekte. Pablo lebt in einer autoerotischen Welt, in der alles, was ihm als ›Objekt‹ gegenübertritt, Teil seines eigenen Ichs ist. Er presst seine Liebespartner in Schablonen, in denen sie idealiter keinen Existenz-Status mehr besitzen. Indem Antonio sich mit dem narzisstischen ›Objekt‹ Pablos zunächst radikal identifiziert und sich dann umbringt, schafft er es, dieses tote Objekt zu ›beleben‹.

Obwohl *Das Paradigma der Muschel* nicht zuletzt aufgrund seiner Spiegelszene ein homosexuelles Szenario darstellt, zeichnet das Ende von *Das Gesetz der Begierde* kein spezifisch homosexuelles ›Schicksal‹. Der Film kreist nicht allein um Homosexualität, sondern um das ›Fehlen des Fehlens‹ und die damit verbundene Unfähigkeit, zu *begehren*: Indem Pablo die Andersheit des anderen nichtet, verweigert er die Anerkennung des Objektverlusts, der ihm den Zugang zum Begehren eröffnen würde.

Eben darin ergeht es Pablo ähnlich wie Hamlet, der Ophelia nicht lieben konnte, solange sie lebte. Erst als er bei Ophelias Beerdigung mit ansieht, wie Laertes ins Grab seiner Schwester steigt, um sie ein letztes Mal zu umarmen, identifiziert Hamlet sich mit ihm, springt ebenso ins Grab und beginnt mit dem Spiegel-anderen zu rivalisieren: »Wer stößt diese Schreie der Verzweiflung über den Tod dieses jungen Mädchens aus? Ich, Hamlet der Däne.«

Lacan folgert: »[A]uf dem Weg der Trauer wird Hamlet wieder ein Mann. Diese Trauer nimmt er in einem Verhältnis auf sich, das homolog ist zum narzisstischen Verhältnis des Ich zum Bild des anderen, im Augenblick, wo ihm in einem anderen das leidenschaftliche Verhältnis eines Subjekts zu einem Objekt vorgestellt wird, das man nicht sieht, das aber im Hintergrund des Bildes vorhanden ist« (Lacan 1986a: 46). Und Lacan ergänzt: »[I]n dem Maße, in dem das Objekt seines Begehrens ein unmögliches Objekt geworden ist, wird es wieder Objekt seines Begehrens« (Lacan 1986b: 29).

Pablo (Eusebio Poncela) erkennt, dass Antonio (Antonio Banderas) seine große Liebe ist.

Zum ersten Mal in seiner Lehre konzeptualisiert Lacan hier das Objekt *a*, das kein empirisches Objekt ist, sondern als Objektmangel zur Ursache des Begehrens wird. Als Fehlendes erzeugt es jenen *Mangel*, der auch für Pablo – in Gestalt von Antonios Tod – zu einem initialen Moment wird. Durch die schwule Pietà, mit der *Das Gesetz der Begierde* endet, gerät Antonio als Toter in die Position des unerreichbaren *Objekts-Ursache des Begehrens* – jenes *Objekts-als-Mangel*, für das in Pablos narzisstischer Welt bis dahin kein Platz gewesen war. Indem er in dieser Szene auch seine Schreibmaschine aus dem Fenster wirft – die daraufhin völlig unrealistisch wie eine Art

Bombe detoniert – (was Pepa in *Frauen am Rande des Nervenzusammenbruchs* mit dem Telefon wiederholen wird), trennt Pablo sich von jenem ›Objekt‹, mit dem er den eigentlichen Objekt*mangel* bis dahin systematisch verhindert hat. Für Pablo ist es der erste Moment, in dem er nicht mehr narzisstisch sich selbst liebt, sondern wahrhaft begehrt.

Geliebte Stimme. Mucheres al borde de un ataque de nervios (Frauen am Rande des Nervenzusammenbruchs, 1988)

»Der Gazpacho im Film ist wie ein Zaubertrank, der das Leben desjenigen, der ihn zu sich nimmt, verändert und ihn in eine andere Welt versetzt, wie im *Sommernachtstraum*.«

Pedro Almodóvar

Mit seinem siebten Film, *Mucheres al borde de un ataque de nervios,* gelang Pedro Almodóvar der internationale Durchbruch. Während die spanische Filmindustrie in der Krise steckte, feierte Almodóvar kommerziell und künstlerisch seinen größten Erfolg. Der Film erhielt neben vielen Auszeichnungen sogar eine Oscarnominierung und zählt zu den erfolgreichsten Produktionen, die nicht in Hollywood entstanden. Schattenseite dieses Triumphes ist die Trennung von Carmen Maura, die in *Frauen am Rande des Nervenzusammenbruchs* zum Star wurde – an diesen Erfolg jedoch später nicht mehr anknüpfen konnte.

Wie in einer traditionellen Komödie hat Pepa (Carmen Maura), eine nicht mehr ganz junge Schauspielerin und Synchronsprecherin, ein Ziel, das sie mit aller Macht erreichen will: Sie muss ihren Exgeliebten und Berufskollegen Iván (Fernando Guillén), einen gealterten Charmeur, der nie lange bei einer Frau bleibt und sich vor kurzem auch von ihr getrennt hat, noch einmal treffen, um ihm mitzuteilen, dass sie von ihm schwanger ist. Noch hofft sie, dass sie ihn mit dieser Neuigkeit zurückgewinnen kann. Ein Koffer mit persönlichen Sachen, den Iván noch schnell bei ihr abholen will, bevor er mit der neuen Geliebten auf ›Geschäftsreise‹ geht, dient Pepa einstweilen als Faustpfand. Mannigfaltige Zufälle, Missgeschi-

Pepa (Carmen Maura) und das Telefon

cke, Unglücke und Intrigen halten Pepa bis zum Schluss davon ab, Iván zu treffen. Am Ende jedoch erkennt sie, dass ihre Bemühungen eigentlich überflüssig waren; der Kampf um die Liebe lohnt nicht mehr, denn das männliche Geschlecht hat abgewirtschaftet, es »taucht nur noch als alternder, ›fahnenflüchtiger‹, abgehalfterter Liebhaber auf« (Brauerhoch 1989: 37).

Wie im klassischen Einakter treffen sich die zahlreichen Figuren und Fäden der verschlungenen Geschichte in Pepas luxuriösem Penthouse, einem bühnenartig stilisierten Raum, der von einer als Kulisse erkennbaren Stadtsilhouette Madrids begrenzt wird und in dem nur einer bis zuletzt fehlt: Iván. Dabei will Iván per Telefon und Anrufbeantworter mit Pepa in Verbindung treten – so scheint es zumindest. Doch die Medien, die eigentlich der Kommunikation dienen, verhindern das Gespräch, das Treffen und die von Pepa ersehnte Aussprache.

Die Logik dieser verfehlten Begegnungen deutet sich schon früh an in einer Szene, die das Gegenstück zur Eröffnungs-Sequenz in *Das Gesetz der Begierde* bildet. Dort hatte Almodóvar – ebenso wie in *Matador* – die Tücken des *Sehens* thematisiert. In *Frauen am Rande des Nervenzusammenbruchs* dagegen konzentriert sich das Drama um das Problem des *Hörens* und die Funktion der *Stimme* – nicht zufällig arbeiten Pepa und Iván auch als Synchronsprecher beim Film. Ausgerechnet zusammen mit Iván soll Pepa an diesem Tag die große Liebesszene aus Nicholas Rays *Johnny Guitar* synchronisieren.

Joan Crawford und Sterling Hayden in »Johnny Guitar«

In dieser ungewöhnlichen, medial gebrochenen Situation stehen sich auf und vor der Leinwand zwei Paare gegenüber: Sterling Hayden alias Johnny Guitar und Joan Crawford alias Vienna sowie Iván und Pepa im Synchronstudio. Was sie verbindet, ist ihre Geschichte: Vor fünf Jahren hat Johnny Vienna verlassen, doch er liebt sie noch immer, und als sie sich nun wiedersehen, ›bittet‹ er sie, ihn – wie er meint – *anzulügen* und ihm die große Liebe *vorzuspielen*: »Sag, dass du mich immer noch so liebst, wie ich dich liebe.« Iván hat Pepa erst vor wenigen Tagen verlassen, und was Pepa jetzt auf der Leinwand sieht, ist eine traumartige Erfüllung ihrer Hoffnung, Iván möge ebenso zu ihr zurückkehren und sie um ein Liebesbekenntnis bitten, in dem seine eigene Liebe zu ihr dann spiegelsymmetrisch impliziert wäre. Aber die Symmetrie ist gestört: Iván steht nicht neben Pepa am zweiten Mikrophon, denn er hat seinen *Take* schon am Morgen aufgenommen. Pepa ist allein im Studio, sie hört nur Iváns Stimme vom Band. Gerade in dieser Reduktion aber, als von seinem Körper abgetrenntes Objekt, ist Iván *als Stimme* sehr viel präsenter, als er es real sein könnte.

Durch seine physische Abwesenheit ist Iván in einer ähnlichen Rolle wie der unsichtbare Regisseur in *Das Gesetz der Begierde*, dessen Stimme den Strichjungen aus dem Off heraus bittet, »Fick mich« zu sagen. Auch Pepa wird von Iváns *Stimme* gebeten, ein Begehren zu fingieren. Doch als sie Joan Crawfords ›gelogenen‹ Satz »Ich liebe dich noch immer so, wie du mich liebst« ausspricht – den sie im Geiste natürlich an Iván adressiert –, fällt sie in Ohnmacht …

Der tragikomische Effekt entsteht, so scheint es zunächst, durch die thematische Koinzidenz der Filmszene mit der persönlichen Situation Pepas, die Iván offenbar ebenso liebt wie Vienna ihren Johnny Guitar. Viennas Worte sind eine ›Lüge‹, hinter der sich, wie wir im weiteren Verlauf dieses Westerns erfahren, die *Wahrheit* verbirgt, denn sie liebt Johnny tatsächlich. – Trotzdem muss man hinter diese Wahrheit ein dickes Fragezeichen setzen.

Da Pepa den Film als Synchronsprecherin bestens kennt, lohnt sich ein genauerer Blick auf die Figur der Vienna, mit der Almodóvar Pepas Situation paraphrasiert: »Manchmal denke ich, diese Frau wäre ein Mann. Sie denkt wie ein Mann, sie handelt wie ein Mann. So dass man mitunter das Gefühl hat, man selber wäre kein Mann«, erklärt zu Beginn einer von Viennas in der Tat nicht gerade männlich wirkenden Angestellten. Joan Crawford spielt eine starke, emotional unabhängige Frau, die ein Spielcasino besitzt und, da sie die Streckenführung der Eisenbahn kennt, demnächst auch sehr reich sein wird. Doch sie gerät in einen mörderischen Konflikt mit einer intriganten Rivalin, den Johnny für sie löst. Zum Lohn für seine Heldentat bereitet sie ihm wie eine Hausfrau das Essen. Der Film endet damit, dass sie ihm wie in einem x-beliebigen Hollywoodfilm um den Hals fällt – Abspann.

Wenn Vienna in der von Pepa und Iván synchronisierten Schlüsselszene ihre ›wahren‹ Gefühle hinter einer gespielten Lüge verbergen muss, so entspricht ihr Verhalten der klischeehaft-typischen weiblichen Inszenierung für ›den Mann‹ Johnny Guitar. Eigentlich aber ist es Vienna, die in diesem Film ›den Mann‹ verkörpert. Genau das bemerkt auch Pepa, die zwar in Viennas Rolle schlüpft, diese jedoch etwas anders ›interpretiert‹. Wenn sie *als Vienna* ihr Liebesbekenntnis an Johnny *als Iván* richtet, dann ist dieses Bekenntnis im Gegensatz zu dem von Vienna keine gespielte, sondern eine *echte Lüge* – nur ›weiß‹ Pepa das noch nicht: sie weiß nicht, dass sie bereits einen Schnitt gemacht hat zwischen Iván, diesem alten Schmeichler, den sie nicht mehr liebt, und seiner *Stimme*, an der sie noch immer hängt. Indem Pepa in Ohnmacht fällt, entzieht sie sich der Wirkung dieser Stimme, die für sie unerträglich geworden ist.

Ganz am Ende des Films wird Pepa noch einmal in Ohnmacht fallen – eine Wiederholung, die Almodóvar nicht etwa zufällig unterläuft. Beide Ohnmachtsanfälle sind einander kontrapunktisch gegenübergestellt: War es zunächst Iván, der sich von Pepa getrennt hatte, so ist es jetzt Pepa, die sich von Iván trennt. Aber schon beim ersten Mal fällt Pepa nicht aus Liebeskummer in Ohnmacht, sondern weil dies ein *Akt* ist, mit dem etwas symbolisiert wird: Pepa vollzieht die Abtrennung des Objekts ›*Iváns Stimme*‹ – zunächst ohne davon zu ›wissen‹. Der lange Weg, den dieses ›Wissen‹ nimmt, bis es bei ihr ankommt, davon handelt der Film, dessen Plot eine Serie verfehlter, ungewollter und überraschender Begegnungen bildet. Pepas Loslösung von Iván gelingt erst in dem Moment, in dem die Faszination seiner Stimme bricht.

Zunächst jedoch versucht sie alles, um das Objekt, die *geliebte Stimme*, wiederzubekommen. Telefon und Anrufbeantworter fungieren dabei im mehrfachen Sinne als ›Medien‹. Zu Beginn, als Pepa noch schläft, spricht Iván ihr aufs Band: »Pack mein Zeug in einen Koffer, ich muss morgen verreisen. Ich komme dann vorbei und hole alles ab – und werde mich bei der Gelegenheit von dir verabschieden. Wenn Du mich nicht sehen willst, dann lass das Zeug bei der Portierfrau.« Pepa schreckt aus dem Schlaf und ruft sofort im Studio zurück, doch Iván ist bereits weg. Später versucht sie ihn bei seiner Ehefrau Lucía (Julieta Serrano) zu erreichen – und weckt damit schlafende Hunde, denn auch Lucía ist hinter Iván her.

Pepa will ihr Penthouse vermieten, weil es sie zu sehr an Iván erinnert, und lernt dadurch Iváns Sohn Carlos (Antonio Banderas) kennen, der mit seiner Verlobten Marisa (Rossy de Palma) zur Besichtigung kommt. Pepa ändert die Ansage ihres Anrufbeantworters in eine nur an Iván adressierte Nachricht, aber obwohl sie damit die Vielfalt der Sprechergemeinschaft ausschließt, ist der erste Anrufer nach dieser radikalen Reduzierung gerade *nicht* der Geliebte, sondern ihre Freundin Candela (María Barranco): »Ich habe ein Problem«, erklärt Candela verzweifelt. »Ja, ich auch«, sagt Pepa und legt sofort auf – in der Zwischenzeit könnte ja Iván versuchen anzurufen.

Doch Candela lässt sich nicht abwimmeln. Nach einer heißen Affäre mit schiitischen Terroristen, die eine Flugzeugentführung planen, hat sie panische Angst vor der Polizei und sucht Unterschlupf bei Pepa – die Candelas Problem aber erst dann ernst nimmt, als diese sich vom Balkon zu stürzen versucht. Pepa weiß zwar nicht, wo ihr der Kopf steht, versucht aber trotzdem, der Freundin zu helfen. Sie konsultiert die feministische Anwältin Paulina de Moralis (Loles León) – in deren Vorzimmer sie zufällig den Hörer abnimmt und unverhofft Iváns *Stimme* hört. So erfährt sie, dass die Anwältin Iváns neue Geliebte ist – mit der er in jene Maschine steigen wird, die von Candelas schiitischen Terroristen entführt werden soll: Showdown auf dem Flughafen …

In zeitgenössischen Kritiken ist häufig zu lesen, wie schwierig es sei, *Frauen am Rande des Nervenzusammenbruchs* adäquat nachzuerzählen (was für fast jeden Film von Almodóvar gilt). Wie viele große Komödien »wandelt Almodóvars Film knapp am Rande des Handlungszusammenbruchs« (Kilb 1989: 68), was den amerikanischen Starkritiker und Pulitzer-Preisträger Roger Ebert zu einer Anti-Beschreibung inspirierte: »Ich sah [*Frauen am Rande*] einmal und hatte überhaupt keine wahrnehmbare Reaktion. Keine einzige Szene erregte meine Aufmerksamkeit, und am Ende hatte ich Probleme, mich überhaupt an den Film zu erinnern. So schaute ich ihn mir noch einmal an, und das gleiche geschah. Das bedeutet nicht, dass der Film keinen Inhalt hat; ich glaube, das bedeutet, dass Almodóvars Polaritäten den meinen so perfekt entgegengesetzt sind, dass es dem Film möglich ist, durch mein Gehirn zu schießen, ohne eine einzige Zelle zu treffen« (Ebert 1990).

Vielleicht sitzen wir gerade deswegen »in unseren Kinosesseln, amüsieren uns zu Tränen und wissen nicht einmal genau warum« (Francke 1989: 19). Wie viele Filme Almodóvars entfaltet auch *Frauen am Rande des Nervenzusammenbruchs* seine Wirkung unterhalb der Wahrnehmungsschwelle. Während die hochtourige Komödie – wie Roger Ebert witzig eingesteht – vorbeirauscht wie ein Traum, an den man sich nach dem Erwachen nur noch vage erinnert, ist in zeitgenössischen Kritiken zu lesen, der Film handele »kaum verdeckt und auch nicht sehr verschlüsselt, von der Grundsituation der achtziger Jahre: der Sucht nach dem stilisierten, scheinhaften und unwirklichen Leben, nach der Lebens-Attitüde, dem

Pepa (Carmen Maura) zeigt Candela (María Barranco), Carlos (Antonio Banderas) und Marisa (Rossy de Palma) ihr verbranntes Bett.

Existenz-Design« (Kilb 1989: 68). Ganz am Rande nur wird angedeutet: »*Frauen am Rande des Nervenzusammenbruchs* ist gewiss auch ein psychologischer Film« (Würker 1989).

Welches zentrale Motiv also treibt den Film an? Die Ausgangssituation der verschlungenen Komödie ist zunächst nicht witzig: Als Schwangere wird Pepa von ihrem Geliebten sitzen gelassen und müsste eigentlich am Boden zerstört sein. Ihre innere Auflösung spiegelt sich zunächst in ihrer Wohnung, die nach einem selbst verschuldeten Schlafzimmerbrand aussieht wie ein Schlachtfeld. Die Scheibe der Terrassentür ist zertrümmert, das Telefon herausgerissen, der Boden mit Gazpacho verschmiert, und auf ihrem Balkon flattern Hühner und Enten durcheinander.

Doch die Agilität, Spontaneität und Hilfsbereitschaft Pepas sprechen eine andere Sprache. Eigentlich kommt sie ganz gut ohne Mann aus, sie weiß es nur noch nicht. Die absurden Begebenheiten und unwahrscheinlichen Zufälle, die Pepa widerfahren, sind ein einziger performativer Widerspruch, und die übergroße Geste des Leidens und die Atemlosigkeit Pepas stehen in keinem Verhältnis zum Anlass. Denn je länger sie Iván hinterherläuft und je verzweifelter sie ihn zu erreichen versucht, desto mehr wird ihr Ex-Geliebter dabei demontiert. Der grau melierte Latin Lover ist ein schamloser Lügner ohne Charakter, der sich in der Telefonzelle ängstlich duckt, um nicht von seiner Gattin Lucía gesehen zu werden: »Du bist ein Schwächling, Iván«, resümiert am Ende seine neue Geliebte Paulina. »Du hast recht«, entgegnet Iván, worauf Paulina gereizt erwidert: »Sag nicht: ›Du hast recht, Liebes‹.« – Wiederum beharrt Iván: »Aber du hast nun mal recht« – Worauf sie augenrollend einlenkt, indem sie ihm nicht zufällig seine Krawatte glatt streicht: »Manchmal würde ich lieber im *Unrecht* sein« – und das als *Rechtsanwältin* …

Iván (Fernando Guillén) ist ›die Stimme‹.

Das Rätsel um Iváns Attraktivität liegt, wie sich bereits in der Szene im Synchronstudio abzeichnete, in seiner Stimme: »Iváns Körper ist seine Stimme, sie taucht als etwas Physisches auf« (Almodóvar 1988: 7). Das zeigt sich bereits in jener markanten Traumsequenz zu Beginn des Films. Das Klingeln des Weckers kann Pepa nicht aus dem Schlaf holen, denn sie träumt von Iván, der in grobkörnigen Schwarzweißbildern zu sehen ist. Der Traum ist ein kleiner Film-im-Film, der einen typischen ›Auftritt‹ Iváns zeigt. In extremer Großaufnahme ist zu sehen, wie er sich zunächst mit einem Mundspray gewissermaßen die Stimmbänder ölt. In der Originalfassung hat Iván-Darsteller Fernando Guillén eine geradezu klischeehaft männlichtiefe, sonore Stimme. Während er lässig an einer Reihe Frauen aus allen Erdteilen vorbeidefiliert, die ihn alle zu bewundern scheinen, spricht er in ein dazu passendes altmodisches Mikrophon und macht jeder von ihnen ein anderes repertoirehaftes Kompliment aus den zahllosen Liebesfilmen, die er in seinem Leben synchronisiert hat: »Sag, willst Du mich heiraten?«, fragt er eine hübsche Nonne. »Selbst 1001 Nacht würden nicht genügen«, bekommt eine orientalische Frau im Schleier zu hören.

Die Frauen bewegen zwar ihre Lippen, haben aber – wie Joan Crawford, bevor Pepa sie synchronisiert – keine eigene *Stimme*: Ihnen fehlt das ›Mikrophon‹. Iváns Stimme symbolisiert für sie jenes ›Objekt‹, das sie von diesem Charmeur bekommen wollen.

Am Ende dieses Defilees trifft Iván allerdings auf eine Prostituierte, die als einzige Frau eine *Stimme* hat und Iván auf seinen Spruch »Ich nehm' dich, wie du bist, Schätzchen« die ironisch gepfefferte Antwort erteilt: »Ich werd' gleich schwach.« Dank ihrer Replik ist sie die einzige, die eben *nicht* schwach wird. Mit der Ironie zeichnet sie zugleich den Ausweg vor, den auch Pepa nehmen wird. So bebildert Pepas Traum weniger die Angst um Iván als vielmehr seine Demontage. Statt dem betörenden *Klang seiner Stimme* zu erliegen, wird Pepa die Zweideutigkeiten und Unaufrichtigkeiten aus seinen Äußerungen heraushören: »Er kann mich nicht anlügen, nicht mit seiner Stimme«, bemerkt sie später, als Iván ihr wieder eine Lügengeschichte auf den Anrufbeantworter spricht.

Schon der erste Satz, den wir von Iván hören, ist eine Lüge. Als Pepa noch schläft, sehen wir eine Schallplattenhülle, ein Geschenk Iváns, auf der der Titel des Liedes, das wir während des Vorspanns hören, fett rot umrahmt ist: »Soy Infeliz«. Dazu ertönt die *Stimme* Iváns, der auf das Lied anspielt: »Pepa-Liebling, ich will dich nie sagen hören: ›Ich bin unglücklich‹ [= »Soy Infeliz«]. Dein Iván«. Den Doppelsinn dieses Spruchs, der wiederum aus einem jener Filme stammt, denen Iván seine Stimme lieh – und der eigentlich eine Drohung birgt –, bekommt Pepa zu diesem Zeitpunkt noch nicht mit: sie schläft, im konkreten wie im übertragenen Sinne. Almodóvar erzählt die Geschichte ihres Erwachens aus einem falschen Traum.

Ähnlich wie in *Labyrinth der Leidenschaften*, wo das ödipale ›Drama‹ sich dadurch auflöst, dass die Hauptfigur Sexilia sich verdoppelt, schafft Almodóvar in *Frauen am Rande des Nervenzusam-*

menbruchs eine ganze Reihe von Spiegelungen der Heldin Pepa: »María Barranco, das Mannequin, das sich mit einem Terroristen einlässt, Carmen Maura und Julieta verkörpern drei Stadien enttäuschter Leidenschaft einer Frau. Rossy de Palma ist eine unschuldige Jungfrau; da ihr Verlobter dabei ist, mit einer anderen durchzubrennen, wird sie aber nicht länger nur Zeugin der Leidenschaften anderer sein« (Strauss 1998: 111). Pepas Wohnung fungiert als eine Art psychologischer Verschiebebahnhof, auf dem das ›Problem‹ jeder dieser Frauenfiguren zu einer spezifischen Lösung geführt wird. Objekte und Partner werden getauscht, und immer wieder ist das Motiv der Stimme zentral.

Pepa (Carmen Maura) will nicht mehr ›unglücklich‹ sein und trennt sich von der Schallplatte »Soy infeliz«, einem Vermächtnis ihres Liebhabers.

Die schrillste Figur ist Candela, deren Ohrringe in Form kleiner Espressokannen Almodóvar ebenfalls eigens für den Film hat herstellen lassen. Sie ist eine Hysterikerin, wie sie im Buche steht, alles an ihr ist ›authentisch gespielt‹. Wenn sie Pepa erklärt, wie toll die schiitischen Terroristen im Bett waren, deutet sie auf ihren Arm, um zu zeigen, dass sie dabei Gänsehaut hatte. Dabei entsteht der Eindruck, als ob sie hier und jetzt mit einem Mann im Bett wäre. Candela steht ständig unter Strom. Gemäß Freuds Entdeckung, der hysterische Anfall sei ein »Mittel zur Reproduktion von Lust« (Freud 1986: 223), entspricht ihre übersteigerte Angst vor der Polizei einem

›verschobenen‹ Lustempfinden. So ist es nur folgerichtig, dass sie schnell bereit ist, sich auf eine neue Affaire einzulassen: Als Carlos *per Telefon* die Polizei über die geplante Flugzeugentführung informiert, bemerkt Candela einladend: »Also im Reden sind Sie einfach Spitze«. Sie fällt in einen Weinkrampf, er küsst sie, und sie weint weiter. Sprechen, Weinen, Polizei, schiitische Terroristen und der Kuss bilden eine metonymische Kette am Rande des Nervenzusammenbruchs …

Iváns Gattin Lucía bleibt als einzige vom Spiel der Substitutionen ausgeschlossen, denn sie ist ›verrückt‹. Das zeigt sich bereits an ihren bizarren Courrèges-Kleidern, die Almodóvar für den Film hat nachschneidern lassen. Sie lebt noch immer in jener Zeit vor 20 Jahren, als diese Kostüme in Mode waren. Ihren erwachsenen Sohn Carlos, der das Vergehen von Zeit symbolisiert, hasst sie, ist nach seiner Geburt verrückt geworden und hat lange Zeit in einer psychiatrischen Klinik verbracht, die nach López Ibor benannt ist, einem der führenden Psychiater unter Franco. Dort hat sie versucht, Iván zu vergessen, doch in einem Film, der im Fernsehen lief, hörte sie seine *Stimme*: »Sein Gesicht habe ich nicht erkannt, aber seine Stimme. Er sagte einer Frau, dass er sie lieben würde. Und ganz plötzlich brach in mir etwas auf. Ich erinnerte mich, dass er diese Worte früher zu mir gesprochen hatte.«

Ähnlich wie Pepa im Synchronstudio wird auch Lucía allein von Iváns Stimme affiziert. Darüber hinaus scheint Lucías Liebe zu Iván eine Fortschreibung ihrer ödipalen Liebe zu ihrem Vater zu sein, für den sie sich in einer Szene zu Anfang des Films schön macht. Der Vater ist beinahe ein Ebenbild Iváns und lügt genau wie er. Als er ihr schmeichelt: »Du siehst blendend aus«, entgegnet sie: »Du lügst wie gedruckt, Papa, deshalb liebe ich dich.«

Lucía ist eine komische Vorläuferin des tragischen Charakters der Clara in *Live Flesh*. Ihr Vorsatz, Iván zu erschießen (»Nur wenn ich ihn töte, kann ich ihn vergessen«), ist ›verrückt‹, aber nicht vollkommen unlogisch, denn auch sie will sich mit diesem Akt von seiner Stimme befreien, an die sie trotz zwanzig Jahren Klinikaufenthalt noch immer gefesselt ist.

Carlos' Freundin Marisa, am Anfang eine Zicke, wird verlassen und so zu einem ›überzähligen Element‹ im Spiel der Substitutionen. Sie fällt als erste in Schlaf, nachdem sie von dem mit Tabletten versetzten Gazpacho gekostet hat, den Pepa eigentlich für Iván zusammengebraut hat. Doch Marisa hat überaus bewegte Träume, denn als sie erwacht, ist sie sicher, keine Jungfrau mehr zu sein.

»War es einer von denen?« fragt Pepa und deutet auf die Polizisten und den Telefontechniker. »Ach was, es ist im Schlaf passiert.«

Wie im Schlaf registriert auch der Zuschauer das immer hektischer werdende Treiben um Pepa, die in ihrer Wohnung umherläuft wie ein Tigerin im Käfig. Auf Bodenhöhe verfolgt die Kamera

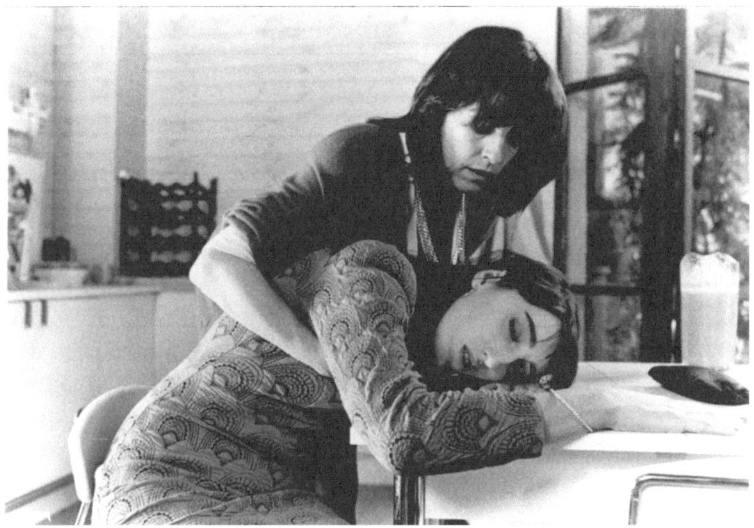

Pepa (Carmen Maura) kümmert sich um die schlafende Marisa (Rossy de Palma).

einmal ihre Stöckelschuhe, die hektisch hin- und herwandern. Ein andermal schaut die Kamera aus dem Inneren des Anrufbeantworters auf Pepa, die sehnsüchtig Iváns Anruf erwartet. Wenn wir sehen, wie Pepa sich zunächst aus Nervosität eine Zigarette ansteckt, es sich dann aber sogleich anders überlegt, weil ihr einfällt, dass sie als Schwangere nicht rauchen darf, und daraufhin die Kippe samt den Streichhölzern *demonstrativ* von sich wirft, so dass sie dadurch nicht zufällig ihr Bett in Brand steckt, und, damit nicht genug, einen langen Moment fasziniert in die Flammen starrt – wenn wir diese in motorischer Aktion sich ausdrückende Widersprüchlichkeit in ihrer *theatralischen Übertriebenheit* sehen, so ist dieses Verhalten hysterisch und das brennende Bett ein poetischer Ausdruck des hysterischen Affekts. Und als die verzweifelte Pepa noch im Synchronstudio mit Iváns Ehefrau Lucía telefoniert – in der Annahme, diese sei die neue Geliebte, mit der er verreisen wolle –, erklärt sie der biestigen Empfangsdame in einem typisch almodóvarischen Wortgefecht, sie möge nicht so unfreundlich sein, denn: »Schließlich bin ich gerade in Ohnmacht gefallen!«

Die Verhaltensweisen wirken so, dass in einer Hollywoodkomödie[1] mindestens einmal der Satz fiele: »Du bist so reizend, wenn du wütend bist.« Ganz und gar nicht wie im Hollywood-Kino ist dagegen der Ausweg, den Pepa aus ihrer Situation findet. Das Drama der Hysterie wird in eine ›hysterische Komödie‹ umgemünzt. Die überzogene theatralische Geste adressiert sich nicht mehr an den scheidenden Liebhaber, sie wandelt sich zu einem Ausdrucksmittel, in dem ›Weiblichkeit‹ sich auf ihre Weise inszeniert.

Schon der überaus artifizielle Vorspann, der ›die Frau‹ zu einem wahrhaft ›zerstückelten Körper‹ zerlegt, betreibt ein ironisches Spiel mit den typisch weiblichen Attributen. »Bei der visuellen Gestaltung des Vorspanns habe ich aktiv mit Juan Gatti, einem Designer, zusammengearbeitet. [...] Ich habe Gatti vorgeschlagen, Photos aus Frauenzeitschriften der fünfziger und sechziger Jahre auszuschneiden und daraus eine Collage zu machen, so dass man in den Film hineinkommt, wie wenn man in einer Modezeitschrift blättert« (Strauss 1998: 106). Statt Weiblichkeit in stereotyp ›schöne Bilder‹ zu projizieren (wie beim ornamentartigen James-Bond-Vorspann), werden die weiblichen Attribute durch das kubistische Arrangement dieses Vorspanns gleichsam umcodiert.

Mit dieser Umkehrbewegung konterkariert Almodóvar ebenso Jean Cocteaus berühmten Einakter *La voix humaine* (Die geliebte Stimme), der dem Drehbuch zu *Frauen am Rande des Nervenzusammenbruchs* zugrunde liegt (und bei dessen Inszenierung als Theater-im-Film Carmen Maura bereits in *Das Gesetz der Begierde* auf der Film-Bühne stand). Doch Cocteaus Text »reicht nur für ungefähr fünfundzwanzig Minuten, nicht genug für den abendfüllenden Film, den ich vorhatte. Also habe ich gedacht, ich sollte noch eine Stunde aus dem Leben dieser Frau erzählen. Meine Idee war, die Handlung zwei Tage vor dem bewussten Telephonanruf beginnen zu lassen. Als ich am Ende der achtundvierzig Stunden angelangt war, war alles viel zu lang geworden, ich hatte viele weibliche Figuren, und Cocteaus Stück war ganz aus der Geschichte verschwunden, nur der Schauplatz war noch da: eine Frau, die neben einem Koffer voller Andenken verzweifelt wartet auf den Anruf des Mannes, den sie liebt« (Strauss 1998: 100).

Cocteaus Stück – 1930 in Paris uraufgeführt und u.a. von

1. Tatsächlich war ein Hollywood-Remake mit Jane Fonda in der Rolle von Carmen Maura geplant.

Roberto Rossellini mit Anna Magnani in dem Episodenfilm *Amore* (1947/48) verfilmt – zeigt eine Frau, wie nur ein Mann sie ersinnen kann. In einem leeren Zimmer, in dem nur ein Bett steht, telefoniert sie mit ihrem Geliebten, der im mehrfachen Sinne des Wortes im Begriff ist, sich von ihr zu ›trennen‹. Das Ende des Telefonats ist gleichbedeutend mit dem Ende ihrer Liebesbeziehung. Mit dem Auflegen des Hörers verliert die Frau nicht nur die ›geliebte Stimme‹, sondern den Inhalt ihres Lebens. Sie erdrosselt sich mit der Telefonschnur, während sie den Telefon-*Apparat* wie ein Unterpfand seiner ›geliebten Stimme‹ umklammert hält.

Im Gegensatz zu Cocteaus Stück, in dem die Stimme des Liebhabers nicht zu hören ist, inszeniert Almodóvar die *Wirkung* dieser Stimme als unkontrollierbare Präsenz: Iváns Stimme taucht auf dem Anrufbeantworter, im Film oder im Telefonhörer auf, den Pepa zufällig abnimmt. Während die Telefonierende bei Cocteau im Sinne der hysterischen Identifizierung buchstäblich an der Strippe ›hängt‹, versucht die ›verrückte‹ Lucía, die *geliebte Stimme* Iváns zu töten. Beide Lösungen sind inadäquat. Anders Pepa: für sie wird der Apparat, in dem die Stimme hörbar ist, mehrfach zum Wurfgeschoss. Wie Pablo, der in *Das Gesetz der Begierde* seine vermaledeite Schreibmaschine aus dem Fenster wirft, wird auch Pepa sich von jenem ›Objekt‹ trennen, das ihr Leben beherrschte. Wenn sie das Telefon »in einem Moment echter Leidenschaft aus dem Fenster wirft« (Kilb 1989: 68), so verliert dadurch auch die *geliebte Stimme* Iváns, die durch diesen Apparat medial präsent ist, ihre fesselnde Macht über sie.

Die Thematisierung des Telefons empfindet Almodóvar, der vor seiner Filmkarriere bei der spanischen Gesellschaft *Telefónica* arbeitete, als das »Abtragen einer Schuld« (Vidal 1998: 259, zit. nach Edwards 2001: 206). Das Telefon bereitet Probleme, zeigt aber auch mögliche Auswege: Pepa wirft es aus dem Fenster, worauf Iváns Sohn Carlos es repariert. Sie wirft es erneut aus dem Fenster, worauf der Telefontechniker kommt (und vielleicht mit der schlafenden Marisa verkuppelt wird). Schließlich wirft Pepa auch jenen monströsen Anrufbeantworter vom Balkon herunter, auf dem Iván soeben eine faustdicke Lüge hinterlassen hat: »Ich möchte dir noch sagen, dass die Jahre, die wir zusammen verbracht haben, die besten Jahre meines Lebens sind. Ach übrigens – ich verreise nicht mit einer anderen Frau« – die wir jedoch in diesem Moment im Bild sehen: Paulina de Moralis wartet im Auto, während Iván noch schnell von der Zelle vor Pepas Wohnung aus mit der Verflossenen telefoniert.

Wenn Pepa den Anrufbeantworter, auf den Iván diese Lüge

gesprochen hat, im hohen Bogen aus dem Fenster wirft, so dass er ›zufällig‹ auf der Motorhaube ihrer Nachfolgerin landet – und wenn die Schallplatte mit dem Titel *Soy Infeliz* die gleiche Flugbahn nimmt und der Anwältin an den Kopf donnert –, so erzeugt diese typische Komödiensituation einen Lacheffekt, weil der Zuschauer die Symbolik dieser Aktion unmittelbar ›versteht‹. Pepa trennt sich von dem ›Objekt‹ Stimme. Doch sie entsorgt den Anrufbeantworter nicht einfach in den Mülleimer, weil nämlich ›Objekte‹ in einem symbolischen Kontext nicht einfach im Nichts verschwinden, sondern zirkulieren. So trennt Pepa sich von ihrem ›Objekt‹ allein dadurch, dass sie es wie ein Staffelholz der Liebe an ihre Nachfolgerin ›weitergibt‹.

Gleiches gilt für die Schallplatte, deren Titel *Ich bin unglücklich* auf die Manipulationsversuche Iváns verweist, der eine ›pflegeleichte‹ Geliebte will. Auch die Schallplatte entspricht einem ›Objekt‹, das Pepa an Paulina weitergibt im Sinne eines ›Du wirst schon noch erleben, was für einen Fang du da gemacht hast‹.

Über die symbolische Struktur, die dieser Assoziation zwischen Objekten und Kontexten zugrunde liegt, schreibt Freud in der *Traumdeutung*: »Worte werden vom Traum überaus häufig wie Dinge behandelt und erfahren dann dieselben Zusammensetzungen wie Dingvorstellungen« (Freud 1900a: 301f.). Pepa behandelt umgekehrt ein Ding, nämlich das Telefon und die *geliebte Stimme*, wie ein Wort. Als sie Iván auf dem Flughafen davor bewahrt, dass die ›verrückte‹ Lucía ihn erschießt, und er daraufhin Paulina wegschickt, um sich endlich der Aussprache mit Pepa zu stellen, hört sie nicht mehr den betörenden *Klang* seiner Stimme. Sie hört Iván zu, und ihr wird bewusst, dass dieser Mann niemals ehrlich sein wird.

Unmittelbar davor ist Pepa zum zweiten Mal in Ohnmacht gefallen. Im Gegensatz zu Cocteaus ›Hysterikerin‹, die sich den Telefonapparat, Materialisierung der *geliebten Stimme*, förmlich einverleibt (»Sie legt sich aufs Bett und drückt den Apparat in ihre Arme. […] Der Hörer fällt auf die Erde. Vorhang. Ende«; Cocteau 1963: 156), ist Pepa schließlich in der Lage, das ›Objekt Stimme‹ durch das ›Objekt Kind‹ zu substituieren. Dafür braucht sie Iván nicht mehr, er wird von Pepas Schwangerschaft nichts erfahren – auch er ist kein wirklicher *Vater* …

Pepa kehrt in ihre Wohnung zurück. »Es ist, als beträte sie Dornröschens Schloss« (Haas 2001: 65). Die beiden Polizisten, die nach den schiitischen Terroristen fahndeten, und der junge Telefontechniker, der den kaputten Apparat reparieren wollte, sind von dem mit Tabletten versetzten Gazpacho niedergestreckt worden. Auch Carlos und Candela halten einander schlafend im Arm. Marisa ist verlassen worden und dadurch zu einem ›odd element‹ im Spiel der Substitutionen geworden. Sie erwacht als erste aus dem ›magischen‹ Schlaf und erfährt von Pepas Schwangerschaft. Zwischen den beiden deutet sich, ähnlich wie am Ende von *Pepi, Luci, Bom* zwischen Pepi und Bom, eine zarte Affaire an.

Das Grauen kam um Mitternacht.

¡Atame!

(Fessle mich! 1989)

> »*Fessle mich!* ist fast ein romantisches Märchen, aber viele waren gegen den Film, weil sie meine Geschichte für sadomasochistisch hielten, was sie gerade nicht ist.«
>
> Pedro Almodóvar

Nach dem weltweiten Überraschungserfolg von *Frauen am Rande des Nervenzusammenbruchs* erwarteten Publikum und Kritik von Almodóvar eine weitere Komödie mit ›starken‹ Frauenfiguren. *¡Atame!* enttäuschte diese Erwartungen. Der Film handelt, so scheint es zunächst, von einer ›schwachen‹ Frau, und obwohl Almodóvar sein komödiantisches Talent hier voll entfaltete, mochte – zumindest in Deutschland und im angelsächsischen Raum – kaum jemand lachen. Die Geschichte des ungestümen Ricky, der, soeben aus der Psychiatrie entlassen, die junge Schauspielerin Marina in ihrer Wohnung überfällt und so lange gefangen hält, bis sie ihm ihre – aufrichtige – Liebe gesteht, wurde als krude Gewaltverherrlichung wahrgenommen: »Der Film […] ist im Kern nicht mehr als eine zynische Love-Story, die unreflektiert Gewalt als Quelle sexueller Lust propagiert«, hieß es im katholischen *Film-Dienst*. Nach der Premiere auf den Berliner Filmfestspielen 1990, wo der Film lautstark ausgebuht wurde, überschrieb die Kritikerin der *Tageszeitung*: »Pedro Almodóvar, der Regisseur von *Frauen am Rande des Nervenzusammenbruchs*, entpuppt sich in *Fessle mich!* leider doch als Macho.« Und obwohl eine amerikanische Gastkritikerin in derselben Ausgabe der *Taz* mit dem Verweis auf Almodóvars frühere Werke schrieb, der Film kranke gerade daran, dass er »nicht unmoralisch genug« sei, wurde nach dem Bundesstart in der Bremer Lokalausgabe der *Taz* vom 3. 9. 1990 ein anonymer feministischer Bekennerbrief abgedruckt: »Wir versuchen den Film *Fessle mich!* zu sabotieren. Dieser Film verherrlicht die Gewalt gegen Frauen.«

Sehr viel positiver waren die Reaktionen in Almodóvars Heimat. *Fessle mich!* knüpfte hier nicht nur an die enormen Publikumserfolge von *Das Gesetz der Begierde* und *Frauen am Rande des Nervenzusammenbruchs* an. Zustimmung erhielt Almodóvar erstmals auch von der einheimischen Kritik, die *Fessle mich!* übereinstimmend als »zärtliche Liebesgeschichte« (vgl. Edwards 2001: 107) feierte.

Fessle mich! ist eine für Almodóvar typische Mischung aus Komödie und Melodram, bei der die Grenzen der beiden Genres erneut ineinander fließen. Ähnlich wie in *Labyrinth der Leidenschaften* erzählt der Film eine ›verkehrte‹ Geschichte, deren Happy End ironisch verdreht ist. Die zentrale Rolle der Marina, die aus ihren Fesseln freikommt, indem sie – ›*Fessle mich!*‹ – darum bittet, gefesselt zu werden, hätte eigentlich nur eine einzige Frau spielen können. Doch der Film, der aus Kostengründen in den Dekors von *Frauen am Rande des Nervenzusammenbruchs* realisiert wurde, bedeutete für Almodóvar den schmerzlichen Bruch mit seiner langjährigen Lieblingsschauspielerin Carmen Maura. »Nach *Frauen am Rande des Nervenzusammenbruchs* ist unsere Beziehung aus persönlichen Gründen unmöglich geworden. Und dabei ist es geblieben. Zum Teil ergaben die Probleme sich aus der Intensität meiner Arbeit mit den Schauspielern. Meine Beziehung zu Carmen ist nicht auf das Berufliche beschränkt geblieben, und das hat uns beiden sehr weh getan. Das ist eine lange Geschichte« (Strauss 1998: 114) – die Almodóvar bis heute nicht erzählt hat …

Zwischen den Zeilen einer *Spiegel*-Reportage aus dem Jahr 1989 klingt zumindest an, worum der Konflikt kreiste: »›Ach, Sie treffen Pedro morgen?‹«, fragt Carmen Maura am Ende eines Interviews den Reporter, der am nächsten Tag Almodóvar besuchen wollte. »›Warten Sie. Nehmen Sie ihm doch etwas mit‹. Sie rennt auf die Terrasse, durchwühlt Schubladen und packt schließlich große Pinienzapfen zwischen glitzerndes Lametta in eine Tüte, und obendrauf legt sie einen Zettel, auf den sie schreibt: ›De mi campo – Von meinem Feld.‹ […] ›Hier, das ist ein Geschenk von Carmen.‹ Pedro Almodóvar starrt auf die Tüte. Dann greift er vorsichtig in den Lamettahaufen, als könnte eine Schlange darin sein, und pult die Zapfen frei. ›Carmen‹, sagt er gedankenverloren, ›eine tolle Schauspielerin. So verletzlich, so durchlässig.‹ Er hat tatsächlich Tränen in den Augen« (Matussek 1989: 210f.).

Mit Victoria Abril, die bei Almodóvar zuvor nur einen kleinen, nicht in den Credits verzeichneten Auftritt in *Das Gesetz der Begierde* absolviert hatte (und ursprünglich für die Rolle der Cristal in *Womit hab' ich das verdient?* vorgesehen war), engagierte der Spanier eine Darstellerin, die das Gesicht seiner Filme aus der mittleren Phase Anfang der 90er-Jahre entscheidend prägen sollte. In *Fessle mich!* spielt sie eine drogensüchtige Ex-Pornodarstellerin, die am Ende unerwartet ein ›Kind‹ bekommt – in Form eines Ehemannes, der sie zunächst in seine Gewalt bringt, sie dadurch von ihrer Sucht befreit und sich später ganz selbstverständlich von ihr dominieren lässt.

Mit der Figur der Marina verkörpert Victoria Abril das genaue Gegenteil zur braven Kunststudentin Miranda (Samantha Eggar), deren düsteres Schicksal William Wyler in *The Collector* (Der Fänger, GB 1965) erzählt, jenem beklemmenden Psychothriller, dem Almodóvar das Grundmotiv für *Fessle mich!* entlehnt. Wie stark er sich durch Wylers Film hat inspirieren lassen, lässt Almodóvar offen: »Man hat mich oft gefragt, ob *Fessle mich!* auf *The Collector* von Wyler zurückginge, und ich antwortete, was ich komisch und überraschend finde, dass ich wohl von Wyler inspiriert war, aber von einem anderen Film« (Strauss 1998: 81) – nämlich *Desperate Hours*, »wo ein Mann eine ganze Familie in einem Haus als Geiseln nimmt« (ebd.).

Wie weit der Einfluss tatsächlich reicht, verdeutlicht erst ein Seitenblick auf *The Collector*. Nach der Romanvorlage von John Fowles erzählt Wyler die Geschichte des gehemmten kleinen Bankangestellten Freddie Clegg (Terence Stamp), der durch einen Totogewinn reich geworden ist und einer jungen Frau, auf die er von Jugend an fixiert ist, auflauert, sie mit Äther betäubt und in ein Verlies unter seinem abgelegenen Landhaus sperrt. Mit der Höflichkeit eines englischen Butlers versorgt er seine schöne Gefangene mit Nahrungsmitteln und Kunstbüchern in der Hoffnung, dass sie sich in einer Frist von vier Wochen, nach der er sie freizulassen verspricht, in ihn verliebt haben wird.

Als er sie nach einem Monat nicht wie verabredet freilässt, versucht sie als letztes Mittel ihn sexuell zu verführen, worauf die Situation kippt: Sie zieht ihm einen Spaten über den Schädel, doch obwohl er erheblich verletzt wird, gelingt es ihm, Miranda wieder einzusperren und ein Krankenhaus aufzusuchen. Während er dort mehrere Tage lang seine Kopfwunde behandeln lassen muss, stirbt Miranda in ihrem kalten Verlies an Lungenentzündung.

In *Fessle mich!* hat Almodóvar nur die Grundsituation dieses Psychodramas aufgegriffen. Auch Ricky ist ein ›Verrückter‹. Zu Beginn des Films wird er aufgrund einer richterlichen Anordnung aus der geschlossenen Psychiatrie entlassen, obwohl die Klinikleiterin dies nicht für ratsam hält. Beiden Männern gemeinsam ist zunächst die ›falsche‹ Vorstellung, die Liebe einer Frau erzwingen zu können, wobei sie ›eigentlich‹ keine Gewalt anwenden wollen – nur wenn es ›nötig‹ ist. Auf Mirandas Frage, warum er sie hergebracht habe, antwortet Freddie: »Ich möchte, dass Sie mich erst einmal kennen lernen.« Beinahe dieselben Worte sagt Ricky zu Marina, deren Name fast ein Anagramm zu Miranda bildet: »Ich wollte mit dir sprechen, damit du mich beachtest. Also musste ich dich gefangen nehmen, damit du mich näher kennen lernst.«

Allerdings ist Ricky längst nicht so bedrohlich wie Freddie Clegg, der durch sein Verhalten sehr schnell als pathologische Persönlichkeit erkennbar wird, die zwar von Liebe spricht, aber nicht überzeugen kann, dass sie wirklich zu lieben imstande ist. Marina ist für ihn ein Teil seiner umfangreichen, international beachteten Schmetterlingssammlung. Ricky wirkt dagegen weder psychisch krank noch berechnend, sondern kindlich-naiv, und gerade deshalb wirkt die Liebe, die er für Marina empfindet, längst nicht so bedrohlich. Im Gegensatz zu Freddie ist er auch nicht morbide und melancholisch, sondern viril und vital. Außerdem ist er nicht reich, er besitzt lediglich 50.000 Peseten, umgerechnet 25 Euro.

Die formalen Übereinstimmungen enden dort, wo Almodóvar die Dramatik des Plots – ähnlich wie bei seiner Adaption der *Geliebten Stimme* von Cocteau – immer wieder mit komischen Elementen durchsetzt und zu einem, wenn auch ironisch gebrochenen, Happy End führt. Darüber hinaus teilt Ricky – und das ist der wichtigste Unterschied zu seinem Pendant bei Wyler – nicht Freddies auffällige Abneigung gegen Sexualität. Zwar verzichten beide, Freddie und Ricky, darauf, Sex mit ihrer Gefangenen zu *erzwingen*, dies jedoch aus unterschiedlichen Motiven. Freddie, so viel wird am Ende klar, kann mit der Sexualität einer Frau grundsätzlich nichts anfangen, ja sie ist sogar bedrohlich für ihn. Ricky entpuppt sich dagegen als erotisches Naturtalent, sehr zum Leidwesen der Anstaltsleiterin, die nach der Entlassung seine ›Fähigkeiten‹ vermisst – die Marina erst ›entdecken‹ muss.

Ricky fesselt und sperrt Marina so lange ein, bis sie freiwillig mit ihm schlafen will: Es scheint, als sei Ricky geglückt, woran der ›Collector‹ Freddie scheiterte. Doch dieser Vergleich ist problematisch. Während *The Collector* mit spannungsgeladener Genauigkeit die Figur Freddies als ›authentischen‹ Psychopathen zeichnet, ist Ricky eine für Almodóvar typische Kunstfigur. So besteht die entscheidende Akzentverschiebung zwischen den beiden Filmen darin, dass die gesamte Geschichte von *Fessle mich!* nicht mehr aus der Sicht Rickys, sondern aus der Perspektive der Frau erzählt wird. Aus dem zur Passivität verdammten Opfer Miranda wird in der Gestalt Marinas eine Frau, die zwar zunächst ebenfalls handlungsunfähig ist, diese Situation jedoch mehr und mehr zu ihren Gunsten umkehren kann. Zwar folgt die Kamera in den ersten Einstellungen des Films Ricky, doch sobald er im Filmstudio ankommt, in dem Marina arbeitet, wechselt die Perspektive. Almodóvar erzählt nun aus der Sicht Marinas, die als Hauptdarstellerin in einem Horrorfilm vor der Kamera steht. Der Film heißt *El fantasma de medianoche* (deutscher Synchrontitel: »Das Grauen kam um Mitternacht«) und ist eine augenzwinkernde Hommage an den spanischen B-Horrorfilm im Stil von Jess Franco. Wenn das Monster hinter einem wehenden Vorhang hervortritt und erklärt: »Ich komme [...] um dich von hier fortzutragen. [...] An einen Ort ohne Angst, wo wir beide glücklich sein werden« – so drängt sich die Vermutung auf, dass es sich bei diesem »Ort ohne Angst« um das Verlies aus *The Collector* handeln könnte ...

Doch Marina gelingt es, sich von dem Monster zu befreien, und so hat ihre Figur in *Fessle mich!* bereits vor der Entführung eine ›Geschichte‹. Wir erfahren noch mehr über Marina, denn wie bei seiner ›Interpretation‹ der *Geliebten Stimme* von Cocteau denkt Almodóvar sich in die Figur hinein: Sie ist nicht nur Pornodarstellerin, sondern auch im Zirkus aufgetreten, und sie versteht etwas von Pferden.

Um ihr Begehren zu charakterisieren, entwirft Almodóvar ein markantes Bild: Kurz bevor Ricky sie überfällt, liegt Marina in der Badewanne. Damit zitiert Almodóvar nicht nur Wyler, bei dem auch Miranda ein Bad nimmt, sondern auch den frühen David Cronenberg. Während jedoch in dessen Spielfilmdebüt *Shivers* (1975) der badenden Barbara Steele, einer Ikone des B-Horrorfilms der 60er-Jahre, ein sich aus dem Abfluss hervorwindender blutegelförmiger ›Parasit‹ zwischen die Schenkel schwimmt, erscheint zwischen Marinas Beinen ein kleiner batteriebetriebener Playmobil-Taucher, ein ›Spielzeug‹.

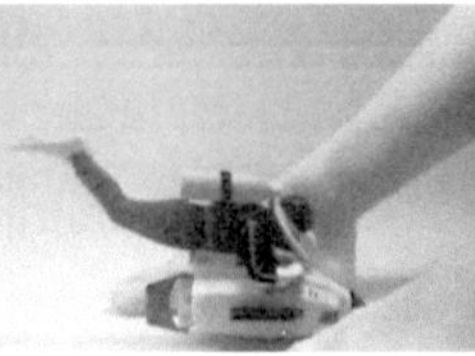

Die formale Ähnlichkeit zwischen den Szenen ausnutzend, kehrt Almodóvar auch hier wieder parodistisch den dramatischen Suspense seiner Vorbilder in verblüffende Komik um: Wo Barbara Steeles Begegnung mit dem phallischen Parasiten zum Horrorszenario gerät, muss sich der Zuschauer bei Almodóvar eher um den kleinen Taucher sorgen: Denn bevor die gegenüber dem Taucher übergroß wirkenden Körperteile als Marinas Beine erkennbar werden, muten sie wie furchterregende Monster an, die das harmlose, lustig vor sich hinzappelnde Spielzeugmännchen bedrohen.

Dieses Thema wird Almodóvar in *Sprich mit ihr* noch einmal aufgreifen: Aus dem Spielzeugtaucher wird dort der »Amante Menguante« – der schwindenden Liebhaber –, der für immer im Mutterleib einer Riesenfrau verschwindet. Darüber hinaus hat die Riesenfrau, als der geschrumpfte Liebhaber in ihrer Vagina verschwindet, einen ähnlich lustbetonten Gesichtsausdruck wie Marina mit ihrem Spielzeug in der Badewanne.

Als wäre er ein neugeborenes Kind, fischt Marina ihren Taucher aus dem Wasser und legt ihn liebevoll zwischen ihre Brüste. Die Antwort auf die naheliegende Frage *Was hätte Freud dazu gesagt?* fällt eindeutig aus. Vor dem Hintergrund der »symbolische[n] Gleichung Penis = Kind« (Freud 1925j: 27) wird der kleine Taucher als Repräsentation von Marinas unbewusstem Wunsch nach einem Kind lesbar.

Angesichts der Metaphorik dieser Szene drängt sich die Frage auf, ob die Badewannen-Szene mit dem Spielzeugtaucher nur ein frivoler Gag ist, der im filmischen Kontext isoliert bleibt, oder ob Almodóvar hier nicht wahrscheinlicher den Subtext des Films formuliert. Im Hinblick auf das Filmende, an dem Marina zwar nicht wie die Jungfrau zum Kind, dafür aber zu einem sehr kindlichen Ehemann kommt, scheint ihr Wunsch, der sich in der Badewannen-Szene metaphorisch ausdrückt, auf skurrile Weise in Erfüllung gegangen sein.

Die Rolle im Film-im-Film, die Marina spielt, scheint eine zweideutige Vorwegnahme dieser Wunscherfüllung zu sein, denn Marinas Begegnung mit Ricky zeichnet sich hier bereits ab. Eigentlich ist sie laut Drehbuch dazu verurteilt, blutig zu sterben, aber Má-

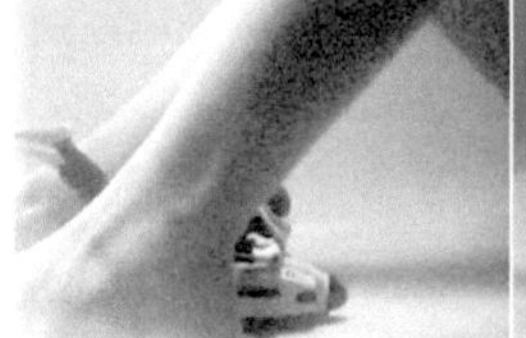

ximo Espejo, bei dem sie vor der Kamera steht und der den Ruf hat, »ein Frauenregisseur« zu sein, ändert überraschend das Filmende: »Ich werde dich retten«, verspricht er Marina. Doch diese »Rettung« ist höchst ambivalent. Während Marina das ›Mitternachtsphantom‹, das wie in einem Film von Roger Corman hinter dem wehenden Vorhang hervortritt, in einen typischen B-Film-Dialog verwickelt, wirft sie das zu einer Lassoschlinge geknüpfte Telefonkabel um seinen Hals. Indem sie nun mit dem anderen Ende des Kabels in der Hand über die Balkonbrüstung in die Tiefe springt, erwürgt Marina das Monster durch ihr eigenes Körpergewicht.

Doch die groteske und unrealistische Tötungsszene mittels der Telefonschnur – mit der übrigens das Motiv der *geliebten* bzw. der *fesselnden Stimme* aus *Das Gesetz der Begierde* und *Frauen am Rande des Nervenzusammenbruchs* wiederkehrt – endet damit, dass Marina, von heftigem Studioregen umtost, am Telefonkabel hängt. So bleibt sie an das Monster, das nicht zufällig im typischen S/M-Outfit für Bondage-Rituale auftritt, nicht nur im konkreten Sinne gefesselt.

Durch weitere Andeutungen stellt Almodóvar zwischen dem Phantom und Ricky unauffällig eine Verbindung her. Wie das gesichtslose Monster kommt auch Ricky zur Geisterstunde. Er hat im Studio ihren Schlüsselbund gestohlen und gelangt so problemlos in ihre Wohnung. Wenn Marina nach seinen wirren Erklärungen schließlich begreift, was der Eindringling, statt sie zu vergewaltigen, tatsächlich von ihr will, hat sie denselben überraschten und entsetzten Gesichtsausdruck, den sie vorher im Film-im-Film beim Anblick des Monsters spielen sollte:

»Ich bin 23 Jahre, habe 50.000 Peseten und bin ganz allein auf der Welt. Ich will dir ein guter Ehemann sein und ein guter Vater für deine Kinder.« – Mit diesen Worten stellt Ricky sich seiner ›Geliebten‹ vor, nachdem sie aus der Ohnmacht erwacht, in die er sie zuvor durch einen Kinnhaken versetzt hat. Obwohl er strafrechtlich gesehen zweifellos eine Freiheitsberaubung und damit eine kriminelle Tat begeht, unterscheidet sich Ricky, indem er auf den Signifikanten Vaterschaft verweist, erheblich vom Entführer Freddie Clegg, für den der Wunsch nach einer Familie undenkbar ist. Die Vaterschaft

  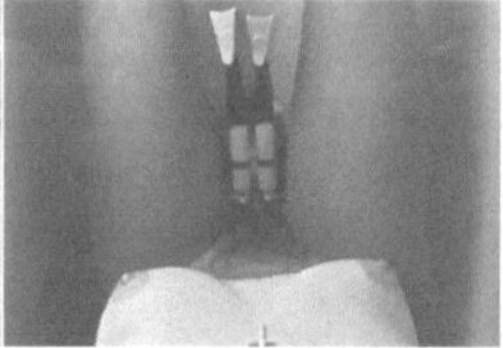

und das Eheversprechen Rickys führen eine *symbolische* wechselseitige ›Bindung‹ ein, durch die die realen *Fesseln* gleichsam transformiert werden – denn am Ende sind Stricke bei Ricky und Marina überflüssig. Nicht jedoch bei Freddie Clegg, für den die Fesseln eine reale Repräsentanz jener Form von ›Bindung‹ sind, zu der allein er in der Lage ist.

Die Motive der *Metapher* und des strukturell ähnlichen *Witzes* sind zentral für die Konfliktsituation in *Fessle mich!* – während in *The Collector* umgekehrt gerade das Fehlen des Witzes die dramatische Zuspitzung wesentlich vorantreibt: Da sie nun einmal in seiner Gewalt ist, bittet die gelangweilte Miranda ihren Entführer, ihr zur Unterhaltung wenigstens einen *Witz* zu erzählen – was Freddie sofort in große Verlegenheit bringt. Gemeint ist nämlich ein ›dreckiger Witz‹: »Alle Männer«, sagt Miranda, »kennen dreckige Witze« – über Frauen. Da die Zote, wie Freud beschreibt, eine Methode der Männer ist, das sexuelle *Begehren* der Frau zu erzwingen, Freddie jedoch Angst vor dem Begehren hat, stellt er, sichtlich in Verlegenheit, eine ›komisch‹ gemeinte Frage: »Was hat vier Ohren und acht Beine?« Antwort: »Zwei Hunde«.

Selbst wenn man davon absieht, dass es kein objektives Kriterium für einen guten oder schlechten Witz gibt, so kann man doch sagen, dass Freddies Versuch die Karikatur eines Witzes ist. Statt des metaphorischen Sprungs von einem »Vorstellungskreis« in einen anderen gelingt ihm nur eine metonymische Verdopplung: »Zwei Hunde«.

Seine Unfähigkeit zum Witz ist kein nebensächlicher Charakterzug. Die grundsätzliche Unfähigkeit, *metaphorisch* zu denken (die der Film bei Freddie auf geniale Weise in Szene setzt), ist ein Abbild jener Unfähigkeit, den Mangel zu ertragen, der sich in Witzen, Versprechern, Fehlleistungen und Symptomen kundtut. Dieser Mangel steht strukturell für jenes Begehren, vor dem Freddie sich fürchtet. Weil er die Frau (sexuell) nicht *begehren* kann, muss er sie einsperren. Wie ein Kind beansprucht er ihrer bedingungslose Anwesenheit. So macht er ihr den Vorschlag, dass sie, falls sie freiwillig bei ihm bleibt, sogar ihr Schlafzimmer abschließen darf. Im Bett kann er mit einer Frau nichts anfangen, Sex ist für ihn ›witzlos‹.

Vor diesem Hintergrund gewinnt die Situation, in der Ricky Marina gefangen hält, eine etwas andere Bedeutung, die nur im Register des *Komischen* verständlich wird. Zwar ist auch Ricky kein ausgesprochener Witzbold – doch in all seinem Tun verkörpert er im Gegensatz zu Freddie eine ausgesprochen komische Figur. Der komische Grundzug entwickelt sich daraus, dass Rickys Freiheitsberaubung objektiv falsch bzw. eine kriminelle Handlung ist, er aus seiner subjektiven Sicht jedoch alles ›richtig‹ macht und stets konsequent handelt. Etwa in der Szenenfolge, als Marina nach seinem Kinnhaken heftige Zahnschmerzen hat, normale Schmerzmittel aber aufgrund ihrer Drogenabhängigkeit wirkungslos bleiben. Ricky ist gezwungen, Marina zu ihrer Arzt-Freundin zu begleiten, die ein Rezept für verschreibungspflichtige Drogen ausstellen kann. Obwohl Marina in dieser prekären Situation nichts unversucht lässt, um der Freundin ein unauffälliges *Zeichen* zu geben, kommt die ahnungslose Ärztin – aufgrund der Zeichen, die Ricky sendet – nicht im Traum auf die Idee, dass der liebenswürdige junge Mann an ihrer Seite ein Krimineller sein könnte, in dessen Gewalt sich Marina befindet.

Im Gegenteil: Je heikler die Situation wird, desto sympathischer erscheint Ricky. Als die beiden Babys der Ärztin plötzlich schreien, droht eine unwillkommene Verzögerung. Um zu erreichen, dass die Ärztin das Rezept sofort ausstellt, so dass Ricky mit Marina wieder abziehen kann, bietet er an, nach den Kindern im Nebenzimmer zu schauen. Da er aber Marina nicht alleine lassen kann, taucht er, kaum dass er im Nebenzimmer verschwunden ist, unversehens mit den Babys auf dem Arm wieder auf. Er ist, wie es scheint, ein vorbildlicher Vater.

Das Grundprinzip der Komödie, das Almodóvar hier virtuos umsetzt, besteht darin, eine ›falsche‹ Situation so darzustellen, dass sie für alle unwissenden Beteiligten – hier also die Arztfreundin – vollkommen ›richtig‹ aussieht. In *Fessle mich!* besteht der ›Witz‹ darin, dass die Situation nicht nur normal aussieht, sondern – am Ende – auch normal *ist* ...

Während also in Wylers *The Collector* ›kein Richtiges im Falschen‹ entstehen kann, ist in der Komödie umgekehrt das ›Falsche‹ eine Maske, hinter der sich das ›Richtige‹ verbirgt. Wenn Ricky und Marina in einer späteren Szene wie ein Ehepaar zusammen vor dem Fernseher sitzen und essen, so ist diese Situation eine symbolische Darstellung der typisch bürgerlichen Ehe als Gefängnis: »Trauring aber wahr« (Freud, 1905c: 20) würde Freud dazu sagen.

Der schrille Werbespot, den Almodóvar bei dieser Gelegenheit passend zu Marinas und Rickys Situation einmontiert, karikiert die Ehe als lebenslänglichen Finanzierungsplan: »Warum tanzen die deutschen Rentner in Benidorm, während die armen spanischen Rentner vor dem Eingang zur U-Bahn um ein Almosen betteln?« fragt ein Sprecher. Antwort: »Weil die deutschen Rentner schon mit 18 an ihre Zukunft dachten.« – Zu sehen ist ein junges deutsches

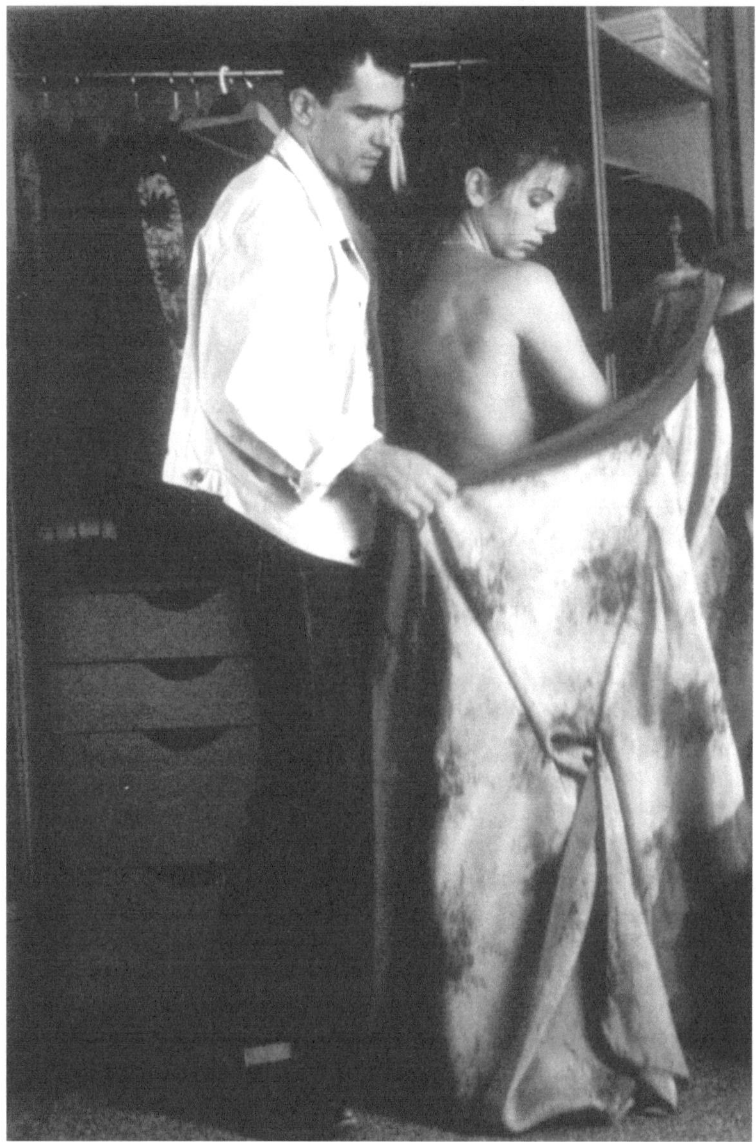

Ricky (Antonio Banderas) und Marina (Victoria Abril)

Nazi-Pärchen, er mit Hakenkreuzbinde, das vorausschauend einen Rentenvertrag bei der so genannten »Geronto-Bank« unterschreibt. »Und die Spanier ...? Die Spanier ...?« – Zu sehen ist ein klischeehaft ›spanisches‹ Tango-Pärchen (sie im kurzen Roten mit Strapsen, er im eleganten Anzug), das seine Jugend »vertanzt« – und sich im Alter mit einer schmalen staatlichen Rente begnügen muss. Die wenigen Geldscheine werden ihnen von einer unfreundlichen Schalterbeamtin hingeworfen. Deshalb: »Geronto-Bank … damit auch Sie Ihr Alter vertanzen können.«

Scheinbar beiläufig, jedoch mit einer Verbindlichkeit, die unnachgiebiger erscheint als alle Stricke, mit denen er sie fesselt, fragt Marina nach diesem Spot: »Und wie willst Du für uns sorgen?« Marina drückt damit symbolisch aus, dass das gesamte Szenario Schritt für Schritt die reale Situation umkehrt: Ricky wird mehr und mehr selbst zum ›Gefangenen‹ – und zwar indem Marina ihn einfach nur *bei ebendem Wort nimmt*, das er ihr am Anfang gegeben hat. Schon in der Szene bei der Arzt-Freundin hat sich abgezeichnet, dass Ricky genau dadurch zur komischen Figur wird, dass er wie eine Marionette in das kausale Band verstrickt ist, das er selbst durch seine Ankündigung, er wolle ein guter Vater sein, geknüpft hat. Dass er ›für sie sorgen‹ will, entpuppt sich bald als Fass ohne Boden: Ricky ist permanent damit beschäftigt, die unglaublich aufwändigen Konsequenzen jener Situation ›abzuarbeiten‹, in die er sich gebracht hat. Während Freddie die Versorgung Mirandas mühelos und souverän wie ein Gefängniswärter erledigt, schwirrt Ricky wie ein Satellit um Marina herum, macht Besorgungen aller Art und repariert kaputte Wasserhähne.

Formal gleicht die Gefängnissituation in *The Collector* derjenigen in *Fessle mich!* – inhaltlich jedoch verkehrt sie sich: Im Gegensatz zu *The Collector*, wo Freddies kontrollierende Dominanz nicht gebrochen wird, schlägt die Situation in *Fessle mich!* um, als Ricky – als er Marina Stoff besorgen will – von Drogendealern brutal zusammengeschlagen wird. Wenn in diesem Moment ihre Liebe zu ihm entflammt, so deswegen, weil er nun einen sichtbaren Mangel hat, in dem Marina sein *Begehren* erkennen kann.

Diesen Umschlag bereitet Almodóvar vor, indem er das Thema der Fessel bereits durch den Filmtitel ins Zentrum rückt. In *The Collector* dienen die Stricke ausschließlich der Freiheitsberaubung, doch in *Fessle mich!* führen Rickys ›fürsorgliche‹ Vorkehrungen schließlich dahin, dass die Fessel praktisch zu einem Widerspruch in sich wird. So besorgt er besonders elastische Seile, die nicht einschnüren, und in der Apotheke lässt er sich eingehend beraten, welche Pflaster – die er Marina über den Mund klebt – bei häufigem Wechseln am hautschonendsten sind.

Dieser Doppelsinn der Fessel kommt zum Ausdruck in jener

Szene, in der Ricky, um seine ›ehrlichen‹ Absichten zu unterstreichen, ihr bezüglich der Stricke, mit denen er sie wieder einmal ans Bett binden muss, zu Marina sagt: »Es macht mir keinen Spaß, dich zu fesseln«. Marina fasst seine Bekundung nicht als Rhetorik auf, sondern nimmt ihn erneut beim Wort und erwidert: »Ich könnte *ebenso* darauf verzichten.« Der Lacheffekt stellt sich ein, weil sie durch den Vergleich »auch« sein Begehren reziprok zu ihrem definiert. Gemäß der Logik des ausgeschlossenen Widerspruchs müssten beide nun eigentlich übereinkommen, die Fesseln zu lösen. Stattdessen drückt die ironische Zweideutigkeit der Replik »Ich könnte ebenso darauf verzichten« – ex negativo aus, dass zwischen den beiden bereits eine ›Übereinkunft‹ besteht. Denn als Ricky sie am Ende noch einmal allein lassen muss, um ein Auto zu knacken, mit dem die Liebenden Madrid verlassen wollen, und er Marina als ›Vertrauensbeweis‹ nicht mehr fesseln will, hält sie ihm die Stricke hin, um emphatisch den Titel des Films »*Fessle mich!*« auszusprechen.

Ähnlich wie in *Frauen am Rande des Nervenzusammenbruchs* rührt der Lacheffekt daher, dass zunächst eine Situation der Ausweglosigkeit erzeugt wird. Für Pepa war dies die emotionale Verfallenheit an Iván. In *Fessle mich!* ist Marinas Ausweglosigkeit buchstäblich zu nehmen. Sie entspricht strukturell betrachtet aber auch einem kausallogischen Band bzw. einem in sich geschlossenen *Bild*, wofür Freud in seinem Buch über den Witz den Begriff »Vorstellungskreis« prägte. Freud hat gezeigt, dass das Lachen ökonomisch betrachtet einer Abfuhrlust entspricht, die jeweils dann erzielt wird, wenn der Hörer des Witzes auf möglichst kurzem Weg von einem Vorstellungskreis in einen anderen überwechselt und dadurch von einem Gedankenbild befreit wird. Der dem Witz inhärente Perspektivenwechsel besteht in *Fessle mich!* darin, dass die Ausnahmesituation, in der ein Mann eine Frau gefangen nimmt, um durch das so erzwungene ständige Zusammensein ihre Liebe zu erlangen, sich zu einer metaphorischen Darstellung der ›Normalsituation‹ der Zweierbeziehung als Gefängnis verkehrt. So vermag der Witz die Lösung einer ›Bindung‹, die in *Fessle mich!* zunächst eine reale Fessel ist, herbeizuführen. Im Gegensatz zu *The Collector*, wo die Frau durch die Fesseln stirbt, bewirkt Almodóvar deren Aufhebung – durch den Witz. Die Fesseln bestehen weiter – jetzt im übertragenen Sinne.

Der Dialog, in dem Ricky Marina fragt, ob sie glaube, dass er sie gerne fessle, taucht in *Live Flesh* in ähnlicher Form noch einmal auf zwischen Sancho, einem zynischen Trinker, und seiner Ehefrau Clara: »Glaubst Du, es macht mir Spaß?«, sagt Sancho, nachdem er

Clara wieder einmal geschlagen hat. »Ein Grund mehr, es zu lassen«, antwortet Clara lapidar, die aus den ›Fesseln‹ dieser Ehe nur um den Preis des Todes auszubrechen vermag.

Die Pointe in *Fessle mich!* besteht darin, dass Ricky Marina tatsächlich nicht fesseln will. Er erfüllt lediglich ihren, bereits in der Badewannen-Szene angedeuteten, ›Kinderwunsch‹. Nicht zufällig spielt Antonio Banderas – der durch diese Rolle zum Hollywoodstar avancierte – diese Figur, »als wäre sie ein Zehnjähriger« (Strauss 1998: 119). So bricht er, als sie ihn einmal rüde beschimpft, wie ein Kind hemmungslos in Tränen aus: »Auch wenn Ricky scheinbar alle Macht über Marina besitzt – in Wahrheit ist nicht sie von ihm, sondern er von ihr abhängig. Die Fixierung auf die Frau seines Lebens erinnert an das Verhältnis eines Kindes zu seiner Mutter« (Haas 2001: 123).

In der Schlussszene im Auto schließlich ist Ricky, das ›Kind‹, also genau dort, wo er hinwollte: unter dem dreifachen Pantoffel von Marina, ihrer Schwester Lola und deren Mutter. Wenn Almodóvar »die Geschichte hätte weiterspinnen können, wäre es noch komischer geworden: Man hätte gesehen wie Ricky Vater [eben nur] *spielt.*« (Strauss 1998: 120) Und von ›echten‹ Vätern fehlt wieder einmal jede Spur.

Gib mir eine Titte!

Tacones lejanos

(High Heels – Die Waffen einer Frau, 1991)

»*Tacones lejanos* ist ein hartes Melo, sowohl dem Horrorfilm als auch dem film noir verpflichtet und (warum nicht?) dem Musical. Es ist auch ein literarischer Film, eine Geschichte, die sich durch Worte entwickelt. Die Figuren teilen sich durch Worte oder das Fehlen von Worten mit, und die Worte werden zu ihrer schärfsten Waffe, wenn es darum geht, anzugreifen oder sich zu verteidigen. Sie können mit Worten töten oder Leben retten. Für mich erfüllen zwei Zeilen guten Dialogs aus dem Munde einer gut gezeichneten Figur den gleichen Effekt wie die Trickaufnahmen in *Terminator 2* – und sie sind auch genauso spannend.«

Pedro Almodóvar

Frauen am Rande des Nervenzusammenbruchs und *Fessle mich!* waren Komödien, in denen Almodóvar die Tragik der motivischen Vorlagen – Cocteaus *Geliebte Stimme* bzw. Wylers *The Collector* – als Komödie interpretierte. Der Grundkonflikt in *High Heels* basiert auf der umgekehrten Bewegung: eine komische Situation entwickelt sich melodramatisch. Warum bringt eine Tochter ihren ›Vater‹ gleich zwei Mal um und heiratet anschließend ihre Mutter, um von ihr symbolisch ein Kind zu bekommen? Auf diese Frage formuliert Almodóvar in *High Heels* eine tragikomische Antwort.

Rebeca (Victoria Abril), Nachrichtensprecherin des Privatsenders Tele 7, gesteht in den Abendnachrichten vor laufender Kamera, dass sie ihren Ehemann Don Manuel Sancho, den Chef des Senders, erschossen hat. Noch während der Sendung wird sie von Polizisten festgenommen – ebenfalls *live*. »Die Ausgangsidee«, so Almodóvar im Interview mit Frédéric Strauss, »war die Szene der Beichte im Fernsehen. Ich habe immer davon geträumt, das einmal in den Fernsehnachrichten zu sehen, und weil das nie passiert ist, habe ich es geschrieben« (Strauss 1998: 126).

Die skurrile Fernsehbeichte, durch die der Film genau in der Mitte eine dramatische Wende nimmt, erinnert an einen berühmten Sketch der britischen Komikertruppe *Monty Python's Flying Circus*: In der professionell distanzierten Manier eines BBC-Nachrichtensprechers verliest Eric Idle die Meldungen des Tages, aus denen er mit einem Staunen, das sich nur in einem kaum merklichen Stocken seiner Stimme ausdrückt, erfährt, dass er des Mordes überführt worden ist. Die dazu passende Einspielung eines Bildbeitrags zeigt in witziger Verdopplung, wie der Sprecher von zwei Bobbys aus dem Fernsehstudio abgeführt wird, während er im selben Studio noch die betreffende Meldung verliest …

Einen ähnlich komischen Effekt erzielt Almodóvar in *High Heels* dadurch, dass Rebeca in ihrer Rolle als Nachrichtensprecherin den Tathergang zunächst ebenso im nüchternen Nachrichtenstil berichtet. Neben ihr sitzt Kollegin Isabel, die ihre Worte simultan in Taubstummensprache übersetzt. Was bereits für sich genommen komisch wirkt, weil die Pantomimik der Gebärdensprache, die immer etwas zappelig wirkt, den elaborierten Tonfall der Nachrichten subvertiert. Als Isabel schließlich den Kernsatz von Rebecas Geständnis – *Ich war es* – ›übersetzt‹, deutet sie entsprechend der Gebärdensprache direkt mit dem Finger auf die neben ihr Sitzende und mimt den Vorgang des Tötens, indem sie mit einem imaginären Messer auf Rebeca einsticht.

Rebeccas Geständnis findet in einem Rahmen statt, der einen solchen Ausbruch von Subjektivität grundsätzlich unterbindet: den Fernsehnachrichten. Wie *Monty Python's* thematisiert Almodóvar damit den blinden Fleck dieser medialen Inszenierung: Der Sprecher bzw. die Sprecherin wird zum Gegenstand der von ihm bzw. ihr verlesenen Nachricht. Aus dieser Subjektspaltung entwickelt sich ein Minidrama. Denn als Rebeca die Ermittlungsergebnisse verliest, gemäß denen ihr Mann »kurz vor seinem Tod noch Sexualverkehr« hatte und erklärt: »Ich füge an dieser Stelle hinzu, dass es nicht mit mir war« – schaut die Gebärdendolmetscherin Isabel verlegen unter sich: sie war es, mit der Manuel geschlafen hat …

Die Szene selbst beginnt überaus komisch, doch Rebeca ist dabei nicht zum Lachen zumute. In einer vorangegangenen Szene, in der sie ebenfalls die Nachrichten verlesen hatte, war es umgekehrt. Sie war aufgeregt, denn die von ihr verehrte Mutter (Marisa Paredes) ist nach 15-jährigem Auslandsaufenthalt zum ersten Mal wieder in Madrid – und sitzt natürlich vor dem Fernseher, um die Tochter zu sehen. So sieht Rebeca sich mit den Augen ihrer Mutter, die nicht zufällig den gleichen Namen hat wie sie und ihr großes Vorbild ist. Als Rebeca in dieser Situation die nicht gerade komische Nachricht von einem Politiker verliest, der durch eine Autobombe der ETA getötet wurde, muss sie plötzlich lachen und bekommt sich nicht mehr unter Kontrolle.

Der *Witz* an diesen beiden Szenen, in denen Rebeca jeweils die Regeln des Metiers empfindlich verletzt – einmal lacht sie über den Tod, ein andermal ist sie Gegenstand des Gelächters –, besteht darin, dass etwas zunächst Komisches in etwas Tragisches umschlägt. Dies wird deutlich in der Szene ihrer ›TV-Beichte‹, nachdem die Gebärdendolmetscherin Isabel auf Rebecas Geständnis hin verängstigt das Studio verlässt. Worauf die Kamera nun allein auf Rebeca gerichtet ist. Die der Situation des Witzes entsprechende Verdoppelung ist damit aufgehoben, die Szene konzentriert sich. In der Regie wittert man eine quotenbringende ›Sensation‹ und verzichtet auf die Einspielung eines Beitrags über »spanische Gärten«; Rebeca bleibt auf Sendung. Ein Vorgriff aus das *Reality-TV* in *Kika*.

Plötzlich erzählt die Sprecherin nicht mehr abstrakte Tragödien aus der ganzen Welt, stattdessen wird ihre eigene Geschichte *hier und jetzt* konkret erlebbar. Während des Sprechens wird sie sich darüber klar, dass sie »Manuel, aber nicht meine Liebe zu ihm getötet« hat. Um diesen Objektverlust auszudrücken, hält sie eine Reihe von Fotos in die Kamera, die sie nach dem Mord von Gegenständen der gemeinsamen Erinnerung gemacht hat: Manuels Sporttasche, sein Bademantel, sein Fernsehsessel – und die Bettlaken, »die ich erst vor ein paar Tagen gekauft habe«.

»Die Intimität dieser Details verleiht ihrem Geständnis etwas Großartiges. Ohne diesen zweiten Aspekt wäre ihr Geständnis nur ein Gag, ein eher komischer als dramatischer Effekt. So jedoch verwirrt es«, erklärt Almodóvar im deutschen Presseheft zu *High Heels*. Ergreifend wirkt der für sich genommen eher kitschige Gefühlsausbruch, weil Rebeca nach wie vor eine komische Figur abgibt. Ihre ›Gefühle‹ werden durch den Witz gewissermaßen ›authentifiziert‹. Damit gewinnt sie eine tragikomische Tiefe, die den Ton des gesamten Films bestimmt, den Almodóvar nicht zufällig um diesen Grundeinfall herum entwickelt: »Als ich *Fessle mich!* abgedreht hatte, habe ich die paar Seiten« – nämlich den Entwurf der Fernsehbeichte – »wiedergelesen und war sehr davon angetan. Also habe ich versucht, eine weibliche Figur zu erfinden und zu entwickeln, die fähig wäre, so während der Fernsehnachrichten live eine Beichte abzulegen. Und beim Versuch, die Motive einer solchen Figur zu ergründen, hat sich die der Mutter ergeben« (Strauss 1998: 126).

Rebeca ist – so viel weiß der Zuschauer zur Mitte des Films bereits – in ein wahrhaft existentielles Mutter-Tochter-Drama verstrickt, zu dem Almodóvar einmal mehr von einigen Größen der Filmgeschichte inspiriert wurde. In einem langen Monolog, einer der wichtigsten Szenen des Films, vergleicht Rebeca ihre Konkurrenzsituation mit der der Tochter in Ingmar Bergmans Psychodrama *Herbstsonate*. In Bergmans Film steht die Tochter als mittelmäßige Klavierspielerin im Schatten ihrer Mutter, einer gefeierten Piano-Virtuosin. Die Mutter lässt ihre Tochter immer wieder spüren, dass bereits ihre mediokre Existenz eine Beleidigung ihres Genies darstellt. In *High Heels* ist die Mutter Becky del Páramo keine Pianistin, sondern eine in den 60er-Jahren gefeierte Schlagersängerin, die jetzt, im reiferen Alter, als Chansoniere brilliert und auch als Schauspielerin Erfolge verbucht. Die Tochter jedoch hat es bei ihrem Versuch, mit der *Stimme* ebenfalls Karriere zu machen, nur zur Nachrichtensprecherin gebracht. Wenn Rebeca also beim Verlesen der tragischen Nachricht über eine Autobombe lacht, so deswegen, weil ihr spontan die Assoziation kommt, dass sie ihre Mutter am liebsten auch in die Luft sprengen würde.

Als weitere Inspirationsquellen für *High Heels* nennt Almodóvar Filme »mit Lana Turner und Joan Crawford, aber auch auf deren Leben, auf die Beziehungen Lana Turners zu ihrer Tochter, die den Liebhaber ihrer Mutter umgebracht hat« (ebd.: 143). Glamour, so Almodóvar, sei »ein natürlicher Teil der Ausdrucksweise und der Welt, um die es geht« (ebd.). So spiegelt sich der Kampf zwischen Tochter und Mutter unter anderem in einem artifiziellen Modegipfel: Rebeca trägt Kostüme von Chanel, ihre Mutter ausschließlich Armani. Als typisches Glamour-Symptom hat die Mutter ständig eine Sekretärin um sich, die bei jeder noch so banalen Unterhaltung Notizen für Beckys Autobiographie sammelt, auf die die Welt so dringend wartet.

Lana Turners Geschichte ist noch in einer anderen Hinsicht wichtig für *High Heels*, denn in ihr geht es, neben dem Glamour, vor allem um eine Tochter-Mutter-Rivalität, deren Objekt der Liebhaber der Mutter ist – was dem Konflikt von Seiten der Tochter deutlich ödipale Züge verleiht. Bei Turners Liebhaber handelte sich um einen gewissen Johnny Stompanato, ehemals Leibwächter eines Gangsterbosses, der in der prominenten Damenwelt Hollywoods als ›Mann für gewisse Stunden‹ überaus begehrt war. Lana Turner hatte zu ihm eine langjährige, ausgesprochen masochistische Beziehung. Als er sie eines Abends, nachdem sie sich geweigert hatte, weiterhin seine Spielschulden zu bezahlen, lautstark beschimpfte (»Ich werde dich in kleine Stückchen schneiden, und ich werde deine Mutter und deine Tochter auch noch erwischen [...] das ist mein Beruf!«; Anger 1979: 274), kam ihr die an der Tür lauschende Tochter Cheryl mit einem »neunzölligen Metzgermesser« (ebd.) zu Hilfe – und erstach Stompanato.

Ähnlich wie in seinen früheren ›Adaptionen‹ denkt Almodóvar sich gewissermaßen in den Kopf der Turner-Tochter Cheryl hinein und spinnt ihre Geschichte aus. Das Ergebnis ist *High Heels*, die Geschichte einer Tochter, die darunter leidet, dass ihre übermächtige Mutter sich mehr für Männer als für sie interessiert (ein weiteres Motiv, das Almodóvar in *Kika* variieren wird). Und es ist eine Geschichte um das *Objekt, wegen dem* die Mutter sich so sehr für Männer interessiert. Was Lana Turner betrifft, so geizt Kenneth Anger in *Hollywood Babylon*, einer *chronique scandaleuse* der Traumfabrik, die zum Handbuch eines jeden Cineasten avancierte, nicht mit unzweideutigen Hinweisen: Stompanatos »hervorstechendstes körperliches Kennzeichen hatte ihm den Spitznamen ›Oscar‹ eingebracht – nach dem dreißig Zentimeter langen Filmpreis« (ebd.: 269).

Die Verschiedenförmigkeit der Symbolisierung dieses Objekts strukturiert nicht zufällig auch die Handlung von *High Heels*. Der Film beginnt mit einer Rückblende in Rebecas Kindheit auf der Karibikinsel Margarita 1972. Die Mutter, ganz auf Rebecas Stiefvater fixiert, kauft sich auf einem Basar ein Paar Ohrringe, worauf ihre sechsjährige Tochter sich von der Mutter das gleiche Paar *wünscht*: »Alles, was sie sieht, will sie haben«, meckert der Stiefvater eifersüchtig. Als Rebeca kurz darauf bestürzt feststellt, dass sie einen der Ringe verloren hat, entfernt sie sich auf der Suche von den Eltern und verirrt sich im Menschengewirr. Farbige Händler sprechen das in ihren Augen exotische blonde Mädchen freundlich an, doch Rebeca hat fürchterliche Angst, die umso größer wird, als ihr Stiefvater hinzukommt und mit den Händlern ›scherzhaft‹ über den Preis für seine Stieftochter feilscht. Ende der Rückblende.

Mit Spannung erwartet die erwachsene Rebeca am Flughafen die Ankunft ihrer Mutter Becky. (Vorbild für die Figur der Mutter ist die spanische Filmschauspielerin Sara Montiel, auf die Almodóvar in *La mala educación* erneut anspielen wird. Auch sie ging Anfang der 50er-Jahre für ca. zehn Jahre nach Mexiko, machte danach in den USA Karriere, um anschließend wieder nach Spanien zurückzukehren, wo sie noch heute eine gefeierte Sängerin und Entertainerin ist.) Dramaturgisches Bindeglied zwischen damals und heute sind die Ohrringe, die Rebeca nun aus ihrer Armani-Handtasche zieht und ostentativ anlegt – den verlorenen Ring hat sie damals also wiedergefunden. Das von der Mutter erhaltene Geschenk hat für Rebeca eine besondere Bedeutung. Was in einer späteren Szene nach Beckys Rückkehr deutlich wird: Mutter und Tochter tragen den gleichen Ohrschmuck und bleiben bei einer Umarmung mit den Ohrringen aneinander hängen.

Als Erklärung dafür, warum die Mutter fünfzehn Jahre in Mexiko verbracht hat, folgt unmittelbar auf die erste eine zweite Rückblende. Madrid 1974: Die Mutter hat einen Streit mit Rebecas autoritärem Stiefvater, der als traditionalistischer spanischer Ehegatte seiner Frau entschieden verbietet, ein Filmangebot in Mexiko anzunehmen (Auch das entspricht der Biographie Sara Montiels, die seinerzeit vor Franco aus Spanien förmlich flüchtete). Ja, er besteht sogar darauf, dass Becky ihren Künstlerberuf völlig aufgibt, um sich ausschließlich der Familie und dem Haushalt zu widmen.

Nicht zum ersten Mal wird die kleine Rebeca Zeugin einer derartigen Auseinandersetzung. Um das ›Problem‹ ihrer Mutter ein für alle Mal zu lösen, vertauscht die Kleine heimlich die Aufputsch- mit den Schlaftabletten ihres Stiefvaters Alberto – der daraufhin am Steuer einschläft und tödlich verunglückt. Was überhaupt kein Drama zu sein scheint, der Zuschauer erfährt davon ganz beiläufig in einer Fernsehmeldung. Das Kind lächelt wissend, doch die Mutter ahnt nicht, dass ihre Tochter es war, die ihr mit diesem Mord den Weg nach Mexiko geebnet – und somit auch ihre Karriere als Künstlerin gerettet hat.

Statt den Lohn für diese ›Heldentat‹ zu ernten, lässt die Rabenmutter ihre Tochter, entgegen ihrem ausdrücklichen Versprechen, sie mitzunehmen, in Madrid zurück bei ihrem leiblichen Vater (einer für Almodóvar typisch blassen Figur, von der der Zuschauer nicht einmal den Namen erfährt). Becky hat kein schlechtes Gewissen, ihre Tochter zurückzulassen, im Gegenteil: »Wenn Mama nicht nach Mexiko fährt« – was so viel bedeutet wie: wenn Mama nicht *alleine* nach Mexiko fährt – »wird Mama sehr unglücklich. Willst Du, dass Mama sehr unglücklich wird?«

Die vordergründige Lesart, die der Film nahe zu legen scheint, formuliert Christoph Haas: »Die Flashbacks konstituieren nicht nur die Mutter-Kind-Dyade, deren Problematik das Thema des gesamten Films ist. Sie zeigen vor allem, dass Rebeca ihrer Mutter ein Opfer gebracht hat, für das sie bis zum heutigen Tage vergeblich auf Entschädigung wartet. Um Becky zu ihrer Karriere zu verhelfen, hat Rebeca [...] den Stiefvater aus dem Wege geräumt. Die Mutter aber, die stets nur an sich denkt, hat ihre Geste nicht verstanden« (Haas 2001: 129).

Man kann den Film aber auch ganz anders verstehen – die »Mutter-Kind-Dyade« erweist sich dann als eine falsche Fährte. Geht man nämlich statt von einer Dyade von einer Triade aus, so erscheint die Abreise der Mutter nach Mexiko als die Verwirklichung des ödipalen Wunsches der Tochter. Dieser Wunsch wird sich noch auf eine andere Weise artikulieren: Während des zweiten *flashbacks* zeigt Almodóvar beiläufig, wie die Mutter sich noch vor ihrer Abreise mit einem jungen Reporter unterhält, der sie während der Dreharbeiten in Mexiko, wie er sagt, »exklusiv« interviewen will. Es ist niemand anderer als jener Don Manuel Sancho, von dessen gewaltsamem Ende wir in der Nachrichtensendung erfahren. In Mexiko wird er mit Becky eine heftige Affaire haben und später, nach seiner Rückkehr nach Madrid, Karriere beim Fernsehen machen. Wenn die Handlung des Films einsetzt, ist Manuel Rebecas Ehemann und Chef des Senders, bei dem sie arbeitet. Aber erst bei ihrer Rückkehr aus Mexiko erfährt die Mutter, dass ihre Tochter ihren früheren Liebhaber geheiratet hat – und Manuel, dass seine Frau die Tochter seiner früheren Geliebten ist ...

Durch die Rückkehr ihrer Mutter gerät Recebas Situation zunehmend außer Kontrolle. Nachdem Manuel, der sich ohnehin von Rebeca scheiden lassen will, sein altes Verhältnis zu Becky sofort wieder aufleben lässt, wird er bald darauf erschossen aufgefunden. Der Mord selbst wird nicht gezeigt. Mit seinem Tod teilt Manuel das Schicksal von Rebecas Stiefvater. Aber ist Rebeca wirklich die Mörderin? Zwei Mal gesteht sie die Tat, ein Mal widerruft sie ihr Geständnis. Ob sie ihn tatsächlich ermordet hat, bleibt auf merkwürdige Weise in der Schwebe. Die kriminalistischen Aspekte sind dabei vordergründig, sie dienen Almodóvar weniger dem Suspense als vielmehr dazu, eine weitere Hauptfigur einzuführen. Untersuchungsrichter Dominguez (verkörpert von dem Sänger Miguel Bosé) spielt dabei gleich eine dreifache Rolle – wobei jede dieser Rollen für Rebeca auf eine andere Art wichtig ist.

Dominguez hat zwar mit der eigenwilligen Auffassung von Körperpflege Benignos aus *Hable con ella* wenig gemeinsam – dennoch ist die Figur der ›multiplen Persönlichkeit‹ des Untersuchungsrichters ein Vorläufer des seltsamen Krankenpflegers: beide haben Mütter, deren Begehren durch ihre Söhne offenbar so sehr saturiert ist, dass sie das Bett nicht mehr verlassen. Durch diese Situation

Victoria Abril, Pedro Almodóvar und Marisa Paredes

werden Benigno und auch Dominguez zu Experten im Hinblick auf das weibliche Begehren: Unter dem Namen *Femme Letal* tritt Dominguez im Nachtclub *Via Rossa* als Transvestit auf. Aus Sehnsucht nach ihrer Mutter besucht Rebeca diesen Club – wodurch *Letal* bald zum »besten Freund« Rebecas wird. Doch diese Freundschaft hat mehrere Bedeutungen. Da er alte Lieder ihrer Mutter liebevoll parodiert und auch ihren Stil und ihre Erscheinung perfekt nachahmt, ist es das ›Ebenbild‹ der Mutter, das Rebeca an dem Transvestiten interessiert. Sie interessiert sich für ihn als Verkörperung eines Mannes ebenso wie einer Frau.

Als Rebeca eine Unterredung belauscht, aus der sie erfährt, dass Becky und Manuel an ihr früheres Liebesverhältnis anknüpfen, bringt sie – als eine Art Reaktion auf diese Situation – beide dazu, gemeinsam mit ihr *Femme Letals* Show zu besuchen. So formiert sich (ähnlich wie in einigen anderen Filmen Almodóvars) eine Art *symbolisches Quartett*, in dem es zu einer Reihe signifikanter Tausch- und Spiegelszenen kommt. Zunächst begegnet Becky in *Letal*, der einen ihrer frühen Erfolge nachsingt und dabei »ihren Geist und ihren Stil« bis in die kleinsten Gesten imitiert, einem narzisstisch äußerst befriedigenden verjüngten Ebenbild ihrer selbst: »Ist ja irre, ich weiß nicht, meint der es ehrlich, oder verarscht der mich?« Mit einem Augenzwinkern zeigt Almodóvar nebenbei, dass *Letals* Imitation nicht nur eine getreue Kopie ist, sondern auch eine Form von Authentizität beansprucht. Denn während seines Auftritts

Victoria Abril, Marisa Paredes, Miriam Díaz Aroca: »Frauen am Rande des Gesetzesbruchs«

sitzen einige seiner Fans im Publikum, die *Letals* Parodie wiederum als *Original* feiern, indem sie synchron all seine Gesten imitieren. Nicht zufällig wirbt *Letal* auf Plakaten mit dem Spruch: »Femme Letal, die echte Becky.« – Worauf Almodóvar sich, als Becky beim Spazierengehen das Plakat erblickt, zu dem unwiderstehlichen Dialogwitz hinreißen lässt: »Die echte Becky? – Aber das bin doch ich!?«

Nach seinem Auftritt – eines der Highlights des Films – kommt *Letal* schließlich an Rebecas Tisch, um Becky, das gewissermaßen entthronte ›Original‹, zu begrüßen. Er erbittet von ihr kein Autogramm, sondern »etwas Persönliches – deine Ohrringe.« Als Gegengabe *Letals* schlägt der gegenüber Homosexuellen und Transvestiten äußerst ungehaltene Manuel spöttisch vor: »Gib ihr eine Titte.« *Letal* gibt sich keine Blöße und zieht eine seiner wattierten Brustimitate hervor, worauf Becky amüsiert erklärt: »Nun habe ich drei«.

Hinter Manuels Schwulenhass, der sich in dem Versuch eines Affronts ausdrückt, verbirgt sich Neugier, mehr noch: tiefe Verunsicherung. Denn bei seiner Frage: »Wie heißt Du denn mit richtigem Namen?« – was so viel bedeutet wie: *Bist Du nun eine Frau oder ein Mann?* – wird sein Blick nahezu hypnotisch angezogen von dem kleinen weißen Fleck, der für einen Augenblick unter dem Rock zwischen *Letals* Beinen sichtbar wird. Auf der bewussten Ebene

›weiß‹ Manuel natürlich, was sich dort befindet. Doch sein Interesse gilt nicht dem männlichen Penis, sondern dem Platz von dessen Pendant zwischen den Beinen einer ›Frau‹.

Im direkten Gegenzug streift *Letals* Blick das motivische Äquivalent zum Objekt von Manuels suchendem Blick: den Revolver, den dieser sichtbar im Hosenbund trägt. Da es der Revolver ist, mit dem Manuel später erschossen werden wird, ergibt sich ein symbolischer Zusammenhang: Was Manuel unter dem Rock einer ›Frau‹ sucht, ist ihr imaginärer bzw. phantasierter Phallus (nach Lacan das nicht negierte φ). Seine Suche nach dem ›nicht existierenden‹ Phallus der Frau entspricht einer Art Vorkehrung. Ist in Manuels Phantasie ›die Frau‹ mit einem Phallus ausgestattet, so folgt daraus, dass auch für ihn die Kastrationsdrohung in gewisser Weise aus der Welt geschafft ist. Sein auf Schwulenhass gründendes Verhalten entspricht so dem typischen Bild eines ›Machos‹. Wenn Rebeca ihren Mann später erschießt, widerfährt ihm genau die gefürchtete Kastration – *aber im Realen*.

Auf der kriminalistischen Ebene erschießt sie ihn – doch in symbolischer Hinsicht nimmt sie ihm lediglich den Revolver – dessen Besitz seine Existenz als solche bedeutet. Das rätselhafte Verschwinden der Waffe nach der Tat zieht somit weitere motivische Ketten nach sich. Gleichzeitig ist Manuels Tod die logische Konsequenz der Begegnung mit *Femme Letal* – der *»tödlichen«* Frau, die tödlich ist, weil sie die mit dem Phallus ausgestattete Frau ist.

Mit Manuels Tod wird aber auch ein logischer *Platz* frei – der von einem ›neuen Objekt‹ eingenommen werden wird. Welches Objekt dies nur sein kann, wird deutlich, als *Letal* – noch immer in der Szene in der Bar – Rebeca mit zu sich in die Garderobe bittet, um sie dort zu verführen. Rebeca lässt es geschehen. Auf der Ebene des Unbewussten schläft sie mit ihrer Mutter, denn *Femme Letal* »ist ein Verwandlungskünstler. Wenn ich mich nach dir sehnte, ging ich in seine Show – er hat mich so an dich erinnert«, hat Rebeca vorher erklärt. Wenn Rebeca hierauf prompt *schwanger* wird, so empfängt sie das ›Objekt‹, das zuvor bei ihrer Mutter war und durch die ›dritte Titte‹ symbolisiert wurde.

Blicken wir nun zurück auf das Gewebe der Handlung, so zeigt sich, dass Ohrringe, Brust, Revolver, Phallus und Kind eine symbolische Kette aus Gaben, Gegengaben und Verschiebungen bilden. *Letal* hat Ohrringe erhalten und dafür eine Brust gegeben. Wenn Rebeca unmittelbar darauf von *Letal* schwanger wird, so ist das ›Objekt‹, das sie dabei empfängt, zweifachen Ursprungs: es ist ein Substitut sowohl der mütterlichen Ohrringe, die jetzt *Letal* gehören, als auch der dritten Brust der Mutter: Denn auf der Ebene des Unbewussten verkörpern *Letal* und Becky für Rebeca ein und dieselbe Figur.

Auffällig ist, dass Rebeca das Kind nicht von Manuel will, obwohl er doch der Liebhaber der Mutter ist. Sein Revolver – sprich sein Phallus – hat in diesem Spiel der Substitutionen eine andere Funktion, die wiederum mit der Mutter – und mit dem Filmtitel – zu tun hat. Diese Funktion zeichnet sich bereits während Rebecas spektakulärer Fernsehbeichte ab, wenn sie nebenbei und wie geistesabwesend erklärt: »Ich weiß nicht, wo jetzt die Pistole ist.« Wenn wir uns daran erinnern, wo Rebeca den Revolver ›wiederfindet‹ – nämlich dort, wo sie ihn offenbar vorher versteckt hat: in ihrem Fernsehapparat –, so zeigt sich, dass sie während ihrer TV-Beichte offenbar ›verwirrt‹ war – in gewissem Sinne aber doch die Wahrheit gesagt hat: Betrachten wir nämlich Fernseher und Fernsehen im Freudschen Sinne als ›Verdichtung‹ und Symbol eines *logischen Ortes*, so befindet Rebeca sich während ihrer Fernsehbeichte in gewissem Sinne tatsächlich im Besitz der Waffe. Aber warum sagt Rebeca gleichzeitig die ›Wahrheit‹, wenn sie sagt, sie wisse nicht, wo sich der Revolver befindet? In rein logischer bzw. kriminalistischer Hinsicht bleibt dieser Widerspruch unauflösbar. Er löst sich erst auf, wenn wir vergegenwärtigen, dass Rebeca während der TV-Beichte faktisch noch nicht weiß, dass sie schwanger ist – und insofern auch nicht weiß, dass sie das ›phallische Objekt‹ bereits ›besitzt‹.

Aber auch hier gibt es ein Problem, wie es scheint ein eklatanter Widerspruch: Rein biologisch, also real, ist Rebeca von *Letal* alias Untersuchungsrichter Dominguez schwanger. Der Revolver, dessen symbolisches Substitut in Form des ›Objekts Kind‹ sie im Bauch hat, stammt aber von Manuel.

Diesen Widerspruch löst Almodóvar durch eine ebenso ›konstruierte‹ wie geniale Wendung. Denn das Ende der symbolischen Substitutionskette ist noch längst nicht erreicht. Der verschwundene Revolver kann nämlich im Fall seines Wiederauftauchens sowohl Rebecas Schuld als auch ihre Unschuld beweisen, je nachdem, ob sich ihre Fingerabdrücke darauf befinden oder nicht. Letzteres wird der Fall sein, dies jedoch erst am Ende einer höchst subtilen Volte.

Als Rebeca nach ihrem Geständnis im Gefängnis sitzt – eine Szenenfolge, in der Almodóvar eine unwiderstehliche Ballett-Parodie im Stil von *West Side Story* einfügt –, muss sie in einem Radio die Live-Übertragung des groß angekündigten Konzerts ihrer Mutter mit anhören. Vergeblich versucht Rebeca eine Mitgefangene zu

Marisa Paredes als Becky del Páramo

überreden, das Radio abzudrehen, denn das Hören der omnipräsenten mütterlichen *Stimme* – die hier in der Funktion des *Objekts* ist – bedeutet für sie eine unerträgliche Qual. Die Mutter singt im doppelten Sinne herzzerreißend – denn sie erleidet kurz darauf einen Infarkt. Am Sterbebett begegnet die inzwischen auf Kaution freigelassene Rebeca ihrer Mutter wieder. Mit der Begründung: »Im Leben habe ich dir nichts gegeben. Es ist nur gerecht, wenn mein Tod dir etwas dient«, hinterlässt sie auf Rebecas Vorschlag hin ihre Fingerabdrücke auf der Mordwaffe. Auf der manifesten Erzählebene nimmt sie so Mord und Schuld auf sich – so hat Almodóvar die Szene konzipiert: »Diese Fingerabdrücke repräsentieren die Liebe [Beckys] zu ihrer Tochter, und deshalb verwahrt Rebeca sie wie einen Schatz« (Strauss 1998: 128).

Was wie eine mütterliche *Gabe* erscheint, ist auf der latenten Ebene die *Forderung* der Tochter nach dem mütterlichen Phallus. Almodóvar scheint das bei der Umsetzung seines Drehbuches unterschwellig bemerkt zu haben, denn: »Bei den Proben wirkte diese Szene so brutal, dass ich versucht habe, sie etwas abzuschwächen [...], damit die Gestalt [Rebecas] nicht gar so fürchterlich grausam erschiene« (ebd.). Als Abschwächung »habe [ich] ihr [Victoria Abril] gesagt, sie sollte Marisa, wenn sie ihr den Revolver reichte, damit sie darauf ihre Fingerabdrücke hinterließe, die Möglichkeit lassen, ihn zurückzuweisen; so zeigte sie in gewisser Weise Respekt vor dem Tod ihrer Mutter« (ebd.: 128f.).

Auf den Tod der Mutter folgt Rebecas glückliche Vermählung mit Dominguez – was der Film allerdings nicht mehr zeigt, er endet mit der (melo-)dramatischen Sterbeszene Beckys. Die Sterbeszene ist allein deswegen melodramatisch bewegend, weil der Film mit dem Verlust der Mutter endet – der jedoch gemäß den Wirkungsgesetzen des Genres des Melodrams eine Art Erfüllung *ex negativo* darstellt. Diese unbewusste Struktur hat Almodóvar auf seine Weise ›analysiert‹.

Nachdem die Mutter ihre Fingerabdrücke auf dem Revolver hinterlassen hat, steckt Rebeca die Waffe in ihre Handtasche. Bevor Becky nun ihr Leben aushaucht, bittet sie ihre Tochter, die Vorhänge der im Souterrain gelegenen Fenster aufzuziehen. Die Schlussszene spielt nicht zufällig in der alten Madrider Hausmeisterwohnung, die Becky vor ihrer Karriere bewohnt hatte und nach ihrer Rückkehr gekauft hat. Denn als Rebeca das Fenster öffnet, erblickt sie in Gesichtshöhe ein Paar Füße, die in roten Stöckelschuhen stecken. Dabei erinnert sie sich: »Als ich klein war und wir noch zusammen wohnten, konnte ich nicht schlafen, bis ich das Geräusch deiner hochhackigen Schuhe hörte. [...] Mir war es egal, wann du gekommen bist. Ich blieb wach und wartete auf dich. Bis ich deine hochhackigen Schuhe hörte.« – So rührend die Geschichte auch klingt, sie kamoufliert das Wesentliche. Denn in dem Moment, als die sich erinnernde Rebeca die Schuhe vor dem Fenster wahrnimmt und sich danach wieder umwendet, ist die Mutter schon gestorben. Ihr Tod ist nur insofern emotional anrührend, als er unterschwellig Rebecas Wunscherfüllung entspricht. Die *Gabe* der Mutter ist daher auch weniger ein »Gegenopfer« (Haas 2001: 134) als vielmehr der Triumph der Tochter über die Mutter.

Erinnern wir uns: Im Hinblick auf ihre Stimme zeichnet der Film Becky als ›phallische Frau‹. Dafür spricht auch ein beiläufiges Detail aus dem ersten Flashback auf der Urlaubsinsel Isla Margarita: »Ich weiß nicht, ich finde sie ein bisschen geschmacklos«, sagt die Mutter ganz zu Beginn, als sie auf dem Bazar eine übergroße Muschel erblickt, deren Symbolgehalt keinen Zweifel zulässt. Obwohl Becky rein äußerlich den Inbegriff ›der Frau‹ verkörpert, ist sie auf der symbolischen Ebene männlich konnotiert. Dass sie eine Art Schwulenikone verkörpert, zeigt Almodóvar, indem er ihre Figur durch *Femme Letals* Imitation ›bis zur Kenntlichkeit‹ entstellt. Auf dieser symbolischen Ebene konkurriert auch die Tochter. Nicht zuletzt durch die Identität ihrer Vornamen befinden die beiden sich in einer tödlichen Spiegelrivalität. Am Ende hat Rebeca es auf der imaginären Ebene geschafft, sich das ›Objekt‹ der Mutter anzueignen. Die in der Sterbeszene hergestellte Assoziation zwischen dem Revolver und dem Stiletto des Stöckelschuhs – das Plakatmotiv von *High Heels* – verweist auf das Thema des Fetischs. Rebecas Blick aus dem Souterrainfenster auf die Stöckelschuhe einer Frau entspricht dem typischen Blick des Fetischisten – doch der Fetischismus gilt gemeinhin als spezifisch männliche ›Perversion‹; die Frau wird von ihr insofern nicht affiziert, als sie selbst das ›Medium‹ der fetischistischen Phantasie darstellt. Freud erklärt, der Fetisch sei »der Ersatz für den Phallus des Weibes (der Mutter) […]« (Freud 1927e: 312). Was jedoch Rebeca anbelangt, so erscheint sie im Hinblick auf ihre Rivalität mit der Mutter zwar durchaus als Frau – der Film schildert eine typische Mutter-Tochter-Rivalität. Aber am Ende heiratet Rebeca Untersuchungsrichter Dominguez – der als Transvestit das perfekte Ebenbild ihrer Mutter darstellt. So hat Rebeca ein wahres ›Kunststück‹ fertiggebracht: Manuels Revolver wird durch die Fingerabdrücke zum mütterlichen Phallus, den die Tochter in ihren Besitz bringt. Da *Letal* und die Mutter imaginär koinzidieren, ist sie obendrein ›von ihrer Mutter‹ schwanger. Insofern ist sie zwar äußerlich eine Frau – aber das psychische Geschlecht ihrer Figur ist durchaus changierend – wie das der meisten Figuren aus Almodóvars Kabinett der sexuellen Ambivalenzen …

Peeping Ramón.
Kika
(Kika, 1993)

»*Kika* kommt auf Himbeermarmelade daher, aber plötzlich stellt sich heraus, dass es eine Blutlache ist. [...] Es ist wie ein vergiftetes Bonbon. Drei Viertel des Films sind ein Pfefferdragee, der letzte Teil ist reines Gift.«

Pedro Almodóvar

Mit *Kika* schuf Almodóvar seinen bis dahin teuersten und auch verschlossensten Film. *Kika* ist eine artifizielle Stilübung: Bauten, Ausstattung und Kostüme sind von einer geradezu barocken Fülle. Einmal mehr dreht sich die Geschichte um vier Hauptpersonen, die diesmal jeweils einem anderen Genre zugeordnet sind. *Kika* ist eine Mediensatire und zugleich eine schwarze Beziehungskomödie mit melodramatischen Akzenten, strukturiert wie ein surrealistischer Krimi, in dem Menschen ermordet und andere (mehrfach) zum Leben erweckt werden. Das Leitmotiv bildet eine mehr als 10-minütige Vergewaltigung – die allerdings kaum vergleichbar ist mit der ebenso langen Vergewaltigungsszene in Gaspar Noés umstrittenem Film *Irreversible*. Während Noé den Naturalismus auf die Spitze treibt, lässt Almodóvar das Motiv ins Groteske kippen.

Die Visagistin Kika, eine überdrehte Rothaarige Ende dreißig mit dem Gemüt einer 16-Jährigen, wird in ihrer Wohnung von einem geistig zurückgebliebenen Psychiatrie-Freigänger überfallen. Damit nicht genug, wird sie dabei von einem Spanner beobachtet, und der heimliche Videomitschnitt ihrer Vergewaltigung sorgt zur besten Sendezeit im Fernsehen für Einschaltquoten. Schließlich wird Kika noch von ihrer lesbischen Haushälterin belogen – und zu allem Überfluss ahnt sie bis zum Ende nicht, dass sie die ganze Zeit mit einem gefährlichen Frauenmörder liiert gewesen ist …

Aus all diesen Turbulenzen geht Kika jedoch als einzige Fi-

Kika (Verónica Forqué)

gur des Films unbeschadet hervor. *Kika* ist eine Hommage an die titelgebende Frauenfigur, die auf ihre Art alle Charaktereigenschaften der bisherigen Heldinnen Almodóvars in sich vereint. Sie hat etwas von der rabiaten Pragmatik der Hausfrau Gloria in *Womit hab' ich das verdient?*, ist mindestens so nahe *am Rande des Nervenzusammenbruchs* wie Pepa, und was die Gewalttätigkeit der Männer ihr gegenüber anbelangt, so ist sie ebenso leidgeprüft wie Marina in *Fessle mich!* Im Presseheft zu *Kika* beschreibt Almodóvar sie als »ein naives Mädchen, wie Marilyn in ihren besten Momenten, die sich der Gefahren, die sie umgeben, nicht bewusst ist, positiv und ohne Vorurteile, sensibel und modern (wie Holly Golightly in *Frühstück bei Tiffany*, seit ewig eine Heroine nach meinem Geschmack), eine Person mit geradezu surrealem Optimismus«. Mit anderen Worten: eine liebenswerte Kunstfigur, wie nur ein homosexueller Regisseur sie ersinnen kann.

Die komödienhafte Struktur des Films besteht einerseits darin, Kikas Naivität und Lebensfreude in einer wahren Hölle anzusiedeln und so ihren Optimismus einer harten Belastungsprobe zu unterziehen. Andererseits ist Kika ein passiver Charakter, sie ist zwar der Mittelpunkt der Geschichte, »aber sie hält den Film nicht in Bewegung. Das hat mich sehr irritiert, weil es der herkömmlichen Dramaturgie zuwiderläuft. Kika hätte die Geschichte voranbringen sollen« (Strauss 1998: 154). Diese Irritation ist keine Koketterie. Wie sehr Almodóvar mit dem Stoff gerungen hat, zeigt sich daran, dass er für jede der Figuren des Films einen kompletten Roman entwickelt hatte, »und jeder war ein Film für sich« (ebd.). Es gab sogar schon Titel für diese Filme: *Die Augen des Tamilen* sollte das Projekt gemäß einer früheren Drehbuchfassung heißen, in der Kika eine Affäre mit einem tamilischen Kämpfer aus Sri Lanka hatte. Nach seiner Ermordung verliebt Kika sich wieder und bemerkt, dass ihr neuer Lover ein Voyeur mit den Augen des toten Tamilen ist. Übrig geblieben ist hiervon nur das Thema des Voyeurismus. Den Titel *Die Fußnägel des Mörders* verwarf Almodóvar, weil er sich auf die Figur des Serienmörders bezieht, dessen Geschichte jedoch in den Hintergrund treten sollte. Aus ähnlichen Erwägungen kamen Titel wie *Das Schlimmste des Tages* nicht in Frage, der sich auf die Geschichte der skrupellosen TV-Reporterin Andrea bezieht, und auch der Titel *Die Gute, die Hässliche und die Böse*, der sich auf Rossy de Palmas Figur der lesbischen Haushälterin bezieht, kam für Almódovar am Ende nicht mehr in Betracht. Der ebenfalls nicht ganz passende Titel *Eine unpassende Vergewaltigung* bezog sich auf die Figur, mit deren Namen Almodóvar den Film schließlich überschrieb: *Kika*.

Mit Ausnahme des Schlusses, an dem Kika buchstäblich einen *Akt* begeht – das heißt, sie vollzieht einen radikalen Bruch, der zugleich einen Neubeginn impliziert –, ist sie eine grundlegend inaktive Figur, die ihr Leben eher wie einen Kinofilm erlebt. Diesen Grundzug ihrer Persönlichkeit zeigt sie sogar bei ihrer Vergewaltigung: Anstatt in Panik oder Verzweiflung zu geraten, reagiert sie, als wäre nicht wirklich sie, sondern eine andere Frau betroffen.

Der Vergewaltiger Paul ist der Bruder von Juana (Rossy de Palma), Kikas lesbischer Haushälterin. Durch eine Fernsehmeldung hat der Zuschauer erfahren, dass Paul ein internierter Psychopath ist, dem jedoch Freigang gewährt wurde, damit er an einer Bußprozession in seinem Heimatdorf teilnehmen kann. In Großaufnahme flimmern Bilder über den Fernsehschirm, auf denen zu sehen ist, wie sich die Gläubigen mit spitzen Nadeln bis aufs Blut geißeln lassen. Als Paul die Gelegenheit zur Flucht nutzt und nach Madrid kommt, lässt Juana ihren Bruder unvorsichtigerweise in die Wohnung. Um einen Raubüberfall vorzutäuschen, lässt sie sich von ihm an einen Stuhl fesseln und k.o. schlagen. Doch statt wie ausgemacht teure Kameras zu stehlen, dringt Paul in Kikas Schlafzimmer ein. Wie ein Kind, das sich über Näschereien hermacht, vergewaltigt er die dort Schlafende.

Kika (Verónica Forqué) schminkt ihre Haushälterin Juana (Rossy de Palma).

Je länger die Szene sich hinzieht, desto mehr kippt sie ins Groteske. Die aus der Ohnmacht erwachte Juana robbt, noch immer an den Stuhl gefesselt, ins Schlafzimmer und herrscht ihren Bruder an: »Du kommst noch ein Mal, und dann gehst du.« Zwecklos. Wie von Sinnen, vergewaltigt Paul unbeirrt weiter, selbst als die beiden Frauen wild auf ihn einreden und Kika ihren Peiniger, damit er schneller fertig wird, sogar ohrfeigt. Die unfreiwillige Begegnung mit männlicher Brutalität und Triebhaftigkeit verliert so zwar nicht ihre Bedrohlichkeit, erscheint jedoch in dieser grotesken Zuspitzung wie eine Art alltägliches Schicksal: »Mein Gott, Ramón«, sagt Kika später zu ihrem Freund, »wie blöd bist du denn! So etwas passiert doch jeden Tag, und heute hat es eben mich erwischt.«

Juana (Rossy de Palma) wurde von ihrem verrückten Bruder gefesselt.

Ähnlich wie im Traum bindet das grelle Bild der Vergewaltigung die Aufmerksamkeit des Zuschauers, derweil im Hintergrund allerlei Dinge geschehen und Kika gerade durch ihre Passivität zum Schnittpunkt mannigfaltiger Ereignisse wird. Wie in einer Traumerzählung fungiert die Szene als ein überdeterminierter Kreuzungspunkt, in dem die unterschiedlichen Motive der vier Hauptfiguren miteinander verwoben werden. Zu sehen ist etwa ein Teleobjektiv, das scharf gestellt wird. Und bei genauerem Hinsehen fällt auch der merkwürdige große Koffer auf, der während der Vergewaltigung an Kikas Schlafzimmerfenster vorbei abgeseilt wird. Er gehört dem amerikanischen Schriftsteller Nicholas Pearce (Peter Coyote), der gerade dabei ist, aus dem über Kikas Wohnung gelegenen Studio auszuziehen. In seinem Koffer befindet sich, wie sollte es anders sein, eine Frauenleiche, die Nicholas gerade zu beseitigen versucht. Frauenleichen pflastern den Weg des amerikanischen Krimiautors. Denn was niemand weiß, am wenigsten Almodóvars Mutter Francisca Caballero, die in einer wundervollen Cameorolle eine Literatursendung moderiert: die fiktiven Morde in seinen Büchern basieren auf höchst realem Hintergrund.

Nicholas ist der Stiefvater von Ramón (Álex Casanovas), einem ambitionierten Fotografen von Damenunterwäsche. Um seine Figur hat Almodóvar wiederum einen regelrechten »Familienroman des Neurotikers« gesponnen. Ähnlich wie Rebeca in *High Heels* gilt

Ramóns große Leidenschaft seiner Mutter, die sich jedoch nur für den Schriftsteller Nicholas interessiert. Schon zu Beginn des Films jedoch begeht sie Selbstmord – so scheint es zunächst. Ramón beugt sich über die Leiche seiner Mutter, deren Brust ein kleines, höchst fotogenes Einschussloch ziert. Dabei erinnert seine Geste an die Art und Weise, wie er sich in der vorangegangenen Szene mit der Kamera über ein Model gebeugt hat.

Ramóns leiblicher Vater tritt im Film nicht in Erscheinung. Erst ganz am Schluss erfahren wir in einer für Almodóvar typischen *backstory*, dass er bei einem Autounfall geköpft wurde …

Nach dem Tod seiner Mutter hat Ramón eine Beziehung mit der Psychologin und späteren Fernsehmoderatorin Andrea Caracortada (Victoria Abril) gehabt – auch davon erfährt der Zuschauer durch einen Dialog. Informationen, die nur verbal und nicht szenisch vermittelt werden, sind ein ausgeprägtes Stilmittel Almodóvars, der all seine Figuren – wie Symbole in einem Rebus – stets auf komplexe Weise untereinander vernetzt, indem er immer wieder verbindende Handlungsfragmente einbaut.

Diese Vernetzung der Figuren ist in *Kika* besonders ausgeprägt. So ist schon zu Beginn in einer ausgedehnten Rückblende zu sehen, wie Kika Ramón kennen lernt. Nicht zufällig ergibt sich dieser Kontakt über Nicholas, den Kika vor einer Fernsehsendung schminkt. Sie beginnt daraufhin eine Affäre mit dem Amerikaner. Als er sie telefonisch wieder einmal in seine Villa einlädt, geht sie davon aus, dass er ein erotisches Rendezvous im Sinn hat. Stattdessen bittet Nicholas die Visagistin, seinen soeben verstorbenen Stiefsohn Ramón zu schminken, bevor er aufgebahrt wird. Mit ein wenig Rouge und einem Sturzbach von Worten – Kika ist eine Quasselstrippe – holt sie dabei den nur Scheintoten ins Leben zurück. Es sind nicht irgendwelche Worte, denn sie redet hauptsächlich darüber, wie Nicholas im Bett ist. Mit dem Ergebnis, dass Kika im Zuge ihres Monologs irgendwann »nicht mehr weiß, ob wir nun bumsen oder nicht.«

Ergebnis dieses virtuellen Geschlechtsaktes ist die (Wieder-) Geburt Ramóns. Die Kernerzählung des Films spinnt die dadurch geprägte Familiensituation weiter. Denn nach dieser ›Geburt‹ verkörpert Kika für Ramón Geliebte und Mutterersatz zugleich. »Glaubst du nicht, dass ich zu alt bin, um deine Frau zu sein?« fragt Kika, die von Ramóns Heiratsantrag nicht allzu begeistert ist. »Du weißt doch, ich mag ältere Frauen«, entgegnet Ramón.

Kika und Ramón leben zwei Jahre zusammen, während Nicholas, wie es scheint, im Ausland ist. Der eigentliche Konflikt spitzt

Almodóvars Mutter Francisca Caballero leitet in der Rolle der Doña Paquita eine Literatursendung.

sich zu, als Nicholas, schon in der ersten Hälfte des Films, zurückkehrt und Kika sich auf eine heimliche Affaire mit ihm einlässt – was einer witzigen Verkehrung der familiären Situation entspricht:

Während Ramóns inzestuös gefärbte Beziehung zu Kika der Normalfall zu sein scheint, muss die ›normale‹ Beziehung zwischen Kika und Nicholas, die eine Art Elternpaar darstellen, verheimlicht werden. Damit nicht genug: Obwohl Ödipus Ramón in dem Schriftsteller seinen väterlichen Konkurrenten erblicken müsste, drängt er ihm großzügigerweise sein Atelier auf, das über Kikas Wohnung liegt. Ramón hat ein sehr eigenes Interesse daran, dass zwischen Kika und Nicholas wieder etwas läuft. Die sexuelle Beziehung zwischen den Elternfiguren interessiert ihn vor allem, weil er ein Voyeur ist: »Ich weiß, dass du nachts mehr als einmal hinter der Schlafzimmertür standest, als ich mit deiner Mutter Liebe machte«, erklärt ihm Nicholas später.

Das Thema des Voyeurismus ist dem Zuschauer bereits vertraut, denn *Kika* beginnt mit der eindeutig-zweideutigen Darstellung eines Foto-Shootings. Das erste Bild des Films zeigt ein stilisiertes Schlüsselloch, in dessen Öffnung sich eine Spitzenunterwäsche tragende Frau entkleidet. Wer sich hier mit dem Kritiker des katholischen *Film-Dienst* »gleich zu Beginn [...] in die Schlüsselloch-Perspektive gezwungen« fühlt, wird für die folgenden Doppeldeutigkeiten und Anspielungen keine Sensibilität aufbringen. Wie David Hemmings in *Blow up* kniet der Fotograf Ramón über einem spärlich bekleideten Model, dem er – seine Erregung von ›Schuss‹ zu ›Schuss‹ steigernd – seinerseits den Ausdruck von Erregung abfordert. »Wie der Protagonist von *Peeping Tom*« – dessen Filmplakat nicht zufällig Ramóns Atelier schmückt –, »der das Verlangen verspürt, das Gesicht des Todes zu fotografieren, sucht Ramón in den Gesichtern seiner Modelle die Lust«, erklärt Almodóvar im Presseheft zu *Kika*.

Das ist aber zumindest in der Anfangsszene nicht ganz so einfach. Denn anders als in *Blow up* ist das Model keine dumme Gans mehr, die wie bei Antonioni in den Fotografen verknallt ist. Umgekehrt sagt bei Almodóvar das Model auf Ramóns erotische Aufforderung »Genieß' es noch mehr, wir beide machen gerade Liebe«, und sie solle sich doch bitte entspannen: »Ich bin entspannt, wenn du so weitermachst, schlafe ich gleich ein.«

Als nächste Station der so eingeleiteten Demontage einer vermeintlichen Traumwelt ist nun der technische Stab und das geschäftige Treiben im Fotostudio zu sehen. Das Bett, auf dem das Model zu liegen scheint, steht in Wahrheit senkrecht. Erotik und Glamour, Sinnlichkeit und Luxus – alles erweist sich als *Fake*, Projektion und aufwändige Konstruktion für die Kamera. Almodóvar wäre jedoch nicht Almodóvar, würde er sich mit diesem entlarvenden Blick hinter die Kulissen zufrieden geben. Etwas voreilig notiert Georg Seeßlen: »Wir haben das Thema des Films erfasst, eine seiner Hauptfiguren, den Fotografen Ramón kennen gelernt, und nebenbei ging es vielleicht auch um das Kino selbst und die Aufhebung der Leidenschaft in ihm« (Seeßlen 1994: 38). Immer einen Schritt weiter, deutet Almodóvar in dieser Eröffnungsszene an, dass es nicht um die »Aufhebung der Leidenschaft« geht, sondern eher darum, wie Ramón trotz bzw. gerade *aufgrund* der Künstlichkeit des Erotischen eine durchaus *authentische* Leidenschaft empfindet.

Nicht zufällig spiegelt sich diese Künstlichkeit in der Machart des Films selbst, der die Kulissenhaftigkeit von *Frauen am Rande des Nervenzusammenbruchs* noch steigert und dabei an die Grenze des Overkills durch Dekor stößt. Wände, Böden, Gardinen und ebenso die Kleider der Protagonisten sind mit den unterschiedlichsten Karomustern übersät. Überall stehen Glasgegenstände, Vasen, Skulpturen. So wirkt jede einzelne Einstellung für sich wie eine Mischung aus einem Pop-Art-Gemälde und einer Installation zum Thema ›Wohnen‹. Die Ausstattung reicht bis hin zur Kunst in der Kunst:

»Während ich die Dreharbeiten vorbereitete und mit den Schauspielern ihre Rollen durcharbeitete, entdeckte ich das phantastische Werk von Dis Berlin. Tausende von Collagen, eine genialer als die andere und alle bevölkert von nackten Frauenkörpern, unzählige Variationen über ›Die Frau‹; immer aus einer irrationalen, bewundernden, spannungsgeladenen, ironischen Perspektive betrachtet, gewürzt mit einer gehörigen Portion Perversion und in einem Stil, den man hermetischen Exhibitionismus nennen könnte, falls es das gibt. All diese Vokabeln charakterisieren vortrefflich den Charakter von Kikas Lebenspartner Ramón (Alex Casanovas), einem ambitionierten Fotografen von Damenunterwäsche. [...] Das Werk von Dis Berlin (das ich sofort in die Dekoration von *Kika* integrieren musste) verdeutlicht und bereichert die Person Ramóns: Es liefert ihm sein Universum« (Almodóvar 1994).

Die überbordende Ornamentik jeder einzelnen Einstellung bildet das visuelle Pendant zu dem Effekt, der durch das Schauen erotischer Dessous entsteht. Je kunstvoller das Gewebe von Löchern und Zwischenräumen geflochten ist, desto ge*spannter* ist der Betrachter (und hier wird auch jeder nicht Perverse zu einem Voyeur) auf das, was hinter diesem Schleier verborgen liegt: der imaginäre Phallus (φ). Dementsprechend ist in der Studioszene in Großaufnahme zu sehen, wie Ramóns Objektiv förmlich zwischen die Brüste des Models eintaucht. Die nächste Großaufnahme zeigt den von einem ele-

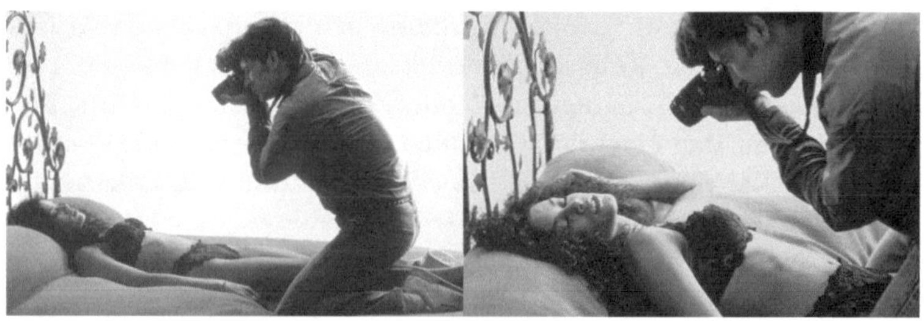

»Peeping Ramón« (Álex Casanovas) fotografiert ein Model.

ganten Spitzen-BH umrahmten ›Ausschnitt‹. Der Spalt zwischen den Brüsten markiert die Leere, in der Ramón das ›Objekt‹ sucht, den Fetisch.

Das voyeuristische Motiv kehrt auch in der wohl schrillsten Szene des Films wieder, als Ramóns Versuch, mit Kika zu schlafen und sich dabei selbst zu beobachten, daran scheitert, dass der passionierte Fotograf ›Peeping Ramón‹ den Moment des Höhepunkts immer wieder mit einer Polaroidkamera festhalten will. Kika ist davon nicht wirklich begeistert: »Ich hätte nichts dagegen, es ab und zu mal auf die konventionelle Art zu machen.« Als sie das Liebesspiel nach einer Weile entnervt abbricht, erklärt sie entschuldigend: »Wir haben ja noch die Fotos« – die Ramón nun aufmerksam studiert, wogegen sie dem Zuschauer des Films verborgen bleiben.

Almodóvar bebildert hier eine typische perverse Phantasie, deren Paradox darin besteht, dass das Subjekt während des sexuellen Akts einerseits Akteur ist, sich aber gleichzeitig von außerhalb der Szene *sehen* will. Ebenso wie in der Szene, in der Ramón die Damenunterwäsche fotografiert, fungiert das Objekt, das auf diese Weise gesucht wird, als Fetisch, mit dem er sein sexuelles Begehren stützt – diesmal in Form der durch das Foto ›objektivierten‹ Lust.

Die so implizierte Struktur bebildert Almodóvar nicht nur durch Ramóns ›Polaroid-Koitus‹. Ramóns voyeuristische Motive werden auch mit denen des Dauer-Vergewaltigers Paul in Beziehung gesetzt. Paul, so erfährt der Zuschauer nebenbei, ist nicht nur verrückt, er ist auch ein Pornostar, der sich, während er Kika vergewaltigt, in einer Kinoszene wähnt. Was in gewissem Sinne auch stimmt, denn er wird während der Vergewaltigung beobachtet – und zwar aus derselben, gegenüber von Kikas Haus liegenden Wohnung, die Ramón in der Hoffnung gemietet hat, die sexuelle Beziehung zwischen Kika und Nicholas beobachten zu können.

Zwischen Voyeur und Vergewaltiger herrscht so eine Art

Andrea Caracortada (Victoria Abril) präsentiert »Das Schlimmste vom Tage«.

fiktiver Arbeitsteilung: Das zeigt sich bereits in einem auffälligen Detail: Als Paul auf Geheiß seiner Schwester Juana Ramóns teure Kameras stehlen soll, lässt er sie achtlos liegen, nachdem er die schlafende Kika erblickt hat: Kameras interessieren ihn nicht, sie sind Ramóns Medium. So verbindet Paul und Ramón eine komplementäre Leidenschaft. Während Ramón als Fetischist und Voyeurist die Kastration verleugnet, ist der Triebmensch Paul insofern das perfekte Objekt des Schautriebes, als er bei Kika seinen »Orgasmusrekord« zu brechen versucht (der bei viermal »ohne ihn rauszuziehen« liegt). Hinter Pauls schrillem Motiv verbirgt sich wiederum eine perverse Phantasie: Das Erschlaffen nach der Ejakulation soll endlos hinausgezögert – und idealiter ganz vermieden werden. Denn die Erschlaffung bildet, wie bereits im Kapitel über *Womit hab' ich das verdient?* ausgeführt, ein symbolisches Äquivalent zur Kastration. Was Paul mit seinem »Orgasmusrekord« imaginär anstrebt, ist demzufolge die Verleugnung der Kastration.

Ramón und Paul, beides kindliche Charaktere, verkörpern so zwei Hälften eines perversen Szenarios. Blendet man die Polaroid-Szene, in der Ramón Kika in gewisser Weise auch vergewaltigt, mit der Endlos-Vergewaltigung übereinander, so gelingt Ramón nun endlich die imaginäre Aufspaltung in einen Beobachter und einen Teilnehmer am sexuellen Akt.

In einer weiteren Wendung verknüpft Almodóvar die Voyeurismus-Thematik mit der Verwertungslogik des Fernsehens. Als Kika nämlich am Abend gemeinsam mit Juana deren Lieblingsprogramm einschaltet, erlebt sie »Das Schlimmste vom Tage«, so der Titel der Sendung, noch einmal, denn ihre Vergewaltigung flimmert nun als Videomitschnitt über den Schirm. Moderiert wird diese Horrorshow von Ramóns früherer Geliebten Andrea Caracortada – was so viel heißt wie Narbengesicht, nach einer Verwundung, die sie sich selbst beigebracht hat, als Ramón sich von ihr trennte. In zwei futuristischen Kostümen, entworfen von Jean-Paul Gaultier, erscheint sie einmal als stilisierter Vampir, der die Schicksale der Menschen mit den Mitteln des Fernsehens ›aussaugt‹, ein andermal als Medien-Cyborg, der mit einer TV-Kamera auf dem Kopf förmlich verwachsen ist. Von Andreas zynischer Menschenverachtung hat der Zuschauer bereits zu Beginn eine Kostprobe bekommen: Im Stil schlüpfriger Reportage-Magazine verfolgt die Moderatorin mit typisch wackeliger Handkamera eine Mutter, die auf dem Friedhof um ihre Tochter trauert, die vor kurzem Selbstmord begangen hat. Auf die nötigende Frage nach dem Familienleben erklärt die Mutter, es sei »die Hölle gewesen«, weil »mein Mann verrückt ist. Letztes Jahr vergewaltigte er sie.« Das Motiv der Vergewaltigung wird hier zum dritten Mal variiert. Als die Frau dann erklärt: »Ich werde mich scheiden lassen, und zwar bald«, biegt ihr Mann um die Ecke und streckt seine Frau vor laufender Kamera eiskalt mit drei Schüssen nieder …

Obwohl diese Szene die fragwürdigen Gepflogenheiten des späteren *Reality-TV* detailgenau vorwegnimmt, provoziert sie beim Zuschauer dennoch spontan einen Lacher. Almodóvars Karikatur des Fernsehens knüpft aber nicht an medienkritische Spielfilme wie Altmans *Network*, Cronenbergs *Videodrome* oder Fellinis *Ginger & Fred* an; es geht ihm weniger um eine »prophetische Abrechnung mit den Exzessen des Privatfernsehens« (Haas 2001: 100) als vielmehr um eine grotesk überspitzte Darstellung des Alltäglichen. Der Witz der Szene ist nicht zynisch, denn man lacht nicht über die Ermordung der Frau – er besteht vielmehr darin, dass man offenbar nur irgendwo eine Kamera postieren muss, um solch bizarre spanische ›Folklore‹ erleben zu können. So steht die Szene im Kontext mit den prügelnden Polizisten in *Pepi, Luci, Bom* und *Live Flesh*; und sie erinnert auch an den Taxifahrer-Ehemann in *Womit hab' ich das verdient?*

Durch diese permanenten Themen- und Stimmungswechsel gerät die Frage, woher Andrea eigentlich das Video mit Kikas Vergewaltigung hat, in den Hintergrund. In einem Streitgespräch mit Nicholas – das wiederum von Kika belauscht wird – gibt Ramón zwar zu, dass er Kikas Wohnung öfters beobachtet und dabei auch Videoaufnahmen gemacht hat. Aber: »Das, was im Fernsehen gelaufen ist, habe ich nicht aufgenommen. Irgend jemand hat mit Andrea zusammengearbeitet, oder sie war es selbst, ich habe mit der Sache nichts zu tun.« Wie Andrea an das Vergewaltigungsvideo gekommen ist, bleibt unklar, denn nun schwenkt die Geschichte um auf Nicholas – der über die Aufnahmen höchst beunruhigt ist, weil er in der

Wohnung direkt oberhalb einen Mord begangen hat. So fordert er von Ramón sofort alle Bänder, um zu überprüfen, ob auf ihnen etwa Beweise gegen ihn dokumentiert sind. Während Ramón mit seinem Stiefvater die Bänder anschaut – auf denen Kika beim Blumengießen zu sehen ist – hat Andrea dieselbe Idee wie Nicholas. Wie der Fotograf in *Blow up* entdeckt Andrea, als sie das Vergewaltigungsvideo genauer inspiziert, dass in einer Szene zu sehen ist, wie Nicholas in der Wohnung über Kikas Schlafzimmer eine Frau umbringt.

Andrea Caracortada (Victoria Abril) fotografiert heimlich »Das Schlimmste vom Tage« – eine Szene, die im fertigen Film fehlt.

Das Geheimnis liegt in den Bildern selbst – diese Erfahrung macht später auch Ramón. Um die Spanner-Videos zu sichten, muss Nicholas nämlich zunächst den Fernseher einschalten – in dem zufällig gerade *The Prowler* (Dem Satan singt man keine Lieder, USA 1950) läuft. Joseph Loseys B-Thriller erzählt die Geschichte einer Frau, die von einem Spanner beobachtet wird: »Sieh mal, das passt ja auf dich. Der verrückte Spanner!« sagt Nicholas verächtlich zu Ramón.

Doch als Ramón sich gewissermaßen mit seinem Symptom identifiziert und den Film alleine zu Ende schaut, geht ihm plötzlich ein Licht auf: Ähnlich wie der korrupte Polizist in *The Prowler* den Mord an einer Frau als Selbstmord tarnt, hat Nicholas Ramóns Mutter umgebracht und die Tat erfolgreich als Suizid dargestellt …

So wird Nicholas von Ramón und Andrea gleichzeitig als

Mörder entlarvt. Doch ebenso wie *Kika* weder eine reine Beziehungskomödie noch in erster Linie eine Mediensatire ist, sind auch die Krimimotive geradezu gegen die Gepflogenheiten des Genres inszeniert. Statt an Thrill und Suspense ist Almodóvar mehr daran interessiert, wie er diese äußerst morbiden Figuren um Kika herum wieder los wird. So kommt es zum grotesken Showdown in der *Casa Youkali*, einer Villa, die Ramóns melancholische Mutter nach einem Kurt Weill-Chanson benannt hatte. Als Andrea dort versucht, den Serienmörder vor ihrer laufenden Kamera zu einem spektakulären Geständnis zu zwingen, gelingt es ihm, sie zu überwältigen. Es kommt zum Handgemenge, bei dem die beiden sich gegenseitig umbringen. Vorher schon ist Ramón beim Anblick einer Frauenleiche, die Nicholas gerade verscharren wollte, in seine übliche Todesstarre gefallen. Als Kika auf diesem Schlachtfeld eintrifft, hat sie ihren Schminkkoffer nicht zur Hand und muss deshalb, als sie Ramón zum zweiten Mal ins Leben zurückholt, zu rabiateren Mitteln greifen: Wie Baron Frankenstein schaltet sie bei Ramón den ›Strom‹ ein …

In der folgenden Schlusssequenz schlägt Almodóvar dann nochmals eine atemberaubende Volte. Statt Ramón ins Krankenhaus zu begleiten, entledigt Kika sich zunächst seines Rings – der wiederum auf eine Horrorstory verweist – und liest unterwegs einen gut aussehenden jungen Mann auf, der gerade zur Hochzeit seiner Schwester fahren will. Im Handumdrehen lässt sie sich dazu überreden, ihn dorthin zu begleiten, kennt allerdings den Weg nicht. »Ich sorge schon für Orientierung«, erklärt der Junge, worauf Kika erleichtert entgegnet: »Das ist es, was ich jetzt brauche: ein bisschen Orientierung.«

Vor dem offenen Hintergrund eines Feldes mit strahlend gelben Sonnenblumen illustriert der Doppelsinn von ›Orientierung‹ einmal mehr den Kurzschluss zwischen zwei Freudschen »Vorstellungskreisen«. Der Vorstellungskreis ›Straßenverkehr‹ fällt für Kika mit dem ›falschen Film‹ zusammen, in dem sie die ganze Zeit gesessen hat. Indem sie nun diesen Witz macht, der gerade durch seine Einfachheit überzeugt, lässt sie plötzlich alles hinter sich: Sie hat keine Lust mehr auf den Spanner Ramón, und Andreas Medienzirkus kann sie ebenso wenig gebrauchen. Kurzentschlossen steigt sie aus diesem ›Verkehr‹ aus und fährt mit dem jungen Mann weiter. Das letzte Bild zeigt jenen weißen Mittelstreifen, der schon zu Anfang zu sehen war, als Ramón zur Casa Youkali fuhr. Auf der gleichen Spur, auf der Ramón in Kikas Leben fuhr, verlässt Kika nun sein Leben.

Kikas Witz ist im doppelten Sinne ein ›Mutterwitz‹, durch den sie Leben gibt und Vitalität bewahrt. Als die Visagistin dem (schein-)toten Ramón zu Beginn des Films Rouge aufträgt, bekommt er ›Farbe‹: »Er hat doch Farbe im Gesicht«, sagt Kika. »Wahrscheinlich durch die Schminke«, entgegnet Nicholas. Wieder entsteht der Witz dadurch, dass Ramóns (Gesichts-)Farbe erst durch den Doppelsinn mit der Schminkfarbe echt wird. Der poetische Funke, der durch diesen Doppelsinn überspringt, kann Leben ›geben‹. So entkommt Kika der scheinbar fatalen Kreisbewegung der Verhängnisse – ähnlich wie Pepa in *Frauen am Rande des Nervenzusammenbruchs* und Marina in *Fessle mich!*

Wie eine Kuh ohne Glocke.
La flor de mi secreto
(Mein blühendes Geheimnis, 1995)

»Wenn ich den Schmerz filme, sehe ich ihn tatsächlich auf eine fast mystische Art, als kniete ich nieder, um vor dem Altar des Schmerzes zu beten.«
Pedro Almodóvar

Am Ende des vorangegangenen Films hatte Kika wenigstens »ein bisschen Orientierung« bekommen. Leocadia Macías (Marisa Paredes), die Protagonistin von Almodóvars nächstem Film, *Mein blühendes Geheimnis*, wird diesen Überblick schon bald verlieren: Sie wird von ihrem Mann verlassen und versucht sich das Leben zu nehmen, worauf ihre Mutter kopfschüttelnd erklärt: »Du bist wie eine Kuh ohne Glocke.« Leocadia stutzt, worauf die Mutter zu einer für Almodóvar typischen ›Erklärung‹ ansetzt: »Du bist verirrt, hast kein Ziel mehr, so wie ich. Ich bin auch wie eine Kuh ohne Glocke. In meinem Alter ist das nichts Besonderes. Darum möchte ich auch jetzt wieder hier im Dorf leben. Denn wenn uns Frauen der Mann verlässt – ob er gestorben ist oder eine andere hat, das spielt keine Rolle –, dann müssen wir Frauen zu dem Ort zurück, an dem wir geboren wurden. Die Heiligenkapellen besuchen, mit den Nachbarinnen an die frische Luft gehen und zusammen [...] beten. Auch wer nicht gläubig ist, tut das. Denn wenn man das nicht macht, dann verirrt man sich so wie eine Kuh ohne Glocke.«

Wie jede gute Metapher erschöpft sich dieser ›bildhafte Vergleich‹ nicht in einer einzigen Bedeutung. Das zeigt gleich die nächste Szene, die noch immer auf dem Dorf spielt, wo Leocadia sich von ihrem Suizidversuch erholt. Sie sitzt inmitten einer Reihe alter Frauen – also »Kühen ohne Glocken« –, die mit Handarbeit beschäftigt sind. Die Leinwand ist ganz von einer jener geklöppelten Spitzendecken ausgefüllt, die schon in der vorangegangenen Szene,

Leo (Marisa Paredes) unter den Spitzenklöpplerinnen

in der die Mutter von der »Kuh ohne Glocke« erzählte, mehr als nur Dekor waren. Scheinbar beiläufig fragt Leocadia die Frauen nach den fingerdicken hölzernen Stiften, mit denen sie werkeln: »Sag mal, wie heißen denn die mit dem dicken Kopf?« »Das sind die Klöppel«, antwortet eine der Frauen.

Die »Kühe«, so scheint es, haben die metaphorische Glocke demontiert und den Klöppel zweckentfremdet. Der sexuelle Subtext ist buchstäblich mit Händen zu greifen. Die »Kühe« haben zwar keine Glocke, kommen aber mit dem Klöppel ganz gut zurecht. Leocadia ist bei ihnen in guter Gesellschaft; auch sie ist eine »Kuh ohne Glocke« – und ihr wird bewusst werden, dass sie eigentlich gar keine ›Glocke‹ braucht. Dass Leocadia zwar äußerlich eine Frau ist, in der aber die Seele eines Mannes wohnt – nicht zufällig nennt man sie nur »Leo« –, ist eines jener *blühenden Geheimnisse*, die Almodóvars Film allerdings nicht auf den ersten Blick offenbart.

Unübersehbar ist allein, dass die eigentliche »Glocke«, also Leos Mann Paco, von seiner Erscheinung her geradezu dem Klischee eines homosexuellen Mannes entspricht, was durch seine Uniform noch unterstützt wird (nicht umsonst spielte Imanol Arias den schwulen Prinzen Riza Niro in *Labyrinth der Leidenschaften*). Leo wiederum ist zwar als Frau eine überaus elegante Erscheinung, setzt aber in ihrem Verhalten immer wieder ausgesprochen maskuline Akzente. In sexueller Hinsicht stammen die beiden offensichtlich aus verschiedenen Welten. Dass Leo und Paco eigentlich gar nicht zusammenpassen, deutet der Film jedoch nur an. *Mein blühendes Geheimnis* ist alles andere als ein ›Beziehungsfilm‹, keine einzige Rückblende erzählt vom ›Glück vergangener Tage‹. So zeichnet sich ab, dass das Motiv der »Kuh ohne Glocke« auch die sexuelle Orientierung tangiert. Nicht zufällig erklärt Almodóvar im Interview: »Ich habe den Ausdruck von meiner Mutter, die das immer von mir gesagt hat« (Strauss 1998: 188).

Nun ist *Mein blühendes Geheimnis* aber auch kein typischer ›Genderfilm‹ – im Gegenteil: auf der manifesten Erzählebene scheint es überhaupt keine Verunsicherungen über die sexuelle Identität Leos zu geben. Und diese (vermeintliche) Klarheit spiegelt sich sehr deutlich in der Linearität der Erzählung. In formaler Hinsicht inszeniert Almodóvar einen sehr übersichtlichen, leicht zugänglichen Film: »Der Film ist weniger chorisch als meine anderen. Das Drehbuch ist strukturiert wie ein in Kapitel eingeteilter Roman. [...] Es ist für den Zuschauer viel leichter, diesem Film zu folgen. Dieser Vorteil ergab sich aber eher zufällig, aus der Anlage der Geschichte« (ebd.: 191f.).

Auf der Oberfläche ist *Mein blühendes Geheimnis* zweifellos der bislang schnörkelloseste und geradlinigste Film Almodóvars, besonders einfühlsam stellt er das melodramatische Scheitern einer *heterosexuellen* Beziehung dar. Aus dieser Perspektive wurde *Mein blühendes Geheimnis* auch als erster ›reifer‹ Film Almodóvars gefeiert, der sein Thema mit der gebührenden Ernsthaftigkeit angeht. Die Kritik atmete hörbar auf: Als »weniger schrill, dafür desto nachsichtiger, um nicht zu sagen ›menschlich‹ gereifter, vergleichbar vielleicht den ›seriösen‹ Wandlungen des späten Woody Allen« beschreibt der Kritiker des katholischen *Film-Dienst* Almodóvars elften Film. Ähnlich befindet die *epd*-Kritikerin: »Wo Almodóvars Filme bisher insgesamt wie eine Film-im-Film-Studie angelegt waren, verabschiedet er sich hier vom Augenzwinkern, von der Verfremdung und beginnt mit dem wahren Film, dem wahren Leben, der wahren Katastrophe.«

Bezeichnenderweise wird diese ›Wahrheit‹ schon in den allerersten Bildern des Films unterwandert. Zwei junge Ärzte, die sich in ihrer Rolle sichtlich unwohl fühlen, versuchen einer Mutter beizubringen, dass ihr nach einem Motorradunfall schwerverletzt eingelieferter Sohn hirntot ist und nur noch von Apparaten künstlich am Leben erhalten wird. Die Mutter will nicht verstehen, dass das Leben ihres Sohnes nur noch *Schein* ist. Die Szene changiert zwischen Tragik und Groteske, zwischen einer typischen Telenovela und einem Sketch der britischen Komikertruppe *Monthy Python's Flying Circus*. Denn die beiden Ärzte müssen die Mutter nämlich obendrein dazu bewegen, ein Formular zu unterschreiben, mit dem sie den Rest an ›Leben‹ im Körper ihres Sohnes zur Organspende freigibt: und das möglichst umgehend, so dass seine Organe – auf die schon ein anderer Patient wartet – noch genutzt werden können.

Plötzlich sieht der Zuschauer jedoch, dass das hoch emotionale Gespräch zwischen den beiden hoffnungslos überfordert wirkenden Ärzten und der Mutter, die nicht einsehen kann, dass ihr Sohn tatsächlich *tot* ist, ›in Wahrheit‹ nur ein *Fake* ist, ein psychologisches Training für Mediziner. Leos beste Freundin Betty ist Psychologin, sie zeichnet solche inszenierten Gespräche auf Video auf, um das Einfühlungsvermögen der Ärzte für den Ernstfall zu schulen. Da diese Szene in *Alles über meine Mutter* in nahezu identischer Form wiederkehrt, ergibt sich eine markante Überkreuzung: Während die Mutter in *Alles über meine Mutter* spielt, dass sie ihren *Mann* verliert, wird in der entsprechenden fiktiven Szene in *Mein blühendes Geheimnis* der Verlust eines *Sohnes* thematisiert. Tauscht man die beiden fiktiven Szenarien in Gedanken miteinander aus, so nehmen sie programmatisch das Thema des jeweiligen *Verlustes* vorweg, um das die beiden Filme kreisen.

Nicht zufällig platzt Leo in diese gestellte Szene hinein, die auch das ›Schicksal‹ ihrer Beziehung symbolisch vorwegnimmt. Schmerzvoll wie die Mutter in der fiktiven Szene durchlebt Leo die Trennung von ihrem Mann, und die symbolische ›Auflösung‹ am Ende des Films wird ähnliche Züge haben wie die Enttarnung des ›großen Leidens‹ der Mutter als fiktive Spielszene im Schulungsvideo: Auch Leo wird in gewisser Weise aus einem ›fiktiven Rahmen‹ heraussteigen. Und dieser Ausstieg hängt wiederum mit einem Motiv zusammen, das Almodóvar aus der untersten Schublade der Telenovelas hervorkramt: die Organspende.

In *Alles über meine Mutter* ebenso wie in *Mein blühendes Geheimnis* symbolisiert das gespendete Organ ein ›Objekt‹, das mit der geliebten Person in einer sehr intimen Verbindung steht. So sitzt die Schriftstellerin Leo in einer parallel zum Organspende-Video spielenden Szene an der Schreibmaschine und protokolliert ihre Empfindungen im Hinblick auf dieses ›Objekt‹: »Jeden Tag ziehe ich etwas an, das ich von dir habe. Heute die Stiefeletten, die du mir vor zwei Jahren geschenkt hast. Weißt Du noch, dass du sie mir abends ausziehen musstest, weil ich es alleine nicht geschafft habe? Als ich sie heute morgen gesehen habe, dachte ich an dich und hab' sie dir zu Ehren angezogen. Jetzt drücken sie. Wie diese Stiefeletten bedrückt mich manchmal die Erinnerung an dich, schnürt mir das Herz ein, bis ich kaum noch atmen kann …«

Wir sehen Leo, wie sie gerade einen jener typischen Liebesromane verfasst, mit denen sie unter dem Pseudonym Amanda Gris schon eine Menge Geld verdient hat. Anders als die ebenfalls unter Pseudonym schreibende Nonne ›Concha Torres‹ in *Entre tinieblas* – die hinter Klostermauern lebt und vom Erfolg ihrer Romane nichts ahnt, so dass ihre habgierige Schwester ihr die Tantiemen und den Ruhm stehlen kann –, lebt Leo deutlich sichtbar in einer sozial gehobenen Stellung. Doch mit dem Geld allein ist sie nicht glücklich. Sie beschreibt, wie unendlich einsam sie sich ohne ihren Mann Paco fühlt. Nun beginnt Leo der Schuh zu drücken. Almodóvar wird jedoch zeigen, dass der Schuh nicht nur auf der realen Ebene, sondern symbolisch auch auf der Ebene jener Amanda-Gris-Fiktion drückt, auf der Leo schreibend ihre sexuelle Identität entwirft.

Sosehr Leo sich auch anstrengt, es gelingt ihr nicht, die Stiefeletten alleine auszuziehen. Vergeblich telefoniert sie nach ihrer Haushälterin, die gerade frei hat; und auch dem Junkie auf der Straße gelingt es nicht, sie gegen eine mehr als großzügige Summe von dem schmerzenden Schuhwerk zu befreien. So kommt Leo – sichtlich am Rande des Nervenzusammenbruchs – auch noch in einen Wolkenbruch, bevor sie endlich bei ihrer Freundin Betty im Krankenhaus eintrifft – der es merkwürdigerweise ohne größere Mühen gelingt, die viel zu engen Stiefeletten auszuziehen …

Die Bedeutung dieser Szenenfolge liegt scheinbar auf der Hand: »Das groteske Missverhältnis von Anlass und Aufwand, das Almodóvar am Anfang von *Mein blühendes Geheimnis* in Szene setzt, demonstriert schlüssig und ohne viel Worte: Leo ist einsam. Sie ist so einsam wie keine Figur vor ihr« (Haas 2001: 77). Es fragt sich nur, warum dieses trivial anmutende Motiv einer typischen *midlife crisis* im saturierten bürgerlichen Milieu den Zuschauer überhaupt tangiert? Leos Einsamkeit würde nicht das mindeste Mitgefühl erzeugen, würde hier nicht unterschwellig noch eine ganz andere Geschichte erzählt. Ein nicht unwesentlicher Aspekt dieses Subtextes – dessen subtile Präsenz überhaupt erst die Wirkung der ›eigentlichen‹ Geschichte ermöglicht – handelt davon, dass Leo – ähnlich wie Pepa in *Frauen am Rande des Nervenzusammenbruchs* und Pablo in *Das Gesetz der Begierde* – sich von einem ›Objekt‹ trennen muss. Ähnlich wie Pepa, die den Anrufbeantworter aus dem Fenster wirft und so auf witzige Weise das mit ihrem Liebhaber Iván assoziierte ›Objekt Stimme‹ an ihre Nachfolgerin weitergibt, wird auch Leo in *Mein blühendes Geheimnis* von dem mehrfach determinierten ›drückenden Schuh‹ nicht zufällig durch jene Freundin Betty befreit, die, wie wir später erfahren, mit Leos Mann Paco seit langem schon ein heimliches Verhältnis hat. Deswegen ist Betty auch die einzige, die die Stiefeletten sichtlich ohne Mühe von Leos Fuß bekommt.

Der lange und schmerzliche Weg durch die Stadt bedeutet also, dass Leo ihrer Freundin das mit Paco assoziierte Objekt unbewusst wie eine Gabe überbringt – auch wenn sie die Stiefeletten anschließend wieder in ihre Tasche steckt, in der sie schon andere Schuhe bereithält. Auf der symbolischen Ebene korrespondieren die Stiefeletten mit dem gespendeten Organ, das in einem anderen Körper – sprich: in einem anderen symbolischen Kontext – weiterfunktioniert. So wie die Krankenschwester Manuela in *Alles über meine Mutter* das ›Herz‹ ihres Sohnes spendet, so wird auch Leo, indem sie die zu engen Stiefeletten symbolisch an ihre Nachfolgerin abtritt, in einen neuen Kontext versetzt: So wie in *Alles über meine Mutter* die ›Organspende‹ einen symbolischen Neubeginn impliziert, erhält auch Leo von Betty als *Gegengabe* für die überdeterminierten Stiefeletten einen pragmatischen, nichtsdestoweniger doppeldeutigen Rat: Sie soll doch ihre emotionale Krise, die sich längst zu einer schriftstellerischen Schaffenskrise ausgeweitet hat, durch journalistische Arbeit überwinden. Betty hat dabei einen Hintergedanken – sie gibt Leo die Telefonnummer eines befreundeten Feuilletonredakteurs der Tageszeitung *El País* – in der Hoffnung, dass hier eine Ersatzbeziehung entstehen könnte, nach dem Motto: Ein Mann für einen anderen. Doch statt eine neue *heterosexuelle* Beziehung anzuknüpfen, wird aus dieser Begegnung eine ›neue Leo‹ hervorgehen. Aber der Reihe nach …

Leo besucht diesen Engel von einem Redakteur, der auch noch Ángel heißt, in seinem Büro. Der bekennende Trinker ist sofort hingerissen von Leo und bietet ihr schamlos Schnaps im Kaffee an. Doch entsprechend der defensiven Trinkgewohnheiten von Frauen hat Leo, ebenfalls Alkoholikerin, sich schon vor dem Gespräch heimlich auf der Toilette mit einem Schluck aus dem Flachmann gestärkt und lehnt entsprechend ab, um offiziell weiterhin die Rolle der Nicht-Trinkerin zu spielen.

Die Begegnung mit Ángel bringt einiges ins Rollen. Noch weiß der Redakteur nicht, wer eigentlich vor ihm sitzt, und schlägt Leo spontan vor, eine Rezension der neuesten Amanda-Gris-Anthologie zu schreiben. Leo nutzt diese Gelegenheit, um in einem herben Verriss mit ihrem trivial-literarischen Ich abzurechnen. Anlass dieser Abrechnung ist der Roman *Das Kühlhaus*, mit dem Leo sich eigentlich all ihren beruflichen und privaten Frust von der Seele schreiben und in die ernsthafte Literatur einsteigen wollte. Doch ihre zynische Lektorin Alicia, die an Leos Amanda-Gris-Romanen bestens mitverdient, ist über den neuen Roman ziemlich erbost: »Wer identifiziert sich schon mit einer Hauptfigur, die den Kranken im Hospital die Scheiße abwischen muss, deren Schwiegermutter Heroin drückt und deren Sohn stockschwul ist – und außerdem nur auf Schwarze steht!?«

Diese despektierliche Beschreibung, von der Lektorin im schrillen Tonfall einer Anklage vorgetragen, ist ausgesprochen doppeldeutig, denn sie ist zugleich die Charakterisierung des typischen Almodóvar-Personals. In seinen Filmen schafft es Almodóvar, dass man sich tatsächlich mit genau solchen Charakteren identifiziert – jedoch nur, weil seine Geschichten immer auch ein klein wenig so gestrickt sind wie jene Amanda-Gris-Romane, deren Code der zynische Verleger Tomás auf den Punkt bringt: »Es heißt im Vertrag: ›Liebesroman und Luxus in einer kosmopolitischen Welt, suggestiver Sex, dezent suggeriert. Außerdem Wintersport, strahlende Sonne, Villenvororte, Staatssekretäre, Minister, Yuppies. *Keine Politik!* Gesellschaftliches Bewusstsein ist zu vermeiden. Uneheliche Kinder so viel du willst – und natürlich: *Immer ein glückliches Ende*!‹«

Die augenzwinkernde Charakterisierung dieser prototypischen Klischees des Liebesromans stehen zugleich symbolisch für eine typisch weibliche Position. Ohne sich darüber bewusst zu sein, lebt Leo selbst in diesem klischeehaften Entwurf von Weiblichkeit – den sie allerdings abzustreifen versucht wie die zu eng gewordenen Stiefeletten. Im Hinblick auf ihren Roman *Das Kühlhaus*, der nebenbei ohne ihr Wissen verfilmt wird, zeigt Leo, dass sie auch anders schreiben – und anders fühlen – kann. Leo pendelt also nicht nur zwischen zwei literarischen Entwürfen, sondern ebenso zwischen zwei sexuellen Orientierungen: »Ohne es zu wissen, zieht sie die Fäden, schreibt sie die Geschichte – als wäre sie zur Autorin eines Romans geworden, in dem sie zugleich die Protagonistin ist« (Horst 1996).

Deutlich wird dieses Changieren zwischen zwei literarischen und sexuellen Orientierungen in der zentralen Szene, die zum Bruch zwischen Leo und ihrem Mann führt – übrigens die einzige, in der Paco überhaupt auftritt. Auf den ersten Blick erscheint die Szene wie aus einem Amanda-Gris-Roman, doch sie hat ihre Tücken. Als Paco zum Kurzurlaub heimkommt, möchte er eigentlich nur die Hemden bügeln lassen, doch Leo – in diesen ›weiblichen‹ Dingen so unerfahren wie im Kochen – hat ihrer Haushälterin freigegeben, um die wenige Zeit mit ihrem Mann ungestört auszukosten. Leo will nichts anderes als mit ihm ins Bett: »Erst einmal wirst Du duschen, daran scheint Dir ja viel zu liegen. Und dann, mein Schatz, bumsen wir. Dann ruhen wir uns ein bisschen aus, und nach dem Ausruhen bumsen wir wieder. Und was dann kommt, weiß nur Gott.«

Leo (Marisa Paredes) und ihr Mann Paco (Imanol Arias)

Paco ist jedoch bis in die Haarspitzen anzusehen, wie unwohl er sich bei Leo fühlt und wie unangenehm ihm die unausweichliche Auseinandersetzung darüber ist, dass er entgegen der Absprache – bzw. entgegen Leos ›Drehbuch‹ – möglichst *sofort* wieder verschwinden will. Leo erlebt Pacos Auftritt aus zwei verschiedenen Blickwinkeln gleichzeitig. Einerseits will sie nicht wahrhaben, dass er eigentlich gar nicht anwesend ist. Andererseits scheint sie seine unterschwelligen Signale sehr wohl wahrzunehmen, denn als er damit herausrückt, dass er nur zwei Stunden Zeit hat, sekkiert sie ihn, indem sie auf seine militärische Mission anspielt, mit überaus geschliffenen Formulierungen: »Du bist fortgegangen, um einen Krieg zu beenden und dabei vor dem geflohen, der hier stattgefunden hat, in deinem eigenen Heim, und in diesem Krieg bin ich das einzige Opfer.«

Ein Opfer, das sich seiner Haut zunächst so gut zu wehren versteht, dass Paco nach diesen ›Szenen einer Ehe‹ nur noch der ungeordnete Rückzug bleibt: »Leo, bitte hör auf mich zu quälen, ich bin blockiert und kann nicht mit dir reden.« – Paco verhält sich eher wie eine Frau, und sie dringt (sprachlich) in ihn ein wie ein Mann.

Leos Gespaltenheit spiegelt sich in der Zuordnung zu sehr spezifischen Diskursen: »Leo entwickelt sich von einem [Tennessee-]Williams-Charakter, diesen zielstrebigen Frauen, deren Verstand messerscharf arbeitet, selbst wenn sie furchtbare Fehler machen, zu einem Cocteau-Charakter: eine verlassene Frau, auch wenn das Objekt ihrer Wünsche unmittelbar vor ihr steht« (Almodóvar 1996).

Leo (Marisa Paredes) und ihre Schwester Rosa (Rossy de Palma)

Leos Verwirrung gipfelt darin, dass die »Kuh ohne Glocke« in der darauffolgenden Szene einem wundervoll designten rotkreuzförmigen Medikamentenschrank ihres Badezimmers Pillen entnimmt und auf einem geschmackvollen kleinen Schälchen anordnet. Dass Leo aus dem Leben scheiden will, geht ans Herz. Nicht minder anrührend ist jedoch die Art, wie sie wieder zurückfindet. Ähnlich wie Pepa in *Frauen am Rande des Nervenzusammenbruchs*, die durch die Stimme ihres Liebhabers Iván aus tiefstem Schlaf hochschreckt, wird auch Leo von einer Stimme aus der dem Tod vorangehenden Starre gerissen: Auf dem Anrufbeantworter ertönt die Stimme von Leos Mutter, die sich beklagen will – darüber, dass sie zuckerkrank ist und deswegen immer schlechter sieht; und darüber, dass sie sich mit Leos Schwester Rosa (unwiderstehlich: Rossy de Palma) wieder gestritten hat und deswegen aus der Stadt zurück in ihr Heimatdorf will …

Die Stimme der Mutter öffnet Leo die Augen. Zu sehen ist nun der Flur ihrer Wohnung, im Hintergrund ist das Bett, auf dem sie sterben wollte. Von rechts stolpert sie ins Bild – und symbolisch zurück ins Leben. Die tödlichen Pillen spuckt sie zusammen mit einem Schwall von Erbrochenem aus. In der nächsten Szene liegt sie unter der laufenden Dusche und vermittelt den Eindruck einer Frau, die gerade die Messerattacke in Alfred Hitchcocks *Psycho* überlebt hat.

In dieser beeindruckenden Szenenfolge rückt, ähnlich wie in *High Heels*, die besondere Beziehung der Tochter zur Mutter ins Zentrum des Films – in dem der Vater einmal mehr abwesend ist. In zwei komödiantisch akzentuierten Szenen, die Leos Suizidversuch vorangehen, hat Almodóvar gezeigt, wie die Schwester Rosa und Leos Mutter gewohnheitsmäßig miteinander zanken. Diese Szenen haben autobiographischen Charakter: »Alles was Chus und Rossy machen, geht zurück auf meine Mutter und meine Schwestern; selbst die Einrichtung der Wohnung entspricht dem, wie sie leben. Ich habe sie kommen lassen, als wir die Szene in der Wohnung drehten. Das war eine etwas eigenartige Situation; ich wurde die Vorstellung nicht los, und sie beunruhigte mich, dass die etwas parodistische Nachahmung ihres Lebens sie stören könnte. Natürlich haben sie alles wiedererkannt, aber ohne sich selbst damit zu identifizieren; so ging alles gut« (Strauss 1998: 197).

Entscheidend ist freilich weniger das Autobiographische, denn: »Die Beziehung zwischen Chus und Rossy ist typisch für gewisse spanische Familien. Mutter und Tochter hängen sehr aneinander; wenn sie sich trennen müssen, ist das eine Katastrophe, wird geschluchzt und geweint. Aber sobald sie zusammen sind, werfen sie sich nur die schrecklichsten Sachen an den Kopf und streiten sich unentwegt. Und das ihr ganzes Leben lang. Es ist komisch, aber auch schrecklich« (ebd.: 185). Mit dieser Beobachtung skizziert Almodóvar zugleich den motivischen Rohstoff für *Mein blühendes Geheimnis*. Mutter und Tochter befinden sich in einer spiegelsymmetrischen Falle, der sie nicht entkommen, weil die Position des Dritten – die des Vaters – vakant ist. Aufgrund eben dieser Vakanz wendet Leo sich während ihres erbitterten Streits mit Paco in einer eindeutig uneindeutigen Weise ausgerechnet an Gott: »Gott, ich glaub' nicht an dich, aber hilf mir!«

Unter die Haut geht die Szene, in der die *mütterliche Stimme* Leo im wahrsten Sinne von den Toten zurückruft, weil die Zänkereien zwischen der Mutter und der anderen Tochter dem Zuschauer längst klar gemacht haben, dass diese Reanimation nur möglich ist, weil dieselbe Stimme das Leben ebenso zur Hölle machen kann. Wie Pepa in *Frauen am Rande des Nervenzusammenbruchs*, Marina in

Fessle mich! und Kika im gleichnamigen Film findet auch Leo einen überraschenden Ausweg aus ihrer Misere. Zunächst jedoch durchwandert sie ein sprichwörtliches Tal der Tränen. In der Tat gibt es keinen Film von Almodóvar, in dem mehr geweint wird: Marisa Paredes »weint oft in dem Film, aber die Tränen sind nie dieselben. Man kann sagen, dass es da ein breites Angebot von Tränen gibt: die Tränen nach dem Weggang ihres Mannes, die Tränen zu Hause mit ihrer Mutter, Tränen des Heimwehs, der Schwäche, der Kraftlosigkeit, des Gefühls. [...] Ich muss zugeben, dass kein Schauspiel mich als Regisseur so fasziniert wie das einer Frau, die weint« (Strauss 1998: 193).

Ähnlich wie in *High Heels* hat Leos Ausweg wiederum mit einer subtilen Folge von Tauschvorgängen zu tun, die damit beginnen, dass sie zunächst ihre drückenden Schuhe symbolisch an die Freundin weitergibt. Auf deren Rat hin wendet sie sich an den Literaturredakteur Ángel. Der wiederum hat eine Schwäche für Liebesromane – was zu einer überraschenden Wende in Leos Leben führt. Denn Leo erhält nun, als sie sich im Dorf ihrer Mutter von ihrem Suizidversuch erholt, den Anruf ihrer Lektorin, die plötzlich ganz andere Töne anschlägt. Hellauf begeistert ist sie von Leos beiden letzten Büchern: »Die letzten beiden Romane haben uns fabelhaft gefallen, Leo mein Schatz. So etwas schreibt nur unsere berühmte Amanda Gris.« Und damit hat die Lektorin recht – obwohl Leo sie gar nicht selbst verfasst hat. Es stellt sich heraus, dass Ángel, der inzwischen Leos Pseudonym kennt, die Romane verfasst hat – und das mit großer Lust, denn er ›ist‹ jetzt Amanda Gris. Während Leos indirektes Coming-out mit ihrer Distanzierung von der Amanda-Gris-Rolle einhergeht, geht der gemütliche dicke Redakteur förmlich darin auf, Liebesromane zu schreiben.

Das ist auch der Grund, weswegen sich zwischen den beiden keine ›normale‹ Liebesbeziehung anbahnen wird. Mit einem gespielten Zitat aus *Casablanca* hat Ángel Leo zuvor seine Liebe gestanden. Es ist jedoch ein Gemeinplatz, dass Bogart seine große Liebe Ingrid Bergman eigentlich geradezu loswerden will und dass der sprichwörtlich gewordene »Beginn einer wunderbaren Freundschaft« am Ende augenzwinkernd auf eine homosexuelle Beziehung verweist – die allerdings nur als Subtext zur offiziellen heterosexuellen melodramatischen Liebe bestehen kann.

Eine ähnlich augenzwinkernde Anspielung macht Almodóvar am Ende von *Mein blühendes Geheimnis*. In der Schlussszene sitzt Ángel traurig in seiner Wohnung und blickt über die Dächer von

Madrid, als Leo, die eigentlich nach Hause gehen will, es sich anders überlegt und doch noch zu ihm kommt. Sie sitzen vor prasselndem Kaminfeuer – aber das ist keine Szene mehr aus einem Amanda-Gris-Roman: »Das erinnert mich an den Schluss des Films *Reich und berühmt*« – der letzten Regiearbeit von George Cukor. »Die beiden befreundeten Schriftstellerinnen – sie stoßen an, fern der Welt an einem Kamin.« Gemäß der latent homoerotischen Geschichte in diesem ›Referenzfilm‹ wird auch Ángel nicht einfach der heterosexuelle Nachfolger Pacos. Entsprechend seiner Identifizierung mit Amanda Gris ist für ihn nur der Platz als Leos ›Freundin‹ vakant.

Als Melodram funktioniert *Mein blühendes Geheimnis* also letztlich nur, weil der Film zwei Geschichten ineinander spiegelt. Das Scheitern der heterosexuellen Bindung Leos wirkt nur deswegen anrührend, weil der Zuschauer unterschwellig mitbekommt, dass sie im Hinblick auf ihre sexuelle Orientierung eigentlich ›im falschen Film‹ sitzt. Diese unterschwellige Tragik ist keine Erfindung Almodóvars, er hat sie in den großen Melodramen der Filmgeschichte genau beobachtet, etwa in *Vom Winde verweht*: »Wenn ihr euch den Film mit Verstand anseht (was gar nicht so einfach ist, weil er so rührselig ist, dass man ihn eigentlich nur mit dem Herzen verfolgen kann), werdet ihr ohne Schwierigkeiten erkennen, dass Scarlett eigentlich eine männliche Figur ist, die von einer Frau gespielt wird« (Almodóvar 1997: 113).

Obwohl *Mein blühendes Geheimnis* sehr geradlinig erzählt ist, hat Almodóvar doch noch eine seiner subtilen Nebenepisoden eingeflochten, in der er andeutet, wie Leo jenen schmerzlichen Verlust Pacos zu überwinden vermag, der sie immerhin zu einem Selbstmordversuch getrieben hat. In dieser sehr verdichteten Nebengeschichte geht es um ihre Haushälterin Blanca und deren Sohn Antonio. Wie Leo und Ángel stecken auch diese beiden Figuren in der falschen Haut. Blanca, eine Zigeunerin, ist eine begnadete Flamencotänzerin, die ihren Beruf aber nicht ausübt, weil sie lieber bei Leo als Haushälterin arbeitet, für die sie eine auffällige Hingabe hegt (sie ist das Spiegelbild der lesbischen Haushälterin Juana in *Kika*). Und Antonio hat es satt, in Spelunken aufzutreten, denn er weiß, dass er das Zeug zu einem großen Flamencotänzer hat. Um aber eine Show zu organisieren, braucht er Geld. In Leos Mülleimer findet er das Manuskript von *Das Kühlhaus*, das die zynische Lektorin zuvor abgelehnt hatte. Indem er das Buch unter falschem Namen an eine Filmfirma verkauft, finanziert Antonio nicht nur seinen großen Flamencoauftritt mit seiner Mutter – ein getanzter Höhepunkt des Films. Unwissentlich stützt Antonio durch diesen Diebstahl auch Leos neue ›literarische‹ Identität – die wiederum eine Chiffre für ihre sexuelle Orientierung darstellt.

Ihr Coming-out wird dadurch eingeleitet, dass Antonio nach seinem großen Auftritt vom schlechten Gewissen geplagt wird und Leo aufsucht, um bei ihr seine ›Schuld‹ zu begleichen. Leo wird allerdings nicht sofort klar, was Antonio wirklich will. Er bietet ihr an, mit ihr zu schlafen – und da Antonio von dem Flamenco-Star Joaquín Cortes gespielt wird, erscheint dieses Angebot durchaus attraktiv. Als Leo ihn jedoch zurückweist, muss Antonio mit der Wahrheit herausrücken: »Bevor ich gehe, muss ich Ihnen noch etwas gestehen.« Leos Gesichtsausdruck verrät, dass sie mit einem erotischen Kompliment rechnet. Doch Antonio gesteht ihr den Diebstahl ihres Manuskripts. Deutlich wird damit, dass seine vermeintliche Gabe eigentlich das genaue Gegenteil bedeutet: er will etwas von ihr, nämlich Entlastung von seiner Schuld.

Durch dieses skurrile Angebot kehrt Leo wieder zurück in die freie Zirkulation symbolischer Objekte und (Liebes-)Gaben. Plötzlich beginnt sie wieder zu lächeln. Es gefällt ihr, Antonio verlegen zu machen: »Und wie oft müsste man bumsen, bis du diese Schuld beglichen hast?«

Leo schickt Antonio weg mit den Worten: »Eben hast du es geschafft, dass ich Paco vergessen habe. Seit einer Viertelstunde denke ich nicht mehr an ihn. Adios«. Antonios unerwartete Nachricht, dass ihr Manuskript *Das Kühlhaus* Erfolg hat, bedeutet für Leo zugleich die Überwindung ihrer ›weiblichen‹ Amanda-Gris-Identität. Leo bleibt eine Kuh ohne Glocke, ist aber nicht mehr unglücklich. Dies auf eine wahrhaftige Weise zu zeigen ist das Kunststück Almodóvars, er ist auch in *Mein blühendes Geheimnis* – freilich auf seine Weise – ›der Mann, der die Frauen liebt‹.

Claras Opfergang.
Carne trémula
(Live Flesh, 1997)

> »Heterosexualität wird hier nicht glorifiziert, aber ich habe die Geschichte aus dem Inneren der Männer heraus erzählt.«
>
> Pedro Almodóvar

Wenn Almodóvar von der Entstehung seines nächsten Films *Carne trémula* erzählt, so klingt die Befürchtung an, dass sein Schaffen inzwischen eine Masche geworden ist und der Regisseur nur noch den immergleichen ›Almodóvar-Look‹ reproduziert: »Beim Drehen kriege ich Möbel gebracht, Accessoires, die der Vorstellung entsprechen, die man sich seit jeher von meinem Kino macht, und ich muss dann immer nein sagen, weil es mir zu sehr und nicht mehr entspricht« (Strauss 1998: 202). In dem Bestreben, sich selbst neu zu erfinden und dabei seiner bewährten Arbeitsweise treu zu bleiben, knüpft der Regisseur an den zurückhaltenden Stil von *Mein blühendes Geheimnis* an, verzichtet darüber hinaus aber auf typische ›Almodóvar-Gesichter‹ wie Rossy de Palma und Marisa Paredes. Allein der Schauplatz ist der gleiche geblieben: Mit seinen Filmen hat Almodóvar eine ebenso liebevolle wie abseitige Chronik des postfrankistischen Madrid geschaffen. Doch in *Live Flesh*, so der deutsche Titel, kehrt Almodóvar den gewohnten Drehorten wie der papageienbunten *Szene*, den Armenvierteln, Nachtclubs und Travestieshows weitgehend den Rücken. Erstmals zeigt er das gehobene bürgerliche Milieu – jedoch auf seine unverwechselbare Weise:

Wir sehen eine dunkelhaarige Frau mit übergroßen goldenen Ohrringen, die ihr fast bis zur Schulter reichen. Sie tritt auf den Balkon, um die Geranien zu gießen. Als die Kamera heranzoomt, ist zu erkennen, dass die Frau – sie heißt übrigens Clara – ein blaues Auge hat: »Die Kinozuschauer lachen, denn der Effekt ist komisch und tragisch zugleich. Das Bild ist ein spanisches Klischee, und das blaue Auge gehört zum Leben dieser Spanierin wie der Balkon mit den Geranien. [...] Ihre großen Ohrringe sind ebenso Teil dieser Folklore wie das Kosmetikköfferchen und die Batterie von Haarspraydosen in ihrem Badezimmer« (Roether 1998: 15). Trotz Folklore und Klischee wird Almodóvar diese Figur in eine wahre Tragödiengestalt verwandeln.

Im Zentrum des Films stehen diesmal keine Homosexuellen, und auch die Frauen, die in *Live Flesh* wieder mit großer Liebenswürdigkeit gezeichnet sind, haben eine andere Funktion: »Meine Frauengestalten waren oft ausgeflippt, aber nie so ergreifend wie in diesem Film« (Strauss 1998: 211). Zum ersten Mal erzählt der Regisseur eine Geschichte konsequent aus der Perspektive heterosexueller Männer, denen dabei auch nicht mehr wie sonst nur die Rolle von *supporting actors* zukommt. »Ich bin wirklich in die Haut dieser Männer geschlüpft, mehr als in die Frauen dieses Mal« (ebd.: 208). *Live Flesh* handelt von zwei Polizisten, die im Gegensatz zu ihren parodistischen Vorgängern in *Kika* oder in *Pepi, Luci, Bom* ausgeprägte Charaktere sind. Der zynische Trinker Sancho schlägt regelmäßig seine Frau Clara – wir kennen sie schon von der Balkonszene – und glaubt hinterher aufrichtig daran, dass es ihm »mehr weh tut als dir«. Sancho hat schon beinahe eine ganze Flasche Whiskey intus, als er mit seinem Kollegen David auf Streife an einem belebten Drogenstrich vorbeikommt, dessen »Abschaum« er im Stil eines *hard boiled cop* verflucht. Insgeheim aber grübelt er darüber nach, wie er sich an seinem Kollegen rächen kann: David geht nämlich mit Sanchos Frau Clara ins Bett, ahnt aber nicht, dass sein eifersüchtiger Kollege Bescheid weiß. So provoziert Sancho bei einem scheinbar alltäglichen Einsatz einen Schusswechsel, wodurch die Schicksale der beiden Ordnungshüter, einer Diplomatentochter, einer ehemaligen Flamencotänzerin und des Hurensohnes Victor sich auf dramatische Weise miteinander verflechten ...

Victor ist die eigentliche Hauptfigur des Films. Um ihn herum hat Almodóvar seine bis dahin komplexeste Geschichte entworfen. Klassisch wie in Laurence Sternes *Tristram Shandy* beginnt die filmische Erzählung mit den grotesken Umständen, unter denen Victor 20 Jahre zuvor zur Welt gekommen ist. Seine Mutter, eine hoch schwangere Hure (Penélope Cruz), stolpert eine Bordelltreppe hinunter, gestützt von der fürsorglich-schlampigen Puffmutter, die dabei die obligate Zigarette im Mundwinkel behält. Victor hat sich einen denkbar ungünstigen Zeitpunkt ausgesucht, denn Madrids

Straßen sind menschenleer: Die Faschisten haben in diesem Januar 1970 eine Ausgangssperre verhängt.

Erstmals in seinem Werk bezieht Almodóvar sich auf die Diktatur Francos – dessen *Name* jedoch auch diesmal nicht genannt wird. Auf Befehl des ›Generalissimo‹ wird der Ausnahmezustand per Radiodurchsage verkündet. Der Radiosprecher ist dabei authentisch: »Was mich ganz besonders überraschte«, so Almodóvar im Interview, »war, dass der Minister, der den Ausnahmezustand verkündet hat, Manuel Fraga Iribarne war, ein Mann, der heute« – also im Oktober 1997, als das Interview geführt wurde – »immer noch Präsident der Autonomen Gemeinschaft Galicien ist und gerade erneut für den Posten kandidiert. Er hat die Volkspartei gegründet, die heute an der Macht ist. Ich war schockiert, dass der Mann, der diese monströse Sache verkündet hat, nicht nur noch am Leben ist, sondern auch immer noch im politischen Leben Spaniens eine Rolle spielt. Es ist seine Stimme, seine fürchterliche Stimme – er spricht sehr schlecht –, die man in dem Film hört, und die Spanier werden auch schockiert sein, alle werden seine Stimme wiedererkennen« (ebd.: 217).

Neben der historisch-politischen Situierung der Geschichte hat der konkrete Bezug zur *Stimme* des Faschisten Iribarne eine dramaturgische Funktion. Schon in *Frauen am Rande des Nervenzusammenbruchs* und *Mein blühendes Geheimnis* war die *Stimme* ein zentrales Motiv. In *Live Flesh* verkündet die blecherne Radiostimme des abwesenden ›Vaters‹ eine allgemeine Ausgangssperre – über die sein metaphorischer Sohn Victor sich jedoch hinwegsetzt, indem er trotzdem ›ausgeht‹ – bzw. *zur Welt kommt*.

Der furiose Filmbeginn zeigt einmal mehr, mit welch unverwüstlicher Improvisationskraft Frauen die von Männern geschaffene Situation trotz widriger Umstände in den Griff bekommen. In einem verzweifelten Akt hält die Puffmutter einen leeren Linienbus an, der auf dem Weg ins Depot ist. Und da der ängstliche Busfahrer, der nur sehr ungern einen Umweg über das Krankenhaus machen will, nicht einmal ein *Messer* bei sich hat (»Mann, was haben Sie denn überhaupt?«), beißt die Puffmutter, als es soweit ist, die Nabelschnur eben mit den Zähnen durch. Erste Frage der jungen Mutter: »Ist auch alles dran?« – »Ja, es ist alles dran.« – Diese humorvolle Frage nach dem Phallus bildet den Ausgangspunkt einer subtil geknüpften Kette von Substitutionen und Verschiebungen, um die herum die Dramaturgie des Films sich strukturiert.

Die Geburtsszene im Bus ist emotional anrührend, weil das

der Geburt eigene Pathos einerseits voll ausgespielt wird: Die Puffmutter hält den neugeborenen Victor hoch, um ihm die Stadt zu zeigen, die vor den Fenstern des Busses wie ein Film vorbeizieht – der Zuschauer sieht den ›Film‹ aus der Sicht des Neugeborenen. In diesem Moment setzt die Filmmusik ein, deren Melodie Almodóvar aus einem typisch neorealistischen Melodram geborgt hat.

Doch dieses Pathos ist von Anfang an durch die skurrile Komik dieser unmöglichen Niederkunft im Linienbus gebrochen. Victor wird buchstäblich zur Unzeit geboren, er wird in eine vaterlose Welt geworfen, und der Name des symbolischen Vaters – Franco – fällt im Film nicht ein Mal. Auch der Busfahrer ohne Messer ist kein Vaterersatz, sondern allenfalls eine Parodie.

In der dazu spiegelsymmetrischen Geburtsszene am Ende des Films sind in Almodóvars Kino erstmals Ansätze einer differenziert gezeichneten Vaterfigur zu sehen. Victor und die hochschwangere Elena fahren mit dem Taxi in die Klinik. Nun sind die Straßen voller Menschen, das Leben pulsiert – und statt einer blechernen Lautsprecherstimme hören wir Victor, den anwesenden Vater, der besänftigend auf seinen ungeborenen Sohn im Mutterleib einredet, er möge sich noch einen Moment gedulden.

Am Ende des Films wird Victors Sohn ohne Franco, dafür aber mit einem besorgten Vater zur Welt kommen – der in seine Rolle allerdings erst hineinwachsen musste, und zwar auf einem nicht unkomplizierten Weg, den Almodóvar auf seine unnachahmliche Weise beschreibt. Dieser Weg beginnt mit der Geburt im Linienbus, die in der Presse als Sensation gefeiert wird. Die Stadtverwaltung lässt es sich nicht nehmen, Mutter und Sohn einen Freifahrtschein auf Lebenszeit zu schenken. In einem typischen Schwarzweißfilm im zeitgenössischen Stil der »NODO« (die gebräuchliche Abkürzung für »Noticiarios y Documentales«, einer spanischen Wochenschau, die zur Zeit Francos in den Kinos vor dem Hauptfilm gezeigt wurde) ist ein Stellvertreter des Bürgermeisters zu sehen. Er soll der tapferen Mutter und ihrem Sohn im Krankenhaus einen Präsentkorb überreichen, tritt dabei aber mit der für Beamte typischen Unkenntnis zunächst an das Bett der falschen Mutter: Victor ist nicht wirklich willkommen auf dieser Welt.

Das hat sich 20 Jahre später im Madrid von 1990 nicht geändert. Ziellos fährt Victor durch die Stadt, allein durch sein Freiticket ist er zum Teil in die symbolische Ordnung integriert. Aber mit dem eigentlichen ›Verkehr‹ hapert es – denn als er sich in die drogensüchtige Elena verliebt und mit ihr das erste Mal Sex hat – was wir nicht sehen, sondern nur aus einem Dialog erfahren –, weiß er offenbar nicht so genau, wie ›es‹ funktioniert: »Du hast ihn nicht reingesteckt, sondern dir nur zwischen meinen Beinen einen runtergeholt«, sagt Elena verächtlich, als Victor sie wiedertrifft. Das Motiv des nicht vollzogenen sexuellen Aktes findet sich bereits in *Matador*, wo der ebenfalls vaterlose Ángel daran scheitert, die Freundin seines perversen Ersatzvaters zu vergewaltigen.

Als Victor eine Woche später Elena besucht, weiß sie nichts mehr von einer Verabredung. Sie lässt ihn überhaupt nur deswegen in ihre Wohnung, weil sie ihn für den dringend erwarteten Dealer hält: »Du bist zufällig immer dort, wo du nicht sein solltest«, wird der Polizist Sancho ihm später sagen, womit er das Prinzip von Victors Existenz auf den Punkt bringt. Der zur Unzeit Geborene hat (noch) keinen *Platz* in dieser Welt. Zu existieren allein genügt nicht: Victor muss sich seinen Platz erst erobern. Im Hinblick auf die beiden Paare des Films – Sancho und Clara sowie David und Elena – kommt Victor in dem modellhaften Minikosmos, den Almodóvar erzählerisch verdichtet, die Funktion eines ›fünften Rads am Wagen‹ zu. Er ist in der Rolle des Störenfrieds – wobei er jedoch keinen Frieden stört, sondern nur eine kaputte Ehe und die Gewohnheiten einer Drogenabhängigen: »Elena ist die Tochter eines verwitweten italienischen Diplomaten, eins dieser ›poor little rich girls‹ mit einer verwöhnten unsesshaften Kindheit« (Almodovar 1998).

Ungestüm wie Ricky in *Fessle mich!* dringt Victor in ihr Leben ein. Eigentlich will er, als er bei ihr klingelt und als vermeintlicher Dealer hereingelassen wird, nur »mit Respekt« behandelt werden, doch Elena hat nicht die geringste Lust auf diesen schrägen Vogel. Sie verschwindet im Nebenzimmer und kehrt mit einem Revolver im Anschlag zurück, über den sie später, nachdem Victor sie überwältigt hat und Anstalten macht, mit der Waffe zu verschwinden, sagt, er möge ihn dalassen, denn: »Der gehört meinem Vater.«

Die Figur des *Vaters* ist, wie sollte es anders sein, real *abwesend*, erfüllt aber – und das ist wichtiger als seine physische Präsenz – die Funktion eines Signifikanten: Anwesend ist der Vater tatsächlich in Form dieses Revolvers, der die ›eigentliche‹ Handlung des Films, nämlich die Verkettung der Schicksale der fünf Hauptfiguren, erst in Gang bringt: Wenn Victor Elena überwältigt und ihr die Waffe entreißt, so übernimmt er dadurch zugleich ein *symbolisches Mandat* – was Almodóvar einmal mehr auf spielerische Weise andeutet. Denn als er ihr den Revolver abnimmt, löst sich nicht nur aus *ihrer* Waffe ein Schuss, sondern gleichzeitig noch ein zweiter, abgefeuert in dem Film *Das verbrecherische Leben des Archibaldo de la Cruz* (Ensayo De Un Crimen, Mexiko 1955), der ›zufällig‹ gerade im Fernsehen läuft. Luis Buñuels Filmgroteske (auf die Almodóvar bereits in *Matador* anspielte) schildert die Geschichte eines verhinderten Serientäters, der ein ums andere Mal daran scheitert, einen Mord zu begehen, weil ihm stets ein anderer oder der Zufall zuvorkommen. Die subtile Parallele zu *Live Flesh* besteht darin, dass »es in dem Bunuel-Film tatsächlich auch um Schuld geht, wo Archibaldo hochmütig sich die Schuld für die Todesfälle gibt, die in Wahrheit zufällig passieren« (Strauss 1998: 214).

Victor (Liberto Rabal) nimmt Elena (Francesca Neri) als Geisel.

Nicht nur im Hinblick auf das Thema der *Schuld*, sondern auch durch die Besetzung ist *Live Flesh* eine Verbeugung Almodóvars vor seinem großen Landsmann und Kollegen: Victors Rolle wird – da Antonio Banderas spätestens seit *Philadelphia* (1993) zum Hollywood-Star avanciert war – gespielt von Liberto Rabal, dem Enkel von Luis Buñuels Lieblingsschauspieler Paco Rabal. Und die Clara-Darstellerin Angela Molina absolvierte in *Dieses obskure Objekt der Begierde* ihren ersten Leinwandauftritt.

Im Gegensatz zu Archibaldo im Buñuel-Film wird es Victor auf überraschende Weise gelingen, eine *Schuld* auf sich zu laden; erst dadurch wird er in ein komplexes Netz aus Verschuldung, Gabentausch und Verschiebungen verstrickt. Denn der ›Zufall‹ will es, dass die Nachbarn – alarmiert von dem Schuss, den sie gleichzeitig real und im Fernsehen hören, während sie *Archibaldo* sehen – ausgerechnet den ausgebrannten Polizisten Sancho und seinen Kollegen David auf den Plan rufen. Der Trinker wittert eine Gelegenheit, den Einsatz in der Wohnung Elenas zu benutzen, um sich an seinem jüngeren Kollegen David dafür zu rächen, dass dieser ihm Hörner aufsetzt. Die beiden Polizisten betreten die Wohnung und stehen mit gezogenen Pistolen Victor gegenüber, der von der Situation überfordert wird und nun, ohne dass er es geplant hätte, Elena als Geisel nimmt.

Die Situation ist verwickelt wie in einem Schachspiel, und um sie zu entwirren, empfiehlt es sich, das laufende Filmbild vermittels der ›Pausentaste‹ vorübergehend einzufrieren: »Die große Schwierigkeit bestand darin, eine Geschichte zu entwickeln, in der jede kleinste Bewegung fünf Figuren zugleich betrifft. Da man natürlich dieselbe Information nicht fünf Mal wiederholen kann, musste ich es durch eine Erzählstruktur voller Ellipsen bewerkstelligen, gewissermaßen innerhalb der Szenen selbst, was sehr kompliziert war« (ebd.: 203). Diese elliptische Struktur wird man in Ruth Rendells Krimivorlage *Live Flesh* (dt.: *In blinder Panik*), die Almodóvar zu seinem Film inspirierte, vergeblich suchen. Erstmals in seinem filmischen Schaffen greift Almodóvar auf eine Buchvorlage zurück – doch *Live Flesh*, der Film, ist keine Literaturverfilmung im üblichen Sinne. Das zeigt bereits ein kurzer Blick auf den Roman. Rendell beschreibt im ersten Kapitel, wie zwei englische Bobbys gerufen werden, um einen Mann zu überwältigen, der eine junge Frau als Geisel genommen hat. Mit der Begründung, die Waffe des Geiselnehmers sei wahrscheinlich nur eine Attrappe, muss der jüngere Polizist auf Befehl seines Vorgesetzten in das Haus gehen – wo er vom Geiselnehmer zum Krüppel geschossen wird. Ende des Kapitels.

»Als Leser habe ich das erste Kapitel von *Live Flesh* sehr bewundert. Als ich diese Geschichte aber in Bilder übersetzen wollte, habe ich mir gesagt: mein Gott, was für ein Schweizerkäse!« (ebd.: 207). Bei seiner ›Übersetzung‹ des Romankapitels in Filmbilder hat Almodóvar sich mehr für die Löcher als für den Käse interessiert. Seine Version der Geschichte entspricht weniger einer Romanadaption als vielmehr einer filmischen ›Deutung‹ jener Rätsel, die Almodóvar durch die Lektüre des ersten Kapitels aufgegeben wurden: »Warum schickt der Polizist seinen Untergebenen vor, sich töten zu lassen? Ruth Rendell sagt nichts über seine Motive; sie interessieren sie nicht« (ebd.: 205). Auch die Idee, dass der jüngere Polizist ein Verhältnis mit der Frau seines Vorgesetzten hat, ist eine ›Geschichte hinter der Geschichte‹, die Almodóvar frei erfunden hat. Doch die

Technik dieser ›Erfindung‹ ähnelt nicht wenig der psychoanalytischen Deutung, die ebenso eine ›Geschichte‹ erschließt, deren Gewebe aus Löchern, Auslassungen, Fehlleistungen und Symptomen gesponnen ist.

In diesem Sinne füllt auch Almodóvars ›Erklärung‹, dass der Geiselnehmer das Mädchen schon kannte, eine weitere Leerstelle der Buchvorlage: »Im Roman taucht sie nie wieder auf; dass sie in diesem ersten Kapitel einen entscheidenden Platz hat, machte sie für mich aber zu einer wichtigen Figur in dem Ganzen« (ebd.). Almodóvar begnügt sich nicht mit der Rolle des passiven Lesers, der die Ungereimtheiten einer Geschichte einfach hinnimmt. Seine Art der ›Intervention‹ erinnert an die Technik der Traumdeutung, die

David (Javier Bardem) und Sancho (José Sancho) im Einsatz

von der Gewissheit ausgeht, dass die einzelnen Elemente wie in einem Rebus jeweils ›überdeterminiert‹ sind und jeder Erzählfaden, der auf der manifesten Ebene scheinbar abreißt, auf der latenten Ebene weiterläuft. So nimmt Almodóvar den Erzählfaden des Mädchens wieder auf. Doch indem er ihre Geschichte ›erschließt‹, steigt er – anders als eine tatsächliche Traumdeutung – aus Rendells Roman aus, der in seinem Film nur noch wie eine ferne Erinnerung nachhallt. Almodóvars Grundidee wird man in Rendells Roman vergeblich suchen: »Wenn dieses Mädchen sich in die Tragödie versetzt sieht und realisiert, dass sie unwillentlich auf einen Schlag das

Leben zweier Männer ruiniert hat, das dieses armen Jungen, der im Gefängnis endet, und das des Polizisten, der sein Leben im Rollstuhl beschließt, bereitet ihr das ein Gefühl der Schuld, von dem sie weiß, dass sie ihm nur entrinnen kann, wenn sie einen der beiden Männer heiratet« (ebd.). Im Gegensatz zum Roman spinnt Almodóvar die Geschichte dieser jungen Frau also aus: sie wird den Polizisten heiraten, nachdem er zum Krüppel geschossen worden ist. Im Roman wird er von Victor angeschossen, doch Almodóvars filmische ›Adaption‹ dieser Szene wird darauf hinauslaufen, dass Victor nur *scheinbar* der Schütze ist.

Wenn wir den Film jetzt mit normaler Geschwindigkeit weiterlaufen lassen, sehen wir die beiden Polizisten Sancho und David. Sie stehen mit gezogenen Waffen Victor gegenüber, der Elena als Geisel genommen hat und sie ebenfalls mit einer Waffe bedroht. Um seine Rache an David unbemerkt auszuüben, muss Sancho die Situation forcieren. Also verhält der betrunkene Polizist sich so, als wolle er Victor »die Eier wegschießen«, und wird von seinem jüngeren Kollegen David entwaffnet. David scheint die Situation zu meistern, er bringt Victor dazu, seine Geisel loszulassen. Von Elenas *liebendem Blick* abgelenkt, verliert David die Kontrolle über den Kollegen: »In Spanien nennt man das ›den Kopf des Stieres verlieren‹. Der Torero darf nie den Stier aus den Augen verlieren; selbst wenn er ins Publikum schaut, muss er das Tier im Auge behalten. Diese Szene des Films spricht die Sprache der Tauromachie« (ebd.: 206).

Sancho nutzt die Unaufmerksamkeit seines Kollegen und stürzt sich blitzschnell auf Victor. In dem Handgemenge wird nicht deutlich, dass es nicht Victor ist, der den Schuss auf David abfeuert, sondern Sancho: Er hat Victor zu Boden gerissen und umgreift dessen Finger, die um den Abzug der Waffe gelegt sind. Sancho benutzt Victor als Schützen – und zwar in einem Moment, in dem David symbolisch mit einer Frau, Elena, liiert ist. Um die hohe Verdichtung der Ereignisse zu symbolisieren, verwendet Almodóvar bei der nachfolgenden Schießerei eine an Sam Peckinpah oder Brian de Palma erinnernde Zeitlupe.

Almodóvar inszeniert hier einmal mehr ein komplexes Spiel von symbolischen Substitutionen. In dem Moment, als David seine große Liebe Elena findet, schießt Sancho den Kollegen zum Krüppel, ›kastriert‹ ihn förmlich: Elena wird David trotzdem lieben, jedoch nur aus dem *Schuldgefühl* heraus, dass er ihretwegen zum Krüppel wurde. Denn Elena und David glauben zunächst beide, dass Victor der Schütze ist. Dieser ›Irrtum‹ wird erst viel später aufgeklärt: Sancho hat nicht mit seinem eigenen, sondern mit Victors

Revolver geschossen – von dem wir wiederum wissen, dass es der ›väterliche‹ Revolver Elenas ist. So wird der *unschuldige* Victor (er hat nicht einmal ›richtig‹ mit einer Frau geschlafen) ›schuldig‹ gesprochen und zu sechs Jahren Gefängnis verurteilt.

Ohne diese brachiale Einrückung in die symbolische Ordnung hätte er jedoch nicht den Hauch einer Chance, später Elenas Liebe zu gewinnen. Der Revolver spielt hier wiederum eine Schlüsselrolle: Durch Sanchos ›Gabe‹ wird Victor symbolischer Besitzer der Waffe. Erst in dieser Position wird er Elena die empfangene Gabe symbolisch weitergeben können – und zwar in Form jenes Kindes, das sie zu Beginn – wie jede ›ödipale Tochter‹ – von ihrem Vater wollte: Schließlich ist sie es, die den *väterlichen Revolver* zu Anfang der komplexen Situation ins Spiel der Substitutionen brachte.

Im Gefängnis durchlebt Victor alles andere als jene durch den Knastfilm bekannte ›Verrohung‹. Das Gefängnis macht tatsächlich einen ›besseren Menschen‹ aus ihm: Das ist natürlich ein Märchen – aber eines von Pedro Almodóvar. Während sein Zellen-Mitinsasse die Zeit mit Masturbieren verbringt, übt Victor ›Triebverzicht‹ ein: Er liest in der Bibel und absolviert ein Fernstudium in Pädagogik. Eigentlich ist Victor der Protagonist einer typischen Rachephantasie. Denn nach seiner Entlassung aus dem Gefängnis wird er das Leben der beiden Polizisten, die ihn unschuldig hinter Gitter brachten, gehörig durcheinanderwirbeln. Und er wird die Frau bekommen, die er von Anfang an haben wollte. Vergleicht man seine Figur jedoch mit einem typischen Racheengel wie Max Cady (Robert Mitchum) in *Cape Fear* (*Ein Köder für die Bestie*, USA 1962), der nach seiner Haftentlassung den Anwalt terrorisiert, dessen Zeugenaussage ihn hinter Gitter brachte, so besteht Victors unfreiwillige Strategie umgekehrt darin, auf Rache zu verzichten. Gerade das aber macht ihn umso gefährlicher. Denn als er sechs Jahre später, wir schreiben nun das Jahr 1996, nach seiner Haftentlassung auf dem Friedhof das Grab seiner Mutter besucht, trägt Elena just an diesem Tag auch ihren Vater zu Grabe.

Über den gestalterischen Aufwand dieser möglichst ›unauffällig‹ wirkenden Zufälligkeit erklärt Almodóvar seinem Interviewer: »Sie können sich nicht vorstellen, wie lange es gedauert hat, bis ich auf die Idee gekommen bin, sie alle auf dem Friedhof zusammenzubringen!« (Strauss 1998: 203). Realistisch betrachtet ist dieses Zusammentreffen so unwahrscheinlich wie die Begegnung zweier Päpste. Doch hinter der rein formalen Notwendigkeit, die Fäden der Geschichte wieder zusammenzuführen, steckt inhaltlich die Struktur des psychoanalytischen *Symptoms*. Denn Victor taucht wiederum zur ›falschen‹ Zeit am ›falschen‹ Ort auf. Genauer: Er drängt sich förmlich auf, ohne sich wirklich aufzudrängen. Bereits die Nennung seines Namens stiftet Unruhe. Als Elena kurz nach der Beerdigung mit David in der Badewanne die einzige Form von Sex praktiziert, die ihm als Querschnittgelähmtem möglich ist – nämlich Oralverkehr –, lässt Elena, die nicht ganz bei der Sache zu sein scheint, beiläufig fallen, dass sie Victor auf dem Friedhof gesehen hat. Augenblicklich vergeht David die Lust, denn Victor ist, so glaubt er, schuld an seiner Kastration. In einem früheren Drehbuchentwurf hatte Almodóvar diesen Gedanken noch stärker betont. Victor und David, der in Rendells Roman Fleetwood heißt, befinden sich in einer Umkleidekabine: »Victor zieht sich aus, und zum ersten Mal sieht Fleetwood sein Geschlecht. Er ist beeindruckt von dessen Format, vor allem aber, weil es ihn an seinen Verlust erinnert, und der Anblick bereitet ihm großen Schmerz« (ebd.: 179). Davids Figur ist eine Variation des impotenten Polizisten Polo in *Womit hab' ich das verdient?*

Die ›zufällige‹ Wiederbegegnung auf dem Friedhof knüpft aber noch in einer weiteren Hinsicht an die frühere Begegnung an, die zur Schießerei in Elenas Wohnung geführt hatte. Denn in beiden Fällen ist der Signifikant des *Vaters* maßgeblich. Zunächst war es nur sein Revolver, nun ist es buchstäblich sein *Name* auf dem Grabstein, der eine Schlüsselfunktion für den Fortgang der Handlung erfüllt. Victors einzige Möglichkeit, sich Elena ganz ›offiziell‹ zu nähern, besteht darin, sich unauffällig in die Schlange der Kondolierenden einzureihen. Ohne den toten ›Vater‹ wäre dies nicht möglich gewesen. In dieser überdeterminierten Situation benutzt Victor den Signifikanten des Vaters wie eine Art Schutzschild. Es zeichnet sich aber auch ab, dass Victor den Vater ›ersetzen‹ wird – dessen Platz der durch den Schuss verkrüppelte David für ihn gewissermaßen übergangsweise freigehalten hat.

Aber Victor ist noch nicht so weit, er bedarf noch einer weiteren ›Station der Reifung.‹ Der ›Zufall‹ will es, dass er auf dem Friedhof auch Sanchos Frau begegnet – jener Clara mit dem blauen Auge und den auffälligen Ohrringen. Sie kommt zu spät, weil sie – wie Kika und Leo – die ›Orientierung‹ verloren hat und »schon eine halbe Stunde auf dem Friedhof herumirrt wie ein Zombie.« Hinter diesem subtilen Witz steckt die bittere Wahrheit, dass Clara sechs lange Jahre nachdem wir sie auf dem Balkon beim Gießen der Geranien gesehen haben, noch immer in der ›untoten‹ Beziehung mit Sancho feststeckt, der sie nach wie vor schlägt. Die traumgleiche Zwanglosigkeit, mit der Victor und Clara sich nun anfreunden, hat psychologische Tiefenschärfe und ist zugleich von einer nahezu magischen Märchenhaftigkeit. Er führt sie in das Haus, das er von seiner Mutter geerbt hat: eine halb verfallene Baracke im Madrider Arbeiterviertel Tetuán: »Das sieht ja aus wie in Beirut«, sagt Clara, als sie Haus und Umgebung zum ersten Mal sieht. Aber sie bleibt. Victor will der »beste Liebhaber der Welt werden«, und so wird Clara seine Geliebte und ›Erotiklehrerin‹. In ihrer ersten Lektion erklärt sie dem ungeschickten Liebhaber: »Du bist mit mir umgegangen wie ein Hahn mit einer Henne. Erst mal stürz dich nicht gleich so schnell auf die Muschi. Nicht beim Vernaschen und nicht beim Reinstecken. Zuerst bereitest du sie darauf vor. Und sie wird dir schon sagen, wenn sie so weit ist.« – »Aber wie sagt sie es mir?« – »Sie wird es dir sagen, das merkst du schon. Damit hast du die erste Lektion gelernt. Zur Liebe gehören immer zwei.«

Mit der Akzeptanz, dass der andere tatsächlich *präsent* ist, ist nicht nur die Überwindung jenes Narzissmus impliziert, in dem der Regisseur Pablo Quintero in das *Gesetz der Begierde* gefangen ist.

So ist auch das Attribut »bester Liebhaber der Welt«, mit dem Victor sich am Ende erfolgreich ausgestattet haben wird, von vollendeter Zweideutigkeit. Denn als Victor endlich in die Situation kommt, seinen ›erotischen Racheplan‹ zu verwirklichen, ist er längst in der Lage, genau auf das zu verzichten, was er mit seinem Plan anstrebt. Als Pädagoge hat Victor über Elenas Kopf hinweg eine Stelle in jenem Kindergarten ergattert, den sie mit dem geerbten Geld ihres Vaters finanziert – um ihre Schuldgefühle zu kompensieren und weil sie mit dem verkrüppelten David keine Kinder bekommen wird. Eines Abends gesteht Victor ihr seine Pläne: »Ich gebe zu, bis vor kurzem habe ich nur daran gedacht, wie ich mich an euch beiden [Elena und David] rächen kann. Ich hatte sogar einen Plan. Einen ziemlich lächerlichen. Es war das Schlimmste in dieser Nacht« – gemeint ist jene Nacht kurz vor dem Auftauchen der beiden Polizisten – »dass du zu mir blutiger Anfänger gesagt hat. Und dass ich vom Vögeln keinen blassen Schimmer habe. Ich hab' mir geschworen, ich zwinge dich, das zurückzunehmen. […] Also habe ich beschlossen, wenn ich draußen bin aus dem Knast, dann mache ich aus mir den besten Liebhaber der Welt. Mein Plan war so: Ich wollte eine ganze Nacht mit dir verbringen. Und in dieser Nacht die ganze Zeit vögeln mit dir, so lange, bis du auseinander fällst. Ich wollte dir mehr Lust bereiten, als du dir je im Leben erträumt hast. Du wärst dann natürlich süchtig geworden nach mir. Aber ich hätte dich verlassen – und wäre nie mehr zu dir zurückgekehrt. Auch wenn du vor mir auf den Knien gelegen hättest. Das war meine Rache, das war mein Plan.«

Mit dem Ausspruch »blutiger Anfänger« fügt Elena Victor zunächst eine narzisstische Kränkung zu, deren Reflex eine typische Größenphantasie ist. Der gekränkte Victor stellt sich vor, Elena »mehr Lust [zu] bereiten, als du dir je im Leben erträumt hast« – doch dabei handelt es sich zunächst phantasmatisch nur um *sein eigenes Lusterleben*, das er mittels Elena als ›Objekt‹ auf sich zurückprojiziert sehen will. Erst durch Claras ›Schulung‹ wird Victor verstehen, was die Lust des anderen tatsächlich bedeutet. Ihre ›Lektion‹ impliziert die kulturelle Leistung des männlichen Triebverzichtes im Hinblick auf die Frage ›Was will ein Weib?‹ Was Clara ihrem Liebesschüler implizit beibringt, ist, zuende gedacht, nichts anderes als eine *symbolische* Kastration – im Gegensatz zu Davids realer Kastration. Victor wird erst dann »der beste Liebhaber der Welt sein«, wenn seine eigene Lust gegenüber dem weiblichen Genießen in gewissem Sinne zweitrangig geworden ist.

In dem Maße, wie Victor durch diese ›Techniken‹ in die symbolische Ordnung integriert wird, wird er mit Elena zusammenkommen und dadurch eine Reihe von Verschiebungen und Platzverweisen auslösen: Er wird Clara verlassen und David verdrängen. Beide werden dadurch zu tragischen Figuren, Clara noch mehr als David, denn sie hat sich in Victor verliebt. Die Szene, in der Victor ihr auf ziemlich herzlose Weise erklärt, dass ihr Job als ›Erotiklehrerin‹ nun beendet sei, zählt zu den ergreifendsten im Film. Sie will gerade für ihn kochen, als Victor ihr ziemlich rüde klar macht, dass er keine ›Mutter‹ mehr braucht. Clara ist verzweifelt und vergisst die Pfanne auf dem Herd. Eine Stichflamme lodert auf, in der Clara ›innerlich verbrennt‹.

Ohne die nuanciert gezeichnete Figur der Clara und ihre Schlüsselfunktion für den Plot wäre dies reiner Kitsch. Über Clara merkt Almodóvar an: »Die Figur der Clara bewegt mich sehr, Angela Molina selbst erschüttert mich, ihr ist von Anfang an klar, dass ihr Abenteuer mit Victor sie teuer zu stehen kommen wird. Die Figur, die Antonio Banderas spielt in *Das Gesetz der Begierde*, empfindet dasselbe, aber ihn erfüllt Freude, und selbst wenn er seinem Geliebten sagt, dass er sterben wird, ist er ganz heiter. Clara hat dieses glückliche Fieber nicht, sie ist eher eine Tragödiengestalt« (ebd.: 210) Eine Tragödiengestalt ist sie, weil sie sich selbst *opfern* wird.

David dagegen zeigt weniger Größe. Als Victor ihm im Zuge einer Art szenischer Wiederholung demonstriert, dass nicht er, sondern sein ›Freund‹ Sancho ihn vor sechs Jahren zum Krüppel geschossen hat, kann er nicht verwinden, dass Victor in gewissem Sinne ein ›Recht‹ auf Elena hat. Er versucht den Spieß umzudrehen und nun Sancho für seine Rachepläne einzuspannen, indem er ihn wissen lässt, dass Clara und Victor ein Verhältnis haben.

Clara (Ángela Molina)

In der Folge stehen Clara – die Victor zu schützen versucht – und Sancho einander zum tödlichen *shootout* gegenüber. Dabei wird Sancho nur angeschossen. Er kriecht auf sie zu, um sich mit der in ihrer Hand liegenden Waffe zu erschießen. Die besitzergreifende Liebe Sanchos gipfelt darin, dass er sie dazu benutzt, um sich selbst endgültig zu ›kastrieren‹. Durch diese Subtilität deutet Almodóvar an, dass wir hier weder einen ›Rosenkrieg‹ noch einen Liebestod sehen. Sancho bleibt sich insofern treu, als er erst durch diesen ›geborgten Tod‹ zu jener ›kastrierten Existenz‹ gelangt, die Victor symbolisch durch eine Kaskade von Triebverzichten realisiert. Denn nur durch ihren Tod, so sagt Sancho anfangs, »kannst du verhindern, dass eine Frau dich betrügt.«

Für Clara wiederum ist der Tod ein Opfergang. Sie rettet, indem sie ihn zunächst als ›Erotiklehrerin‹ unterweist, Victors Liebe und, als Sancho ihn töten will, auch sein Leben, indem sie sich an Victors Stelle mit ihrem schießwütigen Gatten duelliert. Ohne die symbolische Schuld, die Victor und Elena durch dieses Opfer aufgeladen bekommen und gemeinsam abtragen müssen, bliebe ihre Liebe pathetisch und klischeehaft wie in einer Telenovela.

Aber damit nicht genug, zählt Almodóvar nicht nur bis vier, sondern bis fünf: Der fünfte ist nun David, der sich am Ende, als er sich mit einer Postkarte aus Miami meldet, um sich bei Elena für alles zu entschuldigen, in der Position des ›fünften Rades‹, des *odd element* befindet. Ende der Geschichte.

Auf der Suche nach dem Vater. Todo sobre mi madre (Alles über meine Mutter, 1999)

»Ich bin älter geworden, das konnte ich leider nicht verhindern.«
Pedro Almodóvar

Todo sobre mi madre wurde 2000 mit dem Oscar für den »besten ausländischen Film« prämiert – jene Auszeichnung, die Almodóvar gut zehn Jahre zuvor mit *Frauen am Rande des Nervenzusammenbruchs* knapp verpasst hatte. Mit dem renommiertesten Filmpreis der Welt hat der europäische Autorenfilmer den Spagat zwischen exotischem Arthouse-Kino und kommerzieller Anerkennung seitens der Filmbranche geschafft. Diese Synthese spiegelt sich auch in seinem Film, einer französisch-spanischen Koproduktion, die in ihrer Gefühlslage absolut spanisch ist, aber dennoch in ganz Europa gleich gut lief. *Alles über meine Mutter* ist ein Beispiel für kreatives Autorenkino, das auch im Rahmen ästhetischer und inhaltlicher Hollywood-Normen seinen Platz findet. Zwar treten in diesem »Screwball Drama« (Almodóvar) wieder typische Außenseiter wie Schwule, Transen, Prostituierte und Aidskranke auf – also ein Personal, das in einem Hollywood-Film in dieser Konzentration garantiert nie zu sehen ist. Doch das Defilee der Exoten und Paradiesvögel ist diesmal geschickt eingewoben in die wahrhaft ›herzzerreißende‹ Geschichte einer allein erziehenden Krankenschwester, die durch den Unfalltod ihres 17-jährigen Sohnes den wohl größten Schmerz durchlebt, der einer Mutter widerfahren kann.

Nach *Live Flesh*, einem Ausflug in den Film Noir, erzählt *Alles über meine Mutter* erneut eine – wenigstens dem ersten Anschein nach – heterosexuelle Familiengeschichte. Und nach *Womit hab' ich das verdient?* (1984) widmet Almodóvar sich seit langem wieder einer Mutter-Sohn-Beziehung. Die ausgebeutete Hausfrau Gloria

Manuela (Cecilia Roth) und ihr Sohn, ›Esteban 2‹ (Eloy Azorin)

(Carmen Maura) hatte seinerzeit ihren jüngsten Spross Miguel an einen pädophilen Zahnarzt verkauft – um sich für das Geld den ersehnten *Lockenstab* leisten zu können. Manuelas Sohn Esteban wird es im Grunde nicht anders ergehen, auch er fungiert als Objekt in einem symbolischen Tauschgeschäft. Dennoch ist die Beziehung zwischen Mutter und Sohn nun sehr viel enger. Die beiden teilen nicht nur die Liebe zum Theater und zur Literatur. »Der junge Mann Esteban und seine Mutter Manuela bilden eine Einheit, die niemand trennen kann, nicht einmal die Kamera. Bis auf wenige Sekunden sehen wir sie immer zusammen im Bild, die Einstellungen sind meist so komponiert, dass man zwischen den beiden eine Symmetrieachse ziehen könnte. Der eine, so scheint es, kann ohne den anderen nicht sein. Esteban ist das Einzige, was Manuela in einem Leben voller Enttäuschungen geblieben ist« (Beier 1999: 49). Christoph Haas schlussfolgert daraus: »Die Beziehung zwischen Mutter und Sohn ist ebenso eng wie untypisch« (Haas 2001: 150).

Wie typisch diese symbiotische Mutter-Sohn-Beziehung tatsächlich ist, zeichnet sich ab, wenn man sie als Effekt jener auffälligen väterlichen *Abwesenheit* betrachtet, die eine Art leeres Zentrum bildet, um das herum Almodóvar seine wie üblich sehr verschlungene Geschichte aufgebaut hat. Manuela hat nicht nur dem Vater nichts von seinem inzwischen 17-jährigen Sohn erzählt, sie hat auch Esteban in den Glauben versetzt, sein Erzeuger sei schon lange verstorben. Alle weiteren Informationen hat sie ihrem Sohn vorenthalten – doch Esteban ahnt zumindest, dass die Mutter ihn belügt. Am Ende des Films wird der Vater im Tagebuch seines toten Sohnes folgende Zeilen lesen: »Gestern Abend hat Mama mir ein Foto von sich gezeigt. Eine Hälfte war nicht mehr dran. Ich wollte es ihr nicht sagen, aber meinem Leben fehlt genau diese Hälfte auch. Heute Morgen habe ich in ihren Schubladen gewühlt und dabei ein paar Fotos gefunden. Eine Hälfte fehlte immer bei allen. Mein Vater, nehme ich an. Ich will ihn kennen lernen.«

Die Sehnsucht nach dem Vater, von Almodóvar erstmals so nachdrücklich thematisiert, ist begründet. Eröffnet doch allein die väterliche Instanz die Möglichkeit, das inzestuös gefärbte Band zwischen Mutter und Sohn zu zerschneiden. Mit Händen zu greifen ist dieses Band in jener charakteristischen Szene, in der Mutter und Sohn gemeinsam vor dem Fernseher sitzen und Manuela die Rolle der Mutter eigentlich nur *spielt*. Denn ihre Begründung, warum der Sohn das Essen, das sie für ihn zubereitet hat, annehmen soll, ist ziemlich ungewöhnlich: »Iss lieber was. Du musst ein paar Kilo zulegen, damit du auf den Strich gehen kannst, falls du mich irgendwann mal ernähren musst.«

Almodóvar legt seinen Figuren hier keine ›naturalistischen‹ Dialogsätze in den Mund; er lässt, durch den Witz verfremdet, das Unbewusste von Mutter und Sohn miteinander kommunizieren. Der Sohn ›versteht‹ sofort, dass die *Kilos* nur eine Freudsche »Verschiebung« darstellen, und gibt der Mutter ihre eigene Botschaft postwendend in inverser Form zurück: »Du brauchst keine *Kilos* für den Strich, musst nur 'n großen *Schwanz* haben.«

Dass Esteban sich, um die Mutter zu ernähren, prostituieren soll, lässt seine Rolle als Sohn changieren. Die Ernährerfunktion, die sie ihm dabei zuschreibt, ist inzestuös konnotiert. Esteban wähnt sich als ›ihr Mann‹. Entsprechend altklug sinniert der Junge über sich in seinem Tagebuch: »Morgen werde ich 17. Aber ich sehe älter aus. Jungs, die wie ich alleine mit ihrer Mutter leben, haben ein besonderes Gesicht, sind ernster als gewöhnlich. Wie Intellektuelle oder Schriftsteller. Bei mir trifft das doppelt zu, denn ich bin ja auch Schriftsteller.«

Objekt seiner schriftstellerischen Neugier ist, wie sollte es anders sein, seine Mutter, über die er eine Kurzgeschichte schreiben will. Schreibend hofft Esteban das Rätsel seiner Mutter zu ergründen. Dieses Rätsel kreist um das mütterliche Begehren. Deshalb wünscht er sich zum 17. Geburtstag, dass er seiner Mutter bei der Arbeit zusehen darf. Was dieser eigentlich nicht behagt, denn sie befürchtet, er könnte dabei etwas ganz Bestimmtes *sehen*. Wie schon die Krankenschwester in der Eröffnungsszene von *Mein blühendes Geheimnis* leitet Manuela nämlich ein Schulungsprogramm für Ärzte, denen sie vor laufender Videokamera sehr überzeugend eine Mutter *vorspielt*, die nicht verstehen will, dass ein naher Angehöriger hirntot ist. Manuelas Geschichte in *Alles über meine Mutter* ist eine Art Spin-off jener kurzen Episode über die Krankenschwester, die zu Beginn von *Mein blühendes Geheimnis* in einer nahezu identischen Spielszene zu sehen war, im weiteren Verlauf des Films gedoch nicht mehr auftaucht. Seinerzeit spielte die Mutter den Verlust eines Sohnes – von dem auch die Geschichte in *Alles über meine Mutter* handelt, während Manuela in der fiktiven Spielszene über den Hirntod ihres Ehemannes informiert werden soll. Die beiden Filme haben ihre Motive also kreuzweise vertauscht.

Außerdem gibt es zwischen den beiden Szenen in *Mein blühendes Geheimnis* und *Alles über meine Mutter* noch eine weitere signifikante Verschiebung. Während der Zuschauer im ersten Fall über den fiktiven Charakter der Darstellung zunächst im Unklaren ist, weiß er hier von Anfang an, dass Manuela die vom Schicksalsschlag getroffene Mutter nur *spielt*. Dieses Motiv verleiht der Figur einen ganz neuen Charakterzug. Im Gegensatz zu Leocadia in *Mein blühendes Geheimnis*, die mit ihrem Verlust geradezu *verschmolzen* ist, kann Manuela den Schmerz des Verlustes sehr präzise *darstellen*; sie hat eine repräsentative Distanz zu ihrer ›Rolle‹. Wenn sie wenig später von denselben beiden überfordert wirkenden Ärzten mitgeteilt bekommt, dass Estéban tatsächlich hirntot ist, kommt der Verdacht auf, dass der Verlust des Sohnes für Manuela eine paradoxe ›Wunscherfüllung‹ darstellt.

Dieser Wunsch ist zweideutig. Einerseits kann Manuela ihren Sohn ohne das Einschreiten einer väterlichen Instanz nicht ›loslassen‹ – es sei denn durch den Tod: Sie ist mit Esteban so sehr verschmolzen, dass sie ihn erst ›verlieren‹ muss, um ihn als eigenständiges Wesen endgültig zur Welt kommen zu lassen. Andererseits gibt es eine Ebene, auf der Manuela zu ›verstehen‹ scheint, dass sie am Tod ihres Sohnes nicht ganz unschuldig ist. Das ist die gleiche Ebene, auf der sie den Schmerz der Mutter schauspielerisch darstellen kann.

Esteban wiederum scheint unbewusst zu verstehen, dass er, um das Begehren seiner Mutter in andere Bahnen zu lenken, sich selbst gewissermaßen ›ausstreichen‹ muss. Wenn er Manuela bei der gestellten Szene gebannt zuschaut, so befindet er sich in einer logisch unmöglichen Position jenseits des Lebens, von wo aus er das

Begehren der Mutter beobachtet, die in gewissem Sinne schon über *seinen* Tod trauert.

Nicht zufällig steht auch Estebans Tod, der kurz darauf erfolgt, im Zeichen des väterlichen Signifikanten. Als Esteban mit seiner Mutter am Abend seines 17. Geburtstages ins Theater geht und sie bei Tennessee Williams' *Endstation Sehnsucht* weinen sieht, fragt er nach ihrem *Begehren* – und erfährt zum ersten Mal etwas über seinen *Vater*: Manuela wollte früher auch zur Bühne, sie hatte in einer Amateurtheatergruppe die Stella gespielt – und sein Vater den Kowalski (zwei der drei Hauptfiguren in *Endstation Sehnsucht*). Esteban findet also heraus, dass er schauspielernde Eltern hat.

Manuela (Cecilia Roth) vor dem Theater

Auf seinen Geburtstagswunsch hin verspricht Manuela, ihm endlich alles über seinen *Vater* zu erzählen. Doch dazu kommt es nicht mehr. Das bloße *Versprechen* des väterlichen Signifikanten bewirkt in dieser inzestuös gefärbten Beziehung, dass das Band zwischen Mutter und Sohn reißen wird. Auf welch dramatische Art dieses Band durchtrennt wird, sieht Manuela förmlich voraus: Als Esteban kurz vor dem Theaterbesuch geistesabwesend (»Ich hatte einen Gedanken«) eine stark befahrene Straße überquert, wird er beinahe von einem Auto erfasst. Das überspielte Zusammenzucken und der typische Blick des Entsetzens, mit dem Manuela zusieht, deuten an, dass sie hier gleichsam einen ›inneren Film‹ sieht, eine Art Vorausschau auf den kommenden Unfall.

Esteban wird von einem Auto überfahren, als er jenem Taxi nachläuft, in dem die berühmte Bühnenschauspielerin Huma Rojo (Marisa Paredes) sitzt. In der von Mutter und Sohn besuchten Aufführung von *Endstation Sehnsucht* spielt sie die ›verrückte‹ Blanche Dubois – also jene idealtypische ›Frau am Rande des Nervenzusammenbruchs‹, die in die quälend symbiotische Beziehung zwischen Stella und Kowalski einbricht, um am Ende in die Irrenanstalt eingewiesen zu werden. Wenn Esteban im strömenden Regen ausgerechnet ihrem Taxi nachläuft, so ist seine Hoffnung, von ihr ein *Autogramm* zu bekommen, von dem Wunsch nach dem väterlichen Signifikanten beseelt, der in der Mutter-Sohn-Beziehung trennend wirkt.

In diesem Moment begeht Esteban das, was die strukturale Psychoanalyse als ›Akt‹ bezeichnet, eine symbolisch determinierte Handlung, die eine Zäsur und einen Neubeginn impliziert. Nicht zufällig ist zu sehen, wie der Junge sich *zum ersten Mal* von seiner Mutter förmlich losreißt, seine Handlung ist spontan, überstürzt. Die Schauspielerin Huma Rojo ist für ihn mit dem Prinzip dieser Trennung assoziiert. Allerdings hat Esteban kurz zuvor, als seine Mutter ›schauspielerte‹, erlebt, was ›Trennung‹ für sie bedeutet: seinen Tod.

Als Esteban sterbend auf der Straße liegt, filmt die Kamera die heraneilende Manuela aus der Sicht des *toten Sohnes*, der nun an dem logischen Ort angekommen ist, an dem er zuvor, als er seine Mutter in der Spielszene beobachtet hatte, nur ›virtuell‹ gewesen war. Der gesamte weitere Film betrachtet ›meine Mutter‹ aus der Position des toten Sohnes, dessen Tagebuch von Anfang an nichts anderes war als ein Testament.

Im Vergleich zu den üblichen Darstellungsformen einer inzestuösen Beziehung zwischen Mutter und Sohn – etwa Peter Duncans *Passion* (1999), Louis Malles *Herzflimmern* (1971) oder Rolf de Heers *Bad Boy Bubby* (1993) – nimmt Almodóvar dieses Motiv stark zurück. Sehr viel lebhafter ist in *Alles über meine Mutter* dagegen die Anmutung einer Telenovela, in der das Schicksal klischeehaft zuschlägt: Der Film beginnt im Krankenhaus, zu sehen sind die typischen Bilder von Infusionsschläuchen, zu hören die Herztöne aus dem Elektrokardiogramm, Schwestern im weißen Kittel führen wichtige Telefonate, Ärzte tragen eine Kühlbox mit einem Spenderherz zu einem Hubschrauber, der lärmend abhebt: Manuela ist nicht nur einfache Krankenschwester, sie arbeitet auch als Transplantations-Koordinatorin bei der landesweiten Vermittlung verfügbarer Spenderorgane mit. So kommt die Trauernde obendrein in die schwierige Situation, ausgerechnet das Herz ihres hirntoten Sohnes zur Organspende freigeben zu sollen. Verbotenerweise verschafft sie sich hinterher aus der Kartei Name und Adresse des Patienten, in dessen Brust Estebans Herz – also ein ›Stück‹ ihrer selbst – weiterschlägt.

In dieser turbulenten Geschichte »verzahnt der Zufall mit der Präzision eines Uhrwerks Begegnungen und Absichten« (Glombitza 1999: 14) – weil es nämlich im Unbewussten und bei Almodóvar keinen Zufall gibt. Deshalb ist diese Episode um den Patienten – der in der weiteren Geschichte nicht mehr auftaucht – nur scheinbar eine erzählerische Sackgasse. Entgegen dem melodramatischen Grundton der Inszenierung ist das transplantierte Herz nicht nur eine Metapher für das ›große Gefühl‹ und dafür, dass die handelnden Figuren in diesem Film (fast) alle das Herz am rechten Fleck haben. Das Herz steht auch dafür, dass Manuela symbolisch von jenem *mütterlichen Phallus* getrennt wurde, den der Sohn für sie verkörperte. Als transplantiertes wird das Herz zu einem verschiebbaren Objekt, dem Manuela folgt. So wird die Erzähllinie, die bei dem Patienten mit dem Herz ihres Sohnes scheinbar aufhört, andere Wege nehmen. Denn Manuelas überstürzter Aufbruch nach Barcelona, wo sie Estebans Vater sucht, ist eine symbolische Fortsetzung der Geschichte um das ›verlorene‹ Spenderherz.

Manuelas Suche nach dem Vater ist zugleich eine nach dem verlorenen phallischen Objekt. Nicht zufällig ist die erste ›Frau‹, die Manuela in Barcelona trifft, jene Transsexuelle, die auf den schönen Namen La Agrado hört – weil »ich mein ganzes Leben lang immer nur versucht habe, den anderen das Leben angenehm zu machen« (»agrado« = »das Wohlgefallen«, »das Belieben«). La Agrado ist die verkörperte Phantasie der ›phallischen Frau‹, denn ›sie‹ war früher ein Lastwagenfahrer, der sich durch eine Reihe von Schönheitsoperationen zur Frau hat nachrüsten lassen – ohne sich vom Phallus zu trennen. »Warum hast du ihn nicht auch wegmachen lassen?« wird sie später gefragt. Ihre rein ökonomische Begründung – »weil ich sonst keine Arbeit hätte […] die Kunden wollen uns pneumatisch oben und gehaltvoll unten […] Ein paar Titten, hart wie Reifen und dazu einen großen Schwanz« – ist hier nur scheinbare Koketterie.

La Agrado entspricht einer Verkörperung des homosexuellen Phantasmas der phallischen Frau, aber sie ist vor allem eine sehr geschäftstüchtige Prostituierte, die oft über ihre Profession spricht.

La Agrados Monolog über personale Authentizität – zweifellos einer der Höhepunkte des Films – kreist um die Realisierung sexueller Identität im ökonomischen Zirkel von Angebot und Nachfrage. Wie ein Staubsaugervertreter sein neuestes Modell stellt La Agrado – um den Ausfall einer Theatervorstellung zu kompensieren – sich selbst als eine Art weiblicher Michael Jackson bzw. als ›Gender Cyborg‹ vor. Jede Operation – ob Katzenaugen oder Silikon in Wangenknochen, Hüften und Gesäß – hat, wie der sexuelle Akt auch, ihren exakten Preis. »Allein die Katzenaugen – 90.000 Peseten. Nase – 200.000: direkt in den Müll, denn ein Jahr später nach einer Prügelei sieht sie wieder so aus. Das ist die persönliche Note, ich weiß, aber hätte ich das gewusst, hätte ich sie niemals angerührt. Doch nun weiter: Titten – zwei – möchte ja kein Monster sein – 60.000 das Stück. Aber die haben sich schon super amortisiert. Silikon in Lippen, Stirnfalten, Backenknochen, in den Hüften, im Po – der Liter 100.000 etwa. Rechnet es nach, weil ich hab' schon keinen Überblick mehr. Zurechtfeilen der Kinnpartie: 70.000. Dauerhafte Laser-Depilation – denn auch Frauen stammen vom Affen ab, genauso oder noch mehr als der Mann – 60.000 pro Sitzung: Je nachdem, wie der Bartwuchs ist. Normal sind zwei bis vier Sitzungen. Bei Flamencotänzerinnen sind es dann natürlich mehr.«

Wenn La Agrado, ein Wunderwerk der plastischen Chirurgie, schlankweg behauptet: »Alles an mir ist authentisch« – so ist dies kein verwegener Nonsense. Mit diesem *Monolog über die Authentizität* des offensichtlich Künstlichen, Gemachten, Inszenierten setzt Almodóvar jenen Gedanken aus *Pepi, Luci, Bom* fort, gemäß dem ›das Leben‹ in einem fiktiven Rahmen angesiedelt ist, in dem man nicht einfach man selbst ›ist‹, sondern *spielt*. Entsprechend demonstriert La Agrado auf witzige Weise, dass auch das psychische Geschlecht keine Konstante der ›authentischen‹ Anatomie (Penis haben oder nicht) ist, sondern Effekt eines *Diskurses*. Mit ›typisch‹ weiblichen Gesten wie Handbewegungen und Sprechweisen führt La Agrado – indem sie in die Rolle einer Schauspielerin schlüpft – entsprechend ihre eigene ›Weiblichkeit‹ wie ein Theaterstück auf. Das psychische Geschlecht ist Effekt eines sprachlich strukturierten Vorgangs, einer *Repräsentation*. Die sprachlich-symbolische Ebene ist nicht etwas Zusätzliches oder etwas Künstliches, sie bildet das Fundament des geschlechtlichen Seins. Deshalb hat La Agrado recht, wenn sie Implantate, Gesten und Ökonomie gleichermaßen als Signifikanten auffasst und sie als »authentisch« bezeichnet: »Was will ich damit sagen?« schließt Agrado: »Es ist ziemlich teuer, authentisch zu sein. Und in diesen Dingen sollten wir nicht knauserig sein. Wieso? Weil wir umso authentischer werden, je ähnlicher wir dem Traum sind, den wir von uns selbst haben.«

Geschlechtlichkeit entspricht also einem *Diskurs* – aber ein Diskurs besteht zuallererst darin, dass er in Gang gehalten werden muss, und zwar dadurch, dass permanent etwas zirkuliert, symbolisch getauscht wird – egal ob es sich um ein sprachliches Element oder eine ›Gabe‹ handelt. Diese Tauschvorgänge kreisen um das Moment einer strukturellen Abwesenheit, die Platz, Gestalt und Funktion wechseln kann – und in La Agrados ›Lob der Authentizität‹ nicht zufällig *ausgelassen* wurde: der Phallus. – Er wird auch nicht zufällig nie gezeigt: Das unterscheidet Almodóvar von Gaspar Noé, der in einer Szene in *Irreversibel* (Irreversible, F 2002), die auf dem Strich für operierte Transen spielt, eine Nutte zeigt, die gewaltsam entblößt wird: die typische Verwechslung von Penis und Phallus.

Die redselige Prostituierte La Agrado ist Manuelas erste Anlaufstation in Barcelona, weil sie mit einem Phallus ausgestattet ist – und deshalb auch ›weiß‹, wo der Phallus von Estebans Vater zu suchen ist. La Agrado führt Manuela zu der schönen Nonne Rosa (Penélope Cruz), die von Estebans Vater nicht nur geschwängert und sitzen gelassen, sondern obendrein mit Aids infiziert worden ist.

Damit nicht genug, erfährt der Zuschauer nun, dass Estebans Vater kein ›richtiger‹ Mann mehr ist, sondern ebenfalls eine Transe, die nach ihrer Brustoperation auf den Namen Lola hört. »Lola vereinigt die übelsten Seiten des Mannes mit den übelsten Seiten der Frau«, wird Manuela einmal sagen: »Wie kann jemand solche Brüste haben und trotzdem ein Macho sein?« – Offensichtlich ist Lola das negative Spiegelbild der warmherzigen Agrado.

Ein Spiegelbild, in dem die Nonne Rosa auch sich selbst ›wiedererkennt‹. Rosa will, darin dem Beispiel Rebecas in *High Heels* folgend, ein Kind (bzw. den Phallus) von einer ›Frau‹ und nicht wie jede ›normale‹ ödipal strukturierte Tochter von ihrem Vater. Diese Verschiebung ist wiederum ein Effekt ihrer ›typischen‹ Familiensituation, die Almodóvar mit einem kurzen aber prägnanten Seitenblick streift. Rosas Vater ist ein sehr ›schwacher‹, gebrechlicher, alter Mann, der die Tochter nicht einmal mehr erkennt, weil er offenbar an Alzheimer leidet – und deshalb auf den täglichen Spaziergängen von seinem Hund ausgeführt wird, ohne den er nicht mehr heim findet. Rosas Mutter dagegen ist in dieser Familie ›der Mann‹: biestig, egoistisch, verständnislos (ganz wie die Mütter in *Matador* und *Das Gesetz der Begierde*). Sie ›imitiert‹ ein anderes Geschlecht ebenso, wie sie Gemälde von Chagall fälscht.

Deshalb wird Rosa, als sie ihre Aids-Diagnose erfährt, sich an die Krankenschwester Manuela wenden, die eine ›richtige‹ Mutter für sie verkörpert. Dass die schwangere Rosa bei ihr einzieht und sich von Manuela bis zum Tod pflegen lässt, ist, wie Manuela sagt, eigentlich emotionale Erpressung. Aber die beiden Frauen haben längst einen Pakt, ein Tauschgeschäft beschlossen. Welches ›Objekt‹ getauscht werden soll, wird rasch klar: Als Rosa zum ersten Mal Manuelas Wohnung betritt, richtet sich ihre Neugier, ohne dass sie weiß, wonach sie sucht, ziemlich schnell auf Estebans Tagebuch, das auf einem Tisch liegt. Manuela ist im Nachbarzimmer, von wo aus sie nicht sehen kann, dass Rosa danach greift – doch ihre scharf artikulierte Bitte »*Lass das Buch liegen!*« ertönt exakt in dem Moment, als Rosa es aufschlagen will.

Rosa ist eine ›verlorene Tochter‹, doch sie wird Mutter werden und in dieser Funktion einen Sohn ›geben‹ bzw. zurücklassen, mit dem Manuela ihren verlorenen Esteban ersetzen wird: »Ich hoffe, dieser dritte Esteban gehört dir endgültig«, sagt Lola auf dem Sterbebett. Drei mal Esteban: In der Zwischenzeit hat der Zuschauer erfahren, dass Manuelas toter Sohn auf den selben Namen hört wie sein Vater (Lola).

Zwischen Rosa und Manuela gibt es mehr als nur eine äußerliche Gemeinsamkeit, die beiden bilden zwei Hälften einer Figur. Rosa ermöglicht Manuela ›eine zweite Chance‹. Indem Rosa von der gleichen ›Frau‹ wie Manuela ein Kind empfängt (nämlich von Lola/Esteban), ›verleugnet‹ sie ebenso wie Manuela die Funktion des Vaters. Als indirekte Folge dieser Verleugnung hat Manuela ihren Sohn verloren, und Rosa wird ihr Leben verlieren. Sie gibt Manuela den namensgleichen Sohn – als verlorenes ›Objekt‹ – zurück. Mit ihrem Tod übernimmt Rosa jene ›Schuld‹, die eigentlich Manuela auf sich geladen hat.

Wir haben es hier, noch deutlicher als sonst bei Almodóvar, mit einer rein ›logischen‹ Substitutionskette zu tun: Mit dem zweiten Esteban (ihrem verstorbenen Sohn) hat Manuela zunächst den ersten ersetzt (Lola). Und nun wird der erste Esteban (der Vater, Lola) – der ebenfalls sterben wird – wiederum durch den dritten Esteban ersetzt werden.

Wie schon 17 Jahre zuvor kehrt Manuela allein mit einem Kind von Barcelona nach Madrid zurück. Glücklicherweise sind die Antikörper im Blut ihres ›dritten Esteban‹ bald nicht mehr nachweisbar, das Kind ist nicht dem Tod geweiht. Diese Heilung ist weniger das Ergebnis eines ›Wunders‹ als der gewandelten Einstellung Manuelas. In einer der bewegendsten Szenen des Films klärt Manuela, noch bevor sie nach Madrid zurückkehrt, ihren ›Mann‹ (Lola/

Esteban) darüber auf, dass er einen Sohn hatte: Sie zeigt ihm sein Tagebuch. Außerdem verschweigt sie ihm nicht mehr, dass Esteban 3 sein Sohn ist. Manuela verleugnet den Vater nicht mehr. In einer ebenso witzigen wie anrührenden Szene darf der Vater Lola seinen bzw. ›ihren‹ Sohn sogar auf den Arm nehmen (das grammatische Geschlecht gerät bei diesen Konstellationen Almodóvars an die Grenze des Darstellbaren).

Die klassische Familie – die Almodóvar nicht zu Unrecht als »primäres Instrument der Unterdrückung« (Willoquet-Maricondi 2004: 130) geißelt – erscheint in *Alles über meine Mutter* noch weiter aufgelöst als in *Das Gesetz der Begierde*. Sie ist offenbar eine überkommene Institution, denn die ›Frauen‹ machen die Sache unter sich aus. Dabei ist jedoch nicht zu übersehen, dass die *symbolischen Funktionen* im Sinne von topologischen *Plätzen* unverändert bleiben. Männer, Väter und Polizisten zeichnet Almodóvar zwar immer wieder als Karikaturen – doch die Vater*funktion* bleibt nicht nur in allen noch so verqueren und ›verqueeren‹ Familiensituationen eine Konstante; sie organisiert auch – am deutlichsten in *Alles über meine Mutter* – die Struktur der jeweiligen Geschichte. Manuela begibt sich nicht umsonst auf die Suche nach dem *Vater*. Selbst wenn dieser Vater nun eine Frau ist, fungiert er dennoch als Repräsentant einer symbolischen Funktion.

Der Vater ›gibt‹ den Phallus und muss daraufhin nicht mehr real präsent sein, weil das ›Objekt‹ nun frei zirkuliert, wie in einer der schönsten Szenen deutlich wird – der einzigen, in der alle vier Hauptfiguren gemeinsam in Manuelas Wohnung sitzen, um ausgelassen Sekt zu trinken. Mit einer Nonne, einer Mutter, einer Prostituierten und einer Diva haben wir hier vier ausgesprochen klischeehafte Frauenrollen vor uns. Doch diese Rollen sind alle ›verschoben‹: Die Prostituierte ist ein Mann, die Mutter hat ihren Sohn verloren, die Diva ist lesbisch und die Nonne schwanger. Das Changieren der Positionen wird motiviert durch die Position des abwesenden Phallus, den die Frauen sich in ihrem Gespräch wie eine Art symbolisches Staffelholz weiterreichen. Der Kontext: Manuela hat bei ihrem Auftritt als Stella an Huma Rojos Seite brilliert, muss der Schauspielerin aber mitteilen, dass sie weder weiter auftreten noch als Garderobiere arbeiten kann, weil sie nun die schwangere und aidskranke Rosa pflegen muss. Doch Manuela hat schon einen Ersatz: La Agrado, die aber noch nicht in den Plan eingeweiht ist. Aus diplomatischen Gründen bittet Manuela daher um Diskretion, worauf Agrado erklärt, sie sei so diskret, dass sie schon einmal in der Öffentlichkeit jemandem »einen geblasen« habe, ohne dass es aufgefallen sei. In diesem Augenblick betritt Huma, die sich gerade frisch gemacht hat, das Zimmer mit der Bemerkung: »Es ist schon lange her, dass ich einen Schwanz im Mund hatte.« – Totalgelächter. Die Assoziation zwischen Schwanz und Sprechen aufgreifend, sagt die schwangere Nonne Rosa: »Also ich muss sagen, das Wort Schwanz gefällt mir. Und nicht nur das Wort« – erneutes Gelächter ...

Die an AIDS erkrankte Nonné Rosa (Penélope Cruz)

Die diskursive Funktion des Phallus und der familiären Plätze zeigt sich auch in jenem feinsinnig gesponnenen Nebenstrang, der Manuela, die einst Schauspielerin werden wollte, für kurze Zeit zurück ins Rampenlicht führt. Denn Manuelas Reise nach Barcelona ist auch eine Zeitreise in ihre eigene Vergangenheit, als sie zusammen mit ihrem damaligen Mann Esteban (später: Lola) in *Endstation Sehnsucht* spielte. Wenn Manuela in Barcelona noch einmal Huma Rojo in derselben Tennessee-Williams-Inszenierung besucht, die sie mit ihrem Sohn unmittelbar vor dessen Tod in Madrid gesehen hat, so ist sie auf der Suche nach Esteban: Nicht zufällig ist im gut gefüllten Zuschauersaal der Platz an ihrer Seite leer, »als habe sie für den Toten [Esteban] eine Karte gekauft« (Beier 1999: 49). In einem kurzen Theater-im-Film-Ausschnitt sehen wir die Schlussszene des Stücks (Witzigerweise wird dieses ur-amerikanische Stück durch die Musik als Tango interpretiert). Gebannt starrt Manuela auf Stella, die – wie Manuela im ›wirklichen‹ Leben – Kowalski verlassen will;

dabei hält sie ihr *Kind* im Arm. Um ihren Sohn wiederzubekommen, so die unbewusste Logik, muss Manuela wieder Stella werden.

Stellas symbolisches Kind hat sie im Sinn, als Manuela bei einem Besuch in der Garderobe der Schauspielerin als professionelle Helferin sofort erkennt, wie es um Huma bestellt ist und wie sie sich bei ihr nützlich machen kann. Huma ist völlig aufgelöst, weil ihre heroinabhängige lesbische Freundin Nina verschwunden ist, um sich neuen Stoff zu besorgen. Mit einer Form von Berechnung, die auf den ersten Blick wie warmherzige Hilfsbereitschaft wirkt, macht Manuela sich rasch unentbehrlich, bis sie Nina bald auch in der Rolle der Stella vertritt.

Das Thema der weiblichen Konkurrenz ›borgt‹ Almodóvar sich aus Joseph L. Mankiewiczs' *Alles über Eva* (*All About Eve*, USA 1950), jenem Film, den Mutter und Sohn zu Beginn im Fernsehen anschauen und der Estéban zu dem Titel seiner Kurzgeschichte inspiriert: *Alles über meine Mutter*. Mankiewiczs' mit sieben Oscars dekorierte Tragikomödie erzählt von der ehrgeizigen und hinterlistigen Eve Harrington (Anne Baxter), die sich als Garderobiere und Privatsekretärin bei der alternden Diva Margo Channing (Bette Davis) systematisch unentbehrlich macht – mit dem Plan, sie irgendwann *von ihrem Platz zu verdrängen*. Die latente Homoerotik dieser Hollywoodgeschichte spiegelt sich in *Alles über meine Mutter* in der Beziehung zwischen Huma und Nina. Das Grundmotiv hat Almodóvar allerdings abgewandelt. Wenn Manuela die Position Ninas auf der Bühne okkupiert, so ist sie dennoch keine ehrgeizige Karrieristin wie Eve Harrington. Obwohl Manuela als zweite Besetzung künstlerisch erfolgreicher ist als Nina, will sie nicht ihre Position einnehmen. Sie will nur ein Mal die Stella spielen – um in der damit verbundenen Situation symbolisch schwanger zu werden. So ist Manuela auf der Bühne wieder in jener Zeit vor 17 Jahren angekommen, als sie von ihrem damaligen Mann Estéban (bzw.: Lola) *real* schwanger wurde – und als Stella gleichzeitig von ihm als Bühnen-Ehemann Kowalski symbolisch ein Kind erwartete.

Dem Motiv dieser ›symbolischen Niederkunft‹ widmet Almodóvar später eine witzige Szene. Das Karussell der Ersetzungen hat sich ein Stück weiter gedreht: Manuela hat ihre Rolle als Humas Garderobiere an La Agrado weitergegeben, und die Rolle der schwangeren Stella wird wieder von Nina gespielt, Humas lesbische Freundin. Fürsorglich, wie La Agrado ist, hält sie der heroinsüchtigen Nina, die sich zwischen zwei Auftritten auf der Toilette einen Schuss setzt, zunächst eine Moralpredigt und gibt ihr mit auf den Weg, sie soll bei ihrem Auftritt ja »niemanden vollkotzen«. Nina greift dieses Argument auf: »Das Publikum wäre begeistert, sie halten mich doch für schwanger.« Worauf Agrado – als sie Nina die Bauchattrappe abnimmt, die sie als Schwangere kennzeichnet, und ihr für ihren nächsten Auftritt die Babypuppe in die Hand drückt – klarstellt: »Ja, aber in der Szene bist du nicht mehr schwanger – du hast die Puppe schon gekriegt.« – »Ah ja, stimmt.«

Während die beiden Frauen sich unterhalten, ist Nina eigentlich nur an La Agrados – unsichtbarem – Phallus interessiert. Beim Umziehen reibt sie ihren Hintern an seinem bzw. ihrem Schoß und vollführt so einen symbolischen Koitus. Das ›Kind‹, das sie daraufhin im Arm hält, wurde gewissermaßen in einem Atemzug gezeugt und entbunden. Nicht umsonst wird Manuela, als sie drei Jahre später nach Barcelona zurückkehrt, erfahren, dass Nina der Schauspielerei und Huma den Rücken gekehrt hat: Sie ist, wie vor ihr so viele Frauen Almodóvars, zurück aufs Land gegangen – und dort schwanger geworden.

Die ›Warmherzigkeit‹ und ›Intensität der Gefühle‹, die dem Film landauf, landab in den Feuilletons nachgesagt wurde, hängt damit zusammen, dass der Tod in *Alles über meine Mutter* seinen Stachel verloren hat: »Die Herzenswärme, die der Regisseur für seine Figuren empfindet, kann auch den Zuschauer nicht kalt lassen. Die (Nächsten-)Liebe ist bei Almodóvar letztlich viel wärmer als der Tod« (Beier 1999: 49). Die Perspektive des Film ist die des gestorbenen Sohnes, der auf der Eisenbahnfahrt durch den Tunnel wie durch einen Geburtskanal wiederkehrt. ›Anrührend‹ ist der Film, weil diese Reise in den Tod und zurück ein rein sprachliches Motivgespinst ist. Vom verleugneten Vater wird der Signifikant mit Verspätung an den Sohn weitergegeben und kehrt retroaktiv zu ›sich selbst‹ zurück. Aus ›Esteban 1‹ wird am Ende ›Esteban 3‹. Das Leben, das aus den Bäuchen der Mütter entspringt, ist nichts Metaphysisches, sondern alltäglich und poetisch wie ein Wortspiel. Und es ist »authentisch«.

Über die ›Warmherzigkeit‹ und ›Intensität der Gefühle‹ macht Almodóvar sich subtil lustig. Etwa ganz am Ende, als Huma Rojo ein neues Stück von Llorca probt, in dem einer Mutter – wie vorher Manuela – über den schmerzlichen Tod ihres Kindes trauert. Die zuschauende Gardrobiere La Agrado ist bewegt und verdrückt sich eine Träne – bis Huma Rojo unterbricht und den Regisseur hinsichtlich ihres verschnupften und verheulten Tonfalles fragt, ob man merke, dass sie erkältet ist.

Der Mann, der weint.
Hable con ella
(Sprich mit ihr, 2002)

»Grundsätzlich inspirieren mich Frauen wohl eher zu Komödien und Männer zu Tragödien.«

Pedro Almodóvar

Bisher ließ sich das Œuvre Almodóvars in zwei Kategorien einteilen: in ›Frauenfilme‹ wie *Mein blühendes Geheimnis*, *Alles über meine Mutter* oder *Frauen am Rande des Nervenzusammenbruchs* – und in ›Männerfilme‹ wie *Live Flesh* oder *Das Gesetz der Begierde* (wobei letzterer kein ›Männerfilm‹ im üblichen Sinne ist). Almodóvars vierzehnter Film, *Hable con ella*, lässt sich dagegen keiner dieser beiden Kategorien zuordnen. Zwar erzählt Almodóvar zwei nicht ganz gewöhnliche heterosexuelle Liebesgeschichten und deutet eine dritte an – gerade für letztere aber wird eine homophile Episode gleichsam katalysatorische Wirkung haben. Auch die Rollenverteilung zwischen den Geschlechtern folgt nicht dem konventionellen Schema: Obwohl die Frauen in *Sprich mit ihr* extrem *passive* Figuren sind – sie liegen nach schweren Unfällen im Koma –, werden die Männer – aus deren Perspektive die Handlung des Films erzählt wird – auf unterschiedliche Weise ihr ›Objekt‹.

Wieder besteht das Figurenkarussell aus vier Hauptcharakteren: Die junge Balletttänzerin Alicia, die Stierkämpferin Lydia, der Journalist und Reiseschriftsteller Marco und der Krankenpfleger Benigno treffen zufällig in dem Krankenhaus zusammen, in dem die beiden Frauen liegen. Wie in einem Laborversuch dekliniert Almodóvar an diesem Quartett verschiedene Paarbildungen durch, denen der Film jeweils ein durch ein Insert angekündigtes Kapitel widmet: »Marco und Lydia«, »Benigno und Alicia«, »Marco und Alicia«.

Das Komödiantische seiner früheren Filme nimmt Almodóvar

Marco (Daro Grandinetti) und Benigno (Javier Cámera) und ihre beiden komatösen Patientinnen Lydia (Rosario Flores) und Alicia (Leonor Watling).

in *Sprich mit ihr* noch stärker zurück zugunsten einer melodramatischen Geschichte, die von einem leisen melancholischen Grundton durchzogen ist. Die dosierte Traurigkeit, die der Film atmet, rührt daher, dass die Paarbildungen, von denen er in einem bislang nicht gekannten entspannten Tonfall erzählt, auf unterschiedliche Weise zum Scheitern verurteilt sind oder sich auf eine vage Hoffnung reduzieren. Nicht umsonst erhielt Almodóvar für das Drehbuch den zweiten Oscar in seiner Karriere.

Marco (Darío Grandinetti), ein »Experte für verzweifelte Frauen«, sieht in einer Fernsehtalkshow, die aus *Kika* stammen könnte, wie die prominente Stierkämpferin Lydia Gonzales (Rosario Flores) sichtlich darunter leidet, dass die sensationshungrige Moderatorin sie entgegen einer vorher getroffenen Absprache nach ihrem Geliebten fragt, dem berühmten Torero El Niño de Valencia (Adolfo Fernández), der sich gerade von ihr getrennt hat. Wie hypnotisiert von dieser Frau, die ihre Gefühle nicht verbergen kann und vor der zynischen Moderatorin aus dem Studio flüchtet – die einzige Szene in *Sprich mit ihr*, die an frühere Filme Almodóvars erinnert –, greift Marco zum Telefon und bemüht sich bei einem Bekannten um einen Auftrag: er will über Lydia eine Reportage schreiben.

Legitimiert durch die Tageszeitung *El País*, sucht Marco ihre Bekanntschaft, und bei dieser Gelegenheit lernen wir Lydia näher kennen, die gerade einen Agenten ihres Ex-Geliebten Niño zusammenstaucht, der den Auftrag hat, Niños persönliche Gegenstände bei ihr abzuholen – der Verflossene soll sich bitteschön seine »Sachen« *selber* holen! Die Situation ähnelt der von Pepa in *Frauen am Rande des Nervenzusammenbruchs*, die ebenso erreichen will, dass der Ex-Geliebte Iván seine »Sachen«, nämlich seinen Koffer, persönlich bei ihr abholt.

Welche Bedeutung diesen »Sachen« zukommt, erfahren wir, typisch für Almodóvar, eher beiläufig. Als Lydia sich von Marco nach Hause fahren lässt, gesteht ihr der feinfühlig auftretende, stets geschmackvoll-dezent gekleidete Mann, dass er vom Stierkampf keine Ahnung hat, worauf sie ihn, im Glauben, auch er sei nur an einer *Homestory* über sie interessiert, erst einmal zum Teufel schickt. Doch als sie Sekunden später schreiend aus ihrem Haus gestürzt kommt, weil sie dort eine Schlange entdeckt hat, erweist Marco sich als beherzter Kavalier: ohne viel Aufhebens tötet er das Reptil und bringt die vor Angst Zitternde anschließend in ein Hotel. Die ›Geschichte‹, die er über sie schreiben will, hat damit schon begonnen. Denn im übertragenen Sinne hat Marco genau jene »Sache(n)«, deren Lydia sich nicht selbst entledigen konnte, für sie aus dem Haus gebracht. Um die symbolischen Positionen dieser »Sache(n)« wird Marcos ›Geschichte‹ kreisen, es wird eine andere werden, als der Reiseschriftsteller erwartete.

Dass Marcos Beziehung zu Lydia in gewisser Weise nicht

›wirklich‹ gewesen sein wird, deutet Almodóvar schon jetzt mittels einer elliptischen Erzählstruktur an: Ohne dass es dem Zuschauer richtig bewusst würde, überspringt er die nächsten Etappen des sich entwickelnden Liebesverhältnisses der beiden ebenso wie ihren ›Beziehungsalltag‹. Wir sehen die beiden – so das Insert – erst »mehrere Monate später« auf der gemeinsamen Fahrt zu einer Hochzeit wieder. Dass die Beziehung in diesem Moment schon nicht mehr besteht, wissen freilich weder wir noch Marco ...

Nur in einer einzigen Sequenz – bei einem nächtlichen Fest (auf der Terrasse von Almodóvars eigenem Haus) – sehen wir Marco und Lydia als explizites Liebespaar. Und nicht zufällig lässt Almodóvar in dieser Sequenz den brasilianischen Musiker Caetano Veloso das Volkslied *Cucurucucú Paloma* in einer empfindsamen Kammermusik-Version interpretieren. Das Lied handelt von der Klage eines Mannes, der tagein, tagaus um seine Geliebte, die ihn verlassen hat, *weint*, bis er an ›gebrochenem Herzen‹ stirbt: »Selbst auf dem Totenbett hat er nach ihr gerufen.« Aber der Tod ist für ihn keine Erlösung, denn seine Seele verwandelt sich in eine Taube, die den Schmerz seines Verlustes als Gesang verewigt.

Hinter dieser leicht kitschigen Verpackung verbirgt sich die Melancholie: Noch über seinen Tod hinaus ist das Subjekt unfähig, das äußerlich verlorene Objekt auch innerlich verloren zu geben – es kann die Trennung von ihm nicht vollziehen, sondern wird, mit den Worten Freuds, im Gegenteil von ihm »überwältigt«.

Mit dem Hinweis auf die Melancholie deutet Almodóvar die seelische Grundverfassung Marcos an: Wie der Liebende im Lied ist auch er unfähig, die Trennung von seiner früheren Frau zu akzeptieren und damit jenen Schnitt zu machen, der ihn zu einer neuen Liebe erst befähigen würde. Deshalb wird sich seine Beziehung zu Lydia als ›irreal‹ erweisen: Auf dem Weg zur Hochzeit und der anschließenden Corrida, bei der sie von einem Stier aufgespießt und ins Koma fallen wird, will Lydia ihm sagen, dass sie wieder mit Niño de Valencia zusammen ist. Doch Marco lässt sie nicht zu Wort kommen: er will nicht wirklich etwas *wissen* von Lydia, denn in einer anderen, wirkmächtigeren ›Wirklichkeit‹ ist er noch immer bei seiner früheren Frau, die, wie er Lydia auf jenem nächtlichen Fest erzählt, ebenso wie sie eine Schlangenphobie hatte. In einer Rückblende innerhalb von Marcos Erzählung sehen wir sie panisch aus ihrem Zelt flüchten, in dem sie eine Schlange entdeckt hat. Und wir erfahren, dass die Ehe an ihrer Drogenabhängigkeit gescheitert ist: Als Marco einsehen musste, dass er den Kampf um seine Frau verloren hatte, brachte er sie zu ihren Eltern zurück.

Doch diese traumartige Rückblende erweist sich selbst als Teil eines Traums: Die gesamte Sequenz, in der Marco Lydia von seiner früheren Frau erzählt – während die beiden scheinbar einträchtig der Musik Caetanos lauschen –, wird sich, wenn wir unmittelbar danach sehen, wie Marco am Krankenbett von Lydia erwacht, als irreal erweisen.

Marco (Dario Grandinetti) macht eine Entdeckung.

Während sich so auch Marcos Beziehung zu Lydia im Nachhinein als eine Art ›Traum‹ erweist, deutet der Film bereits eine neue Paarbildung an. Auf dem Weg zu Lydias behandelndem Arzt, von dem er sich Auskunft über ihren Zustand erhofft, kommt Marco an der halb geöffneten Tür eines anderen Krankenzimmers vorbei, in dem ebenfalls eine komatöse Patientin liegt. Ihre Bettdecke ist halb zurückgeschlagen, mit entblößtem Oberkörper wirkt sie wie eine ›schlafende Schönheit‹[1]. Wie magisch angezogen bleibt Marco stehen, späht neugierig durch den Türspalt und gerät so in die klassische Position eines *Voyeurs*.

Die junge Frau namens Alicia (Leonor Watling) liegt, wie wir später erfahren, seit einem Autounfall vor vier Jahren im Koma – *trotzdem öffnen sich in diesem Moment ihre Augen*. Obwohl diese

1. Bela durmiente (schöne Schlafende) ist der spanische Ausdruck für Dornröschen.

Augen nicht auf Marco gerichtet sind – und es willentlich auch gar nicht sein können –, fühlt sich der Voyeur vom Blick der ›Untoten‹ derart getroffen, dass er für einen Moment völlig verwirrt ist. Die späteren Ausführungen des Arztes, solche Phänomene seien »rein vegetativ«, die Komatöse könne ihn nicht *sehen*, denn ihr Gehirn sei zerstört, bringen keine Aufklärung über die eigentliche *Ursache* von Marcos Erschrecken, das sich nur mit der Angst vergleichen lässt, die uns aufblitzend überkommt, wenn ein Blinder uns ›anblickt‹.

Marco ängstigt sich vor diesem Blick nicht wie vor etwas empirisch Bestimmbarem; gleichwohl hat seine Angst ein sehr reales Objekt. Der Begriff *Objekt* ist hier jedoch insofern irreführend, als es sich dabei nicht um etwas Gegenständliches handelt. Vielmehr rührt Marcos Reaktion daher, dass er sich von diesem Blick erfasst fühlt und dadurch zu dessen Objekt wird, ohne zu wissen, welche Funktion er für den Willen hat, der hinter dem Blick steht und in dessen Visier er plötzlich geraten ist. Objektiv gesehen ist Alicia in *Sprich mit ihr* noch passiver als Kika, als Komapatientin befindet sie sich in einem vegetativen Zustand, beinahe wie eine Pflanze. Aber obwohl Marco aus der Situation, in der er Alicia zum ersten Mal sieht, hat schließen können, dass sie zu keiner willensgelenkten Bewegung oder Gefühlsäußerung fähig ist, fühlt er sich von diesem Blick ›gemeint‹ – und *reagiert* auf ihn.

Marcos sich anbahnende Liebe zu Alicia nimmt jedoch zunächst einen Umweg über sein Interesse für den skurrilen Krankenpfleger Benigno – der zu Alicia ein überaus seltsames ›Verhältnis‹ hat. Zunächst zögernd nimmt Marco die freundliche Aufforderung Benignos an und betritt das Zimmer Alicias – und damit eine andere Welt. Benigno ist nicht nur seinen Kolleginnen gegenüber hilfsbereit und übernimmt mit Freuden deren Nachtschicht, er hat auch nicht die geringste Angst vor dem Blick der Komatösen. Im Gegenteil: »Vaseline, Nagelschere, Shampoo verwandeln sich in erotische Insignien, und aus den nüchternen Handgriffen des Hospitaldieners wird eine unendliche Folge zärtlicher Verrichtungen« (Nicodemus 2002). Die Pflege, die er Alicia seit vier Jahren angedeihen lässt, gleicht einer Mischung aus fetischistischer Betätigung und religiöser Huldigung. Benignos Verhalten ist eine Steigerung der Bemühungen Rickys, der in *Fessle mich!* die Schauspielerin Marina zunächst in seine Gewalt bringt, um ihr danach jeden Wunsch zu erfüllen.

Mit unbeirrbarer Beharrlichkeit adressiert Benigno sich, während er ihren Körper pflegt, mit seinem pausenlosen Reden und Erzählen an eine Alicia, die es nur in seiner Phantasie gibt. Und mit einer immer wieder verblüffenden Selbstverständlichkeit behandelt er die bewußtlose junge Frau, deren Unfähigkeit, auf Außenreize zu reagieren, er durch den täglichen Umgang mit ihr eigentlich am besten kennen müsste, wie ein bewußtes, willensbegabtes und handlungsmächtiges Wesen. In welche Richtung Marcos ›Projektion‹ zielt, deutet Almodóvar mit unnachahmlicher Komik an, als Benigno den Katalog eines Möbelhauses durchblättert und wie ein Verlobter seiner Zukünftigen erklärt: »Dieses Schlafzimmer finde ich toll. Wir werden es gleich komplett bestellen.«

Das permanente ›Sprechen mit ihr‹ – ein Motiv, dem der Film seinen Titel verdankt, denn der Pfleger empfiehlt Marco, mit Lydia ebenso zu *sprechen* – ist Teil von Benignos Ritual. Einerseits ist ihre todesähnliche Passivität die Voraussetzung dafür, dass Benigno sie *besitzt* wie ein Fetischist seine Gummipuppe. Andererseits kann er durch das Reden ihren ›Tod‹ immer wieder neu verleugnen.

Im Zuge einer ausführlichen Rückblende zeigt Almodóvar, wie der Krankenpfleger zu seiner merkwürdigen Leidenschaft gekommen ist. Schon vor Alicias Unfall hat Benigno die Praxis eines Psychiaters aufgesucht – nicht etwa, um sich behandeln zu lassen, sondern weil er auf diese Weise die Tochter des Arztes wiederzusehen hofft, in die er sich verliebt hat – Alicia. Sie ist Ballettschülerin, und ›Peeping Benigno‹ (ein Verwandter von ›Peeping Ramón‹ in *Kika*) hat sie zuvor bereits tagein, tagaus von seinem Fenster aus bei ihren Übungsstunden in dem gegenüber liegenden Ballettstudio *beobachtet*.

Doch diese Beobachtung wird ihrerseits beobachtet: »Benigno, du stehst schon seit einer halben Stunde am Fenster«, hören wir die eifersüchtige Mutter sagen – die wir aber in keiner einzigen Szene zu Gesicht bekommen. Zu sehen ist diese Art Mutter nur in einem anderen Film, *High Heels*, wo Almodóvar mit der Mutter des Untersuchungsrichters Dominguez eine ähnliche Frauenfigur zeichnet, die ebenfalls das Bett nicht mehr verlässt, sondern sich von ihrem Sohn rundum bedienen lässt.

Dem zunehmend überraschten Psychiater erzählt Benigno, der trotz seiner offensichtlichen Verschrobenheit alles anderes als auf den Kopf gefallen ist, eine haarsträubende Geschichte: Während sein Vater *abwesend* (nämlich »in Schweden«) war, pflegte er vom neunten Lebensjahr an 15 Jahre lang die Mutter, die das Bett nicht mehr verlassen hat – nicht etwa wegen Krankheit, sondern: »Sie war faul.« Also versorgt Benigno die Mutter rundum: »Ich bin auch noch Kosmetiker, Maskenbildner und Frisör.« Die Mutter war eine Vorstufe von Alicia – allerdings eine noch unvollkommene, denn sie war nicht leblos, sie sprach.

Wenn der Psychiater später, nach Alicias Unfall, seine Tochter in die Obhut ausgerechnet dieses ›Freaks‹ gibt, so reiht er sich ein in die Reihe der ›schwachen‹ Vaterfiguren Almodóvars. Das zeigt sich in jener grotesk komischen Szene, in der Benigno gerade auffällig intensiv die Innenseite von Alicias Schenkeln massiert, als der Vater ins Krankenzimmer eintritt und zunächst seinen Augen nicht traut. Offenbar bemerkt er sehr wohl die erotische Färbung dieser ›Pflege‹. Als er Benigno daraufhin nach seiner »sexuellen Orientierung« fragt, erfährt er, dass der Krankenpfleger schwul ist – was sich jedoch als geschickte Finte erweisen wird …

Während der Vater sich mit dieser Erklärung zufrieden gibt und vor der Offensichtlichkeit der perversen Unterströmung in Benignos Umgang mit Alicia die Augen verschließt, kann Marco sein wachsendes Befremden nicht verhehlen. In der Schlüsselszene des Films verleiht er seiner Ablehnung harschen Ausdruck. Als Benigno erklärt: »Hör zu, ich will heiraten« – »Heiraten? Wen denn?« – »Alicia, wen denn sonst?«, reagiert Marco ungewohnt scharf. Seine ›Kopfwäsche‹ wäre wahrscheinlich noch viel heftiger ausgefallen wäre, wenn er bereits da den Grund für Benignos Heiratspläne gekannt hätte: Als verantwortungsbewusster Mann ist Benigno entschlossen, das Mädchen zu heiraten, das ein Kind von ihm erwartet …

Doch von Alicias Schwangerschaft ahnt Marco noch nichts. Auf Benignos trotzige Entgegnung, warum er Alicia nicht heiraten solle, da er sich doch so »gut mit ihr versteht«, antwortet Marco mit einem Ausbruch: »Weil Alicia im Koma liegt. Weil Alicia mit keinem Teil ihres Körpers antworten kann ›Ja, ich will‹. Und weil niemand weiß, ob man vegetatives Leben überhaupt als solches bezeichnen kann«.

Benigno ist fassungslos: »Wie kannst du so etwas sagen!« Die folgende Unterredung, bei der Marco so aufgebracht ist wie in keiner anderen Szene des Films, wird im Auto weitergeführt, so als wollte man einen peinlichen Eklat vor unbequemen Mithörern verbergen: »Benigno, deine Beziehung zu Alicia ist ein einziger Monolog, ein einziger Wahnsinn. Reden allein ist noch keine Basis, wie du weißt, man kann auch mit Pflanzen sprechen – *aber deswegen heiratet man sie nicht.*« – »Ich verstehe nicht, wie du so etwas sagen kannst, ich dachte, du wärest anders.«

Dieses Gespräch transportiert indes einen Subtext. Denn

wenn Marco von Benigno fordert: »Versprich mir, dass du dieses Thema nie wieder erwähnst und dass du nie wieder einen Gedanken daran verschwendest! Versprich es mir!«, ist bei ihm deutlich auch eine starke Sympathie für den skurrilen Krankenpfleger zu spüren. Auf eine Weise, die Marco selbst nicht völlig bewusst wird, steht Benigno ihm nahe, und indem er Benigno den Gedanken an Alicia förmlich verbietet, drückt sich neben seiner latenten Rivalität *um* Alicia auch eine leise Eifersucht *auf* die junge Frau aus.

Die logische Fortsetzung dieses Gesprächs folgt einige Monate später, nachdem einiges geschehen ist. Als Marco, der wieder zu arbeiten begonnen hat, aus der Zeitung erfährt, dass Lydia gestorben ist, ohne aus dem Koma erwacht zu sein, versucht er – von Jordanien aus – Benigno im Krankenhaus zu erreichen. Doch der übereifrige Pfleger sitzt inzwischen im Gefängnis. Als Marco seinen ›Freund‹ einige Zeit später dort besucht, wo die beiden durch eine dicke Glasscheibe voneinander getrennt sind, äußert Benigno seinen vergeblichen Wunsch, Marco *umarmen* zu dürfen, und verweist auf die komplizierte Prozedur des Besuchsantrags, den er hat stellen müssen: »Die wollten wissen, ob du mein Partner bist. Ich habe mich nicht getraut, ja zu sagen, weil ich nicht wusste, ob es dich stört.« – »Nein, nein. Überhaupt nicht«, antwortet Marco und drückt so die gemeinsamen Gefühle aus.

Almodóvar spinnt hier jedoch keine homoerotische Geschichte an. Stattdessen wird Benigno als *sidekick* fungieren, d.h. als die Figur, die sich im klassischen Hollywoodfilm für den Helden opfert. Benigno übernimmt damit eine ähnliche Rolle wie Clara in *Live Flesh*, deren tragischer Tod die Voraussetzung dafür bildet, dass Victors Liebe zu Elena nicht im Kitsch erstarrt. Benignos Schicksal zeichnet sich bereits bei dem Streitgespräch im Wagen ab, als er seinem Freund mit todtrauriger Miene mitteilt, dass seine große Liebe Alicia ihn, Marco, auch mögen würde. Diese Aussage hat ihre eigene Logik, denn Benigno ›leiht‹ der Komatösen, von der er sehr genau weiß, dass sie ›eigentlich‹ tot ist, sein eigenes Begehren. Indem er sich selbst dabei symbolisch in die Position der quasi Toten setzt, antizipiert er sein eigenes Schicksal, das in gewissem Sinne an Marco ›adressiert‹ ist: Benigno ›vermacht‹ Alicia seinem Freund Marco.

Diese Konstellation deutet sich bereits zu Beginn des Films an. Ohne einander zu kennen, sitzen Marco und Benigno nebeneinander im Theater und verfolgen Pina Bauschs Ballett *Café Müller*. In der nächsten Szene schildert Benigno der komatösen Alicia minutiös die Aufführung und erwähnt dabei auch den unbekannten Mann, der neben ihm *geweint* hat. Marco weint nicht nur bei Caetanos Musik, sondern auch über die bemerkenswerte Aufführung. Zu sehen ist eine somnambule Frau, die immer wieder auf eine Reihe von Stühlen zurennt, die ein Mann ihr jeweils im letzten Moment aus dem Weg räumt, damit sie sich nicht verletzt. Marco ist gerührt, weil ihm hier sein Konzept der Frau vorgeführt wird: Was er auf der Bühne sieht, ist seine eigene Situation mit seiner früheren Frau. Gleichzeitig ist die Somnambule eine Vorwegnahme Alicias. Doch aus diesem ›Traum‹ von der ›schlafenden‹, hilflosen Frau wird Marco am Ende erwacht sein: Wieder geht er in ein Pina-Bausch-Ballett. Statt neben Benigno sitzt er nun einige Reihen vor der mittlerweile aus dem Koma erwachten Alicia. Er wendet sich um – und fängt ihren interessierten *Blick* auf. Mit dem Insert: »Marco und Alicia« endet der Film. Im Gegensatz zu seiner ersten Begegnung mit Alicia im Krankenhaus, die ihn zutiefst verwirrt hatte, hat Marco am Ende keine Angst mehr vor ihrem ›lebendigen‹ Blick, im Gegenteil.

Wie es dazu kommt, erzählt Almodóvar auf gewohnt verschlungene Weise. Von seiner Angst ist Marco am Ende nicht nur deshalb ›befreit‹, weil Alicia nicht mehr im Koma liegt. Auch die merkwürdigen bzw. ›anderen Umstände‹ ihres ›Erwachens‹ haben – zumindest auf der latenten Erzählebene – ihren Anteil an dem neuen Glücksversprechen, das der Film freilich nur andeutet.

Um diese ›anderen Umstände‹ zu erfassen, müssen wir den Film noch einmal bis zu jener Szene zurückspulen, in der Benigno erzählt, wie er mit Alicia – die er bisher nur im Ballettstudio beobachtet hat – erstmals in direkten Kontakt gekommen sit. Wieder einmal steht er – seine Mutter ist inzwischen gestorben – am Fenster, als er sieht, wie Alicia beim Verabschieden von ihren Ballettkolleginnen unbemerkt ihr Portemonnaie verliert. Spontan stürzt er aus dem Haus, hebt das Portemonnaie auf, holt Alicia ein und läuft einige Meter neben ihr her – merkwürdigerweise jedoch ohne sie anzusprechen und ihr das Fundstück auszuhändigen. Erst als sie den Walkman abnimmt, um den aufdringlichen Typ zu fragen, was er will, gibt er ihr das Portemonnaie zurück – und zwar mit einer Geste, die ausdrückt, dass er durch die Rückgabe eben nicht, wie man eigentlich erwartet, mit ihr in ein *Gespräch* – also einen *symbolischen Austausch* – verwickelt werden will. Denn sie ist es, die zuerst redet. Doch als sie ihn *anspricht* und dadurch ihr *Begehren* zeigt, kann er genau das nicht, was er später unablässig tut: *mit ihr sprechen*. In dem Moment, in dem die *lebendige* Alicia ihn anspricht, ist das für Benigno gleichbedeutend mit einer Kastrationsdrohung.

Benigno wird darauf zurückgeworfen, dass er mit ›lebendige‹ bzw. *sprechenden* Frauen eigentlich nichts anzufangen weiß. Liest man man diese Szene vor dem Hintergrund des täglichen Pflegerituals im Krankenhaus, so wird klar, dass Benigno keine ›normale‹ Beziehung sucht. Erst wenn sie im Koma liegt, wird er ohne Ende sprechen – aber nicht wirklich *mit*, sondern *zu* ihr.

So sucht er eine Möglichkeit, um unauffällig in Alicias Nähe zu kommen, und lässt sich einen Termin bei ihrem ahnungslosen Vater geben. Als er einen Moment warten muss, nutzt er die Situation aus, um sich in die hinter der Praxis liegende Privatwohnung des Arztes zu schleichen, wo er die gerade unter der Dusche stehende Alicia *beobachtet* und ihr, nachdem er ihr Zimmer inspiziert hat, eine Haarspange entwendet. Deutlich wird hier, dass die Spange das Portemonnaie substituiert. Mit ihr stützt Benigno sein Begehren nach Alicia. Später, wenn sie im Koma liegt, wird statt der Haarspange ganzer ihr Körper in seinen ›Besitz‹ gelangen – als ein weiteres Fetischobjekt.

Wie bereits im Kapitel über *Das Gesetz der Begierde* ausgeführt, weigert sich der Fetischist, die Tatsache der Penislosigkeit der Frau – um die er durchaus weiß – anzuerkennen, weil durch die Anerkennung dieses Mangels sein eigener Phallus bedroht ist. Im Fetisch schafft er sich einen symbolischen Ersatz für den fehlenden weiblichen Phallus und kann so, wie Freud es ausdrückt, über die Kastrationsdrohung triumphieren. Der Fetisch selbst ist ein *unbelebter* Gegenstand: meistens ein Schuh, ein Strumpf, ein Teil der Unterwäsche oder, wie im Fall Benignos, die ›ganze‹ Frau als *Objekt* – genauer gesagt nicht die ›Person‹, sondern ihr mortifizierter *Körper*. Ganz im Sinne der von Freud beschriebenen Verleugnungsstruktur, in der zwei einander widersprechende Realitäten nebeneinander existieren, spaltet Benigno Alicia auf, um mit ihrem phallizisierten Körper die Kastrationsdrohung abzuwehren, die von jener Alicia ausgeht, die zu ihm *sprechen* könnte.

Mit seinem grotesken Vorhaben, Alicia zu »heiraten«, nimmt sowohl Benignos als auch Marcos Geschichte eine entscheidende Wendung. Für diese ›Heirat‹ findet Almodóvar eine der wundervollsten Bilderfolgen, die ihm je geglückt sind. Bei ihrer ersten Begegnung auf der Straße, nachdem er ihr die Geldbörse zurückgegeben hat, schnappt er von Alicia auf, dass sie sich in der Kinemathek leidenschaftlich gerne alte Stummfilme ansieht. Diese Leidenschaft kommt ›Peeping-Benigno‹ sehr entgegen: von seinem Zimmer aus hat er Alicia bisher ebenfalls wie in einem ›Stummfilm‹ gesehen.

Plakat zum Film-im-Film: Der geschrumpfte Liebhaber

So wie er Alicia zuvor von der Ballettaufführung *Café Müller* berichtet hatte, erzählt Benigno ihr in einer späteren Szene den Stummfilm *El Amante Menguante* nach, den Almodóvar als siebenminütiges *Film-im-Film*-Kunstwerk integriert. Der mit stilistischen Anleihen bei Griffith, Lang, Murnau und Browning inszenierte Film mit Zwischentiteln und der typischen, leicht überzogenen, expressionistischen Spielweise hatte, wie so oft bei Almovódar, im Entwurf bereits Spielfilmlänge erreicht.[2] In *Sprich mit ihr* realisierte Almodóvar jedoch nur eine gekürzte Fassung: Alfredo schluckt das unerprobte Schlankheits-Mittel seiner Geliebten, der Wissenschaftlerin Ampa-

2. Darin wird ausführlich beschrieben, was der schrumpfende Held nach der Rückkehr zu seiner Mutter erlebt: »Sobald er nur noch fingergroß ist, macht er es sich in seinen früheren Spielsachen bequem und lebt inmitten der Fetische (Bücher, Comics etc.) seiner Kindheit« (Almodóvar 2002). Dabei findet er einen Brief des verstorbenen Vaters, der ihn vor dem zunehmenden Wahnsinn seiner Mutter warnt: »Aus Angst vor seiner Mutter verlässt Alfredo nicht mehr seine Spielzeugeisenbahn, in der er wohnt. In einem Wutanfall jagt ihn die Mutter von Waggon zu Waggon. Gerade noch rechtzeitig erscheint (seine Geliebte) Amparo, die inzwischen die Adresse der Mutter herausgefunden hat« (Almodóvar 2002).

ro, und schrumpft daraufhin auf die Größe eines männlichen Genitales. Der ›Däumling‹ kehrt zu seiner Mutter zurück, von wo Amparo ihn in ihrer Handtasche entführt. Im Hotel »Youkali« – das wir bereits aus *Kika* kennen – schläft sie an seiner Seite ein. Das winzige Männchen klettert auf ihrem hügelhaften Busen herum, bis es vor der gigantischen ›Gletscherspalte‹ ihres Genitales steht und in diesen Courbetschen »Ursprung der Welt« zurückkehrt, während die schlafende Riesenfrau wie zur Bekräftigung ein wollüstiges Stöhnen von sich gibt: »[...] und Alfredo kehrt nicht wieder zurück« – mit diesen Worten endet Benignos Zusammenfassung.

Dass diese frivole Stummfilmsequenz eine Paraphrase der – nicht gezeigten – Szene darstellt, in der Benigno die komatöse Alicia sexuell missbraucht, ist scheinbar mehr als offensichtlich; Almodóvar selbst bezeichnet seinen fiktiven Stummfilm als »Augenbinde« (ebd.). Doch dieser Begriff ist missverständlich. Eine andere Lesart schlägt Christina Nord vor. Mit dem Verweis, der *Schwindende Liebhaber* fungiere ähnlich wie der Bindestrich in Heinrich von Kleists *Marquise von O.* als Substitut für den Missbrauch einer Ohnmächtigen, merkt die Autorin an: »Das Interessante daran ist, dass Almodóvar das Substitut dem, wofür es steht, nicht unterordnet. Die Geschichte von Amparo und Alfredo wird innerhalb der Ökonomie des Films nie auf ihre Funktion, etwas zu codieren, herabgesetzt, sondern hat ihren eigenen Wert« (Nord 2002).

Mit dieser Bemerkung liegt die Autorin auf der Linie der Freudschen *Traumdeutung*, die auf einer *grundsätzlichen Absage* an die »Chiffriermethode« (Freud 1900a: 102) basiert, die »den Traum wie eine Art von Geheimschrift behandelt, in der jedes Zeichen nach einem feststehenden Schlüssel in ein anderes Zeichen von bekannter Bedeutung übersetzt wird. Ich habe z.B. von einem Brief geträumt, aber auch von einem Leichenbegängnis u. dgl.; ich sehe nun in einem ›Traumbuch‹ nach und finde, dass ›Brief‹ mit ›Verdruss‹, ›Leichenbegängnis‹ mit ›Verlobung‹ zu übersetzen ist. Es bleibt mir dann überlassen, aus den Schlagworten, die ich entziffert habe, einen Zusammenhang herzustellen [...]« (ebd.). Freuds Absage an einen solchen »feststehenden Schlüssel« und die daraus resultierende »mechanische Übertragung« (ebd.) führt zu einer doppelten Konsequenz: Jeder Traum ist deutbar, aber man kann die einzelnen Traumelemente nie ›zu Ende analysieren‹, denn: »Jeder Traum hat mindestens eine Stelle, an welcher er unergründlich ist, gleichsam einen Nabel, durch den er mit dem Unerkannten zusammenhängt« (ebd.: 116).

Deuten wir Almodóvars Film in diesem Sinne wie einen

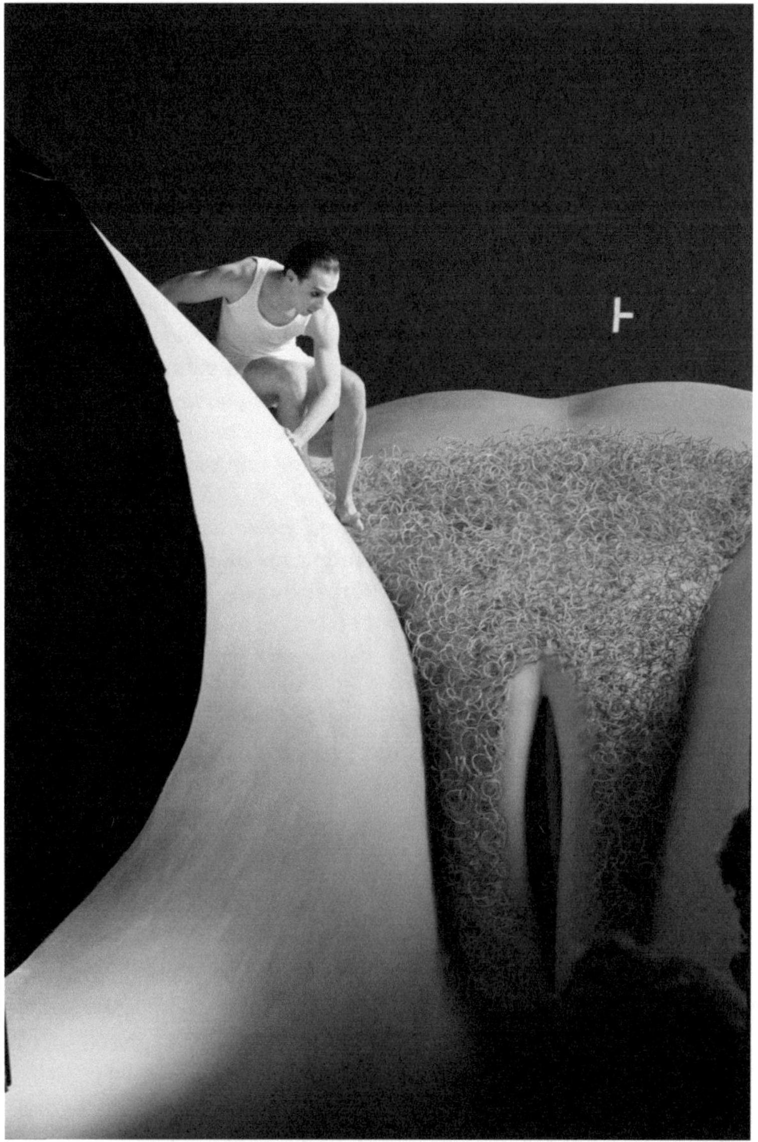

Der geschrumpfte Liebhaber Alfredo (Fele Martnez)

Traum, so folgt daraus, dass die Geschichte von Amparo und Alfredo sich nicht einfach auf eine Stellvertreterfunktion für den nicht gezeigten Missbrauch reduzieren lässt. Stattdessen besteht die Funktion des Stummfilms darin, Benignos Missbrauch der ›schlafenden‹ Alicia zu *metaphorisieren*. Wie beispielsweise in Dalís Gemälde *Schwäne spiegeln Elefanten* entsteht durch eine Transformation, die nur den Anschein einer Spiegelung im Sinne einer Punkt-zu-Punkt-Entsprechung hat, ein neuer Kontext, nämlich Elefanten.

Auf strukturell ähnliche Weise verändert die eingeschobene Geschichte vom geschrumpften Liebhaber auch den Kontext des Missbrauchs. Alicia erwacht dadurch nicht nur aus dem Koma, auch Marco hat am Ende vor ihrem Blick keine Angst mehr. Welche *Wandlung* hat Alicias Blick hier – abgesehen von ihrem Erwachen – durchgemacht, und inwiefern hat auch Marco sich verändert?

Wenn die Geschichte von Amparo und Alfredo den metaphorischen Schlüssel für diese Wandlung birgt, so stellt sich zunächst die Frage, was der Stummfilm *El Amante Menguante* ›eigentlich‹ erzählt. Die ›Riesenfrau‹ Amparo ist, wie immer bei Almodóvar, mehr als nur eine bloße motivische Reverenz an Jack Arnolds Science-fiction-Klassiker *The incredible shrinking man* (USA 1957). Man erinnert sich sogleich an den geschrumpften Wissenschaftler, der in der Schlüsselszene aufgrund seiner Kleinheit zur Beute einer gefräßigen ›Riesenspinne‹ zu werden droht. Nathan Jurans weniger bekannter B-Film *Attack of the 50 Foot Woman* (USA 1958), der im Jahr darauf entstand, ist in gewissem Sinne bereits eine ›Deutung‹ dieser männlichen Angst, von einer Riesenspinne – einem Symbol für die (vor allem sexuell) ›gefräßige Frau‹ – verschlungen zu werden. In *Attack of the 50 Foot Woman* werden die Proportionen entsprechend zurechtgerückt: Statt von einem geschrumpften Mann erzählt das B-Movie umgekehrt von einer verschlingenden »20-Meter-Frau«, die ihren untreuen Liebhaber aus der Kneipe holt, indem sie das Dach abdeckt. Am Ende stirbt sie in der Hochspannungsleitung – mit ihrem zwergenhaften Liebhaber Harry in der Hand: »*Finally she got Harry*«, resümiert der Sheriff.

Mit seinem geschrumpften Liebhaber Alfredo gelingt Almodóvar eine originelle ›Deutung‹ dieser männlichen Angstszenarien, und zwar indem er die Perspektive wechselt. Dieser Wechsel besteht darin, dass der *Amante Menguante* die Geschichte des *Incredible shrinking man* aus der weiblichen Sicht der *50 Foot Woman* erzählt. Wenn Amparo den geschrumpften Liebhaber Alfredo in ihrer Handtasche transportiert, so ist dieses Bild eine sublimierte Version jener Szene aus *Labyrinth der Leidenschaften*, wo Sexilias Freundin Angustia mit der Bemerkung »Willst du einen Kaugummi?« einen Dildo aus der Umhängetasche zieht: Almodóvar damals und heute – die Themen sind identisch, nur die Bearbeitung wird subtiler.

In der Kernszene des *Films-im-Film* zwängt sich Alfredo in

Amparos Genitale wie ein Forscher durch eine enge Felsspalte in eine gerade entdeckte Höhle. Almodóvar spielt damit nicht nur auf das sogenannte ›ozeanische Gefühl‹ an; er beschwört nicht nur den romantischen Topos der Rückkehr in den ›Schoß der Natur‹, denn der ›Däumling‹ Alfredo ist nicht das Subjekt dieser Szene. Sie ist fokussiert auf die schlafende Amparo, das Verschwinden des auf Penisgröße geschrumpften ›Liebhabers‹ ist die Bebilderung *ihres* Traums.

Der Stummfilm *Amante Menguante* stellt daher eine *Metaphorisierung* des nicht gezeigten Missbrauchs dar. Die Geschichte von Alfredo und Amparo metaphorisiert Benignos Koitus mit der komatösen Alicia so, dass sich Benignos späterer Suizid dem Verschwinden Alfredos im Mutterleib der Riesenfrau assoziiert. Wie Christina Nord andeutet, reduziert sich diese Assoziation nicht darauf, dass die eine Szene die andere »codiert« – sie ist ›poetisch‹.

Mit Benignos Selbstmord, der mit der Totgeburt des von ihm gezeugten Kindes korrespondiert, wird ein *freier Platz* geschaffen, durch den die Folge der Substitutionen weitergehen kann. Denn Alicia wird nicht nur schwanger, die ›schlafende Schöne‹ erwacht auch wie Dornröschen aus dem Koma. Darüber hinaus repräsentiert das tote Kind insofern eine weitere ›mobile Leerstelle‹, als wir in der Geschichte Alicias eine Fortführung der Geschichte der Stierkämpferin Lydia sehen. Das ›phallische‹ Stierhorn, von dem Lydia zu Beginn des Films penetriert wird, erscheint gemäß der Substitutionslogik der Erzählung in Alicias totem Kind wieder. Lydia hat das Objekt ›empfangen‹ und fällt daraufhin ins Koma, Alicia erwacht aus dem Koma, indem sie es verliert. Was der einen den Tod bringt, verhilft der anderen (zurück) ins Leben: Alicia kann wieder *begehren*. Zwischen den beiden Frauen hat eine jener Übertragungsbewegungen stattgefunden, die für Almodóvars Geschichten so charakteristisch sind – man denke an Leos Stiefel in *Mein blühendes Geheimnis* oder Pepas Schallplatte in *Frauen am Rande des Nervenzusammenbruchs*, um nur zwei weitere zu nennen.

Die scheinbar so verwickelte und komplexe Geschichte von *Sprich mit ihr* ist also strukturiert als eine metonymische Abfolge von Paarbildungen: Marco-Lydia → Lydia-Alicia → Alicia-Benigno → Benigno-Marco → Marco-Alicia. Am Ende kann Marco zu Alicia – vielleicht – ein *anderes Verhältnis* haben als vorher zu Lydia. Diese mögliche Wandlung vollzieht sich jedoch nicht im Register der *Metonymie*, die sich gerade durch das Additionsprinzip des 1+1+1+1 … auszeichnet, aus dem heraus kein neuer *Sinn* entsteht. Deshalb wird die Kette der aufeinander folgenden Beziehungen unterbrochen durch den metaphorischen (Ein-)Schnitt der Geschichte vom geschrumpften Liebhaber. Die eingeschobene Paarbildung Amparo-Alfredo fungiert als *metaphorisches* Substitut des Kettengliedes Alicia-Benigno.

Metaphorisiert durch die Einverleibung des ›Däumlings‹, wird Benignos nicht dargestellter Missbrauch zu einem *Akt*, das heißt zu einer Zäsur, die ein Ende und gleichzeitig einen Neuanfang markiert. Dass der geschrumpfte Alfredo »nicht zurückkommt«, ist in dieser eingeschobenen Parabel eine Vorwegnahme von Benignos späterem Selbstmord im Gefängnis – jenem Suizid, der ja eine Konsequenz seines Missbrauchs ist. Vor dem Hintergrund, dass ein Akt immer einen Gesetzesverstoß und eine Gesetzesstiftung zugleich impliziert, ist Benignos Missbrauch ebenso eine rituelle Initiierung. Ähnlich wie Clara, die sich in *Live Flesh* für Elena, und wie Antonio in *Das Gesetz der Begierde* sich für Pablo ›opfern‹, so ist auch Benignos Tod eine ›Gabe‹ für Marco.

Indem Marco in Benignos Wohnung einzieht, nimmt er den Platz ein, den der Pfleger durch seinen Tod freigemacht hat. Aus Benignos Perspektive sieht Marco nun im gegenüberliegenden Ballettstudio erstmals die wiedererwachte Alicia – und erschrickt zunächst ähnlich wie beim ersten Zusammentreffen, als er die ›schlafende Schöne‹ vom Krankenhauskorridor aus wie ein Voyeur beschaut hatte. Doch inzwischen hat sich die Situation gewandelt. Die erwachte Alicia ist gewissermaßen ein ›Geschenk‹ Benignos: Im Gegensatz zur komatösen Alicia hat sie einen Mangel erfahren, in bezug auf den Marco sich ihr gegenüber wird situieren können, ohne weiter vor ihrem Blick Angst haben zu müssen.

So trifft der Ballettfreund am Ende – als er wieder ein Tanztheater von Pina Bausch besucht – gleichsam auf eine ›neue‹ Alicia: Diese Verbindung ›passt‹ offenbar. Wir allerdings erfahren nur, dass ihre Ballettlehrerin (Geraldine Chaplin) ein sehr inniges Verhältnis zu ihrer ›Tochter‹ hat und in der letzten Szene ziemlich unglücklich darüber ist, dass Alicia sich in Marco zu verlieben scheint …

»Dies ist mein Leib«. La mala educación (Schlechte Erziehung, 2004)

> »Mein Vater betrachtete mich mit Befremden und Liebe. Ich gehörte nicht zu seiner Welt. Nichts von dem, was er dachte, es mache einen Mann aus mir, hat sich in mir erfüllt.«
>
> Pedro Almodóvar

Väter kommen in Almodóvars Filmen zwar immer wieder vor, ihre Präsenz aber bleibt oft auf das Wort »Vater« reduziert. Entweder sind sie tot oder unbekannt, haben ihre Familie verlassen oder befinden sich ständig auf Geschäftsreise. Sind sie einmal in persona zu sehen, wirken sie, etwa wie der Biogynäkologe Dr. de la Peña in *Labyrinth der Leidenschaften* und der Taxifahrer Antonio in *Warum hab ich das verdient?*, wie Karikaturen, oder sie haben einen perversen Zug: Der Schriftsteller Nicholas in *Kika* ist ein Frauenmörder, Richter Dominguez in *High Heels* tritt mit Vorliebe als Frau in Erscheinung, und der Vater in *Das Gesetz der Begierde* hat ein inzestuöses Verhältnis mit einem seiner Söhne. In *Fessle mich!* will der kindhafte Ricky zwar »ein guter Vater« sein, doch wenn Almodóvar »die Geschichte hätte weiterspinnen können [...], hätte [man] gesehen wie Ricky Vater [eben nur] *spielt*« (Strauss 1998: 120). Insgesamt betrachtet sind Väter bei Almodóvar Randfiguren, ihre Funktion im Familienverband bleibt vage, denn im Zentrum steht immer die Mutter.

Ernsthafter hatte Almodóvar das Thema Vaterschaft in *Alles über meine Mutter* behandelt: Nach dem tragischen Unfalltod ihres Sohnes begibt sich die Krankenschwester Manuela auf die Suche nach seinem Vater, der sich nach einer plastischen Operation in Lola umbenannt hat und erst am Ende des Films auftritt: als aidskranke, todgeweihte Figur. Gespiegelt wird dieser ›Nicht-Vater‹

durch einen weiteren, der an Alzheimer erkrankt ist, seine eigene Tochter nicht mehr erkennt und – während er von seinem eigenen Hund ausgeführt wird – wie ein Zombie umherirrt.

So scheint allein der Regisseur Pablo Quintero in *Das Gesetz der Begierde* einen fürsorglichen Familienvater zu verkörpern. Auf den zweiten Blick erweist sich die Familie hier jedoch als ein Vexierbild changierender Geschlechtsrollen: ›Mutter‹ Tina ist in Wahrheit Pablos Bruder Tino, der durch eine Geschlechtsumwandlung zur Frau wurde. ›Tochter‹ Ada ist das Kind einer Freundin, und ›Vater‹ Pablo selbst ist homosexuell ...

Das Begehren des Homosexuellen hatte Almodóvar in diesem Melodram am tiefgründigsten analysiert. So verwundert es nicht, dass sein neuester Film *Schlechte Erziehung* in vielerlei Hinsicht wie eine Fortsetzung zu *Das Gesetz der Begierde* erscheint. Beide Filme thematisieren das Problem der künstlerischen Kreativität im Hinblick auf das Leben – vor allem das der Menschen, die dem schöpferisch Tätigen nahe stehen und das er zwangsläufig ausbeutet, ja, ihnen gar enteignet. *Das Gesetz der Begierde* und *Schlechte Erziehung* handeln jeweils von einem Regisseur, der sein schöpferisches Begehren zu realisieren versucht – und dadurch eine Schuld auf sich lädt.

Wo Almodóvar jedoch in *Das Gesetz der Begierde* mit der Illusion einer intakten bürgerlichen Kleinfamilie zumindest spielt, zeigt er in *Schlechte Erziehung* den Vater nur noch als Symptom. Zu einem solchen wird er in seiner Funktion als katholischer Priester, der seine ›väterliche‹ Autorität missbraucht. Dass der Katholizismus in Spanien eine ideologische Stütze des Franco-Faschismus bildete, der eine längst marode gewordene Form von Männlichkeit zu konservieren versuchte, wurde bereits im Kapitel über *Das Kloster zum heiligen Wahnsinn* angerissen. In dieser Komödie hatte Almodóvar augenzwinkernd gezeigt, wie Frauen (Nonnen) die ›Perversion des Katholizismus‹ auf skurrile Weise zu ihrem Vorteil umfunktionieren: »Ich verwandele die religiöse Sprache in die der Liebenden, in etwas zutiefst Menschliches« (ebd.: 54). Im Gegensatz zu Almodóvars ›Frauenfilmen‹, deren Komödienstruktur die der Religion inhärente Repression (vor allem der Frau) mit den Mitteln des Witzes subvertiert, zählt *Schlechte Erziehung* zu den ›Männerfilmen‹, in denen die Pervertierung der *symbolischen* Vaterfunktion des Priesters – zumal, wenn er gleichzeitig Erzieher ist – für alle Beteiligten zum Verhängnis wird.

Eine scheinbar beiläufige Szene zeigt, wie Padre Manolo (Daniel Giménez-Cacho) zusammen mit seinem Lieblingsmessdiener, dem 10-jährigen Ignacio, in der nächtlich leeren Klosterkapelle eine Messe zelebriert. Almodóvars Erinnerung an diese ›privaten‹ Messen ist autobiographisch:

»Ich war bei den Salesianern in der Schule – ich erzähle es ganz offen, weil ich die Salesianer hasse. Sie sind verpflichtet, jede Woche zahlreiche Messen zu lesen. Die große gemeinsame und öffentliche Messe findet nur einmal täglich statt, um aber ihre Pflicht zu erfüllen, feiern die Priester Messen auch allein. Wenn also die öffentliche Messe um neun Uhr beginnt, haben sie schon wenigstens zwei hinter sich, eine um sechs und eine um sieben Uhr in der frühen Morgendämmerung. Ich erinnere mich sehr gut daran, weil ich oft dafür ›ausgewählt‹ wurde. Die Priester suchten sich eindeutig die Jungen aus, die ihnen am besten gefielen. So wurde diese Messe für den Priester zu einem intimen, geheimen nächtlichen Akt. Dem Kind war das nicht klar, aber alles lief ab, als sagte der Priester zu ihm: ›Ich zelebriere diese Messe für dich‹. Indem man die Intimität der Messe heimlich ausnutzt, wird die Religion zugunsten persönlicher Empfindungen abgewandelt, unbewusst uneingestanden – ich finde das abscheulich« (ebd.: 56).

In *Schlechte Erziehung* zeigt Almodóvar nun, in welchem religiösen Kontext diese Zweckentfremdung des Rituals durch das »Ich zelebriere diese Messe für dich« steht. Um die Symbolik der Szene zu erfassen, in der Padre Manolo die Messe liest, muss man sich daran erinnern, dass die Eucharistie das heiligste Sakrament der katholischen Glaubenslehre darstellt – erst kürzlich hat der Papst es rigoros abgelehnt, Protestanten zum katholischen Abendmahl zuzulassen. Wie in der Bibel überliefert, bricht Christus während des Abendmahls das Brot und spricht, ebenso wie Padre Manolo, die sogenannten »Wandlungsworte« *Hoc est corpus meum* (»Dies ist mein Leib«).

Gegenüber dem protestantischen Abendmahl besteht das zentrale Spezifikum des katholischen Rituals darin, dass sich die Hostie durch das Aussprechen der Wandlungsworte nicht *symbolisch,* sondern *real* in den Leib Christi verwandelt. Durch die sexuelle Besetzung dieses Rituals entsteht so die unterschwellige Assoziation des Oralverkehrs, wobei die geweihte Hostie ein Teil des *realen Christus* verkörpert: den Phallus. Was das Abendmahl für den ›erwählten‹ Messdiener *real* bedeutet, weiß Ignacio nur zu gut – deshalb zögert er, wie die Messordnung vorschreibt die Glocke zu läuten, wodurch die Wandlung verkündet wird. Denn für Ignacio wird der ›Leib Christi‹ zum Penis von Pater Manolo, den er wie die Hostie ›empfangen‹ bzw. *schlucken* muss: Per Off-Stimme erklärt Ignacio, dass er an diesem Tag in der Sakristei nicht nur seinen Glauben an

Gott verlor, sondern sich auch zum ersten Mal an Padre Manolo – seinen symbolischen ›*Vater*‹ – »verkaufte«, in der Hoffnung, dadurch seinem Freund Enrique helfen zu können.

Die Assoziation der geweihten Hostie mit dem Phallus verdankt sich nicht etwa der künstlerischen Erfindungsgabe Almodóvars. Spätestens seit den Epidemien dämonischer Besessenheit im 16. und 17. Jahrhundert ist die sexuelle Konnotation der Hostie gang und gäbe: »Bei den von den Priestern veranstalteten, gotteslästerlichen Riten befestigte einer der Patres an seinem Penis eine Hostie und führte dann Geschlechtsverkehr mit Menschen oder Tieren aus« (Masters 1962: 143).

Den konkreten Akt der erzwungenen Fellatio setzt Almodóvar in *Schlechte Erziehung* bewusst nicht ins Bild – und zwar nicht nur aus Rücksichtnahme auf Kinokonventionen, sondern um nicht von der Pervertierung des religiösen Rituals abzulenken, das das eigentliche ›Medium‹ des Missbrauchs darstellt. Als Kenner des Katholizismus will Almodóvar nicht einfach nur die im Klerus verbreitete homosexuelle Praxis im Sinne einer konkreten *schlechten Erziehung* anprangern; seine subtil konstruierte Geschichte verfolgt vielmehr die Auswirkungen jener Pervertierung der katholischen Glaubenslehre, die diese Art von repressiver Sexualität allererst hervorbringt.

Mit seinem unfreiwilligen ›Liebesdienst‹ bezweckt Ignacio nämlich, seine erste große Liebe, den Mitschüler Enrique, zu retten, den der eifersüchtige Padre Manolo von der Schule werfen will, nachdem er die beiden nachts überrascht hat, als sie sich in eine Toilette einsperrten. Padre Manolo ist allerdings nicht nur eifersüchtig auf Enrique. Wenn er seinem Lustknaben Ignacio einschärft, Enrique übe einen »schädlichen Einfluss« auf ihn aus, so ist der Zuschauer zunächst verwundert. Worin sieht Padre Manolo eigentlich die große ›Gefahr‹?

Im Hinblick auf die der Messe vorangegangene Szene lässt sich diese ›Gefahr‹ zumindest erahnen. Ignacio und Enrique sitzen im Dunkel eines Kinosaales, um sich gegenseitig zu masturbieren. Dabei blickt die Kamera von hinten über ihre Schulter und zeigt auf der Leinwand ihre Masturbationsvorlage: das Bild einer übergroßen Frau. Nicht zufällig handelt es sich um die spanische Schauspielerin und Sängerin Sara Montiel, eine Ikone der Schwulen.

Almodóvar zeigt diese Szene, weil zwischen Padre Manolos ›reiner‹ Knabenliebe und der (homo-)erotischen Stimulation durch eine ›Frau‹ Welten liegen. Der ›schädliche Einfluss‹, den Padre Manolo durch den Schulverweis Enriques von Ignacio abhalten will, bezieht sich auf dessen mit Enrique geteiltes Interesse für das Weibliche. Der Plot des Films entspricht daher einer ›Wiederkehr des Verdrängten‹ – das nicht zufällig *weiblich* ist. In eben jener Sakristei, in der er Ignacio missbraucht hatte, wird der Priester 15 Jahre später von einer schlampig aussehenden jungen Frau mit Plateauschuhen und in einem Kleid im typischen 70er-Jahre-Look überrascht. Die Gegenwart einer Frau in der Sakristei ist für sich bereits ein Sakrileg. Mehr noch ist der Priester jedoch irritiert darüber, dass diese

Der Regisseur Enrique Goded (Fele Martínez)

Frau scheinbar keine Frau ist. Seine Irritation gipfelt schließlich in Entsetzen, als sich herausstellt, dass es ›sein‹ Ignacio ist, sein einstiger Lustknabe. Damit nicht genug, versucht Ignacio seinen früheren Lehrer mit einem Manuskript zu erpressen, in dem er den sexuellen Missbrauch beschreibt, den der Zuschauer, während Padre Manolo zu lesen beginnt, in Form einer ›Rückblende‹ miterlebt, die das Gelesene bebildert.

Mit dieser Form der artifiziellen Verschachtelung stellt Almodóvar den Missbrauch und seinen religiösen Nexus aus verschiedenen Perspektiven so dar, dass die Rolle des Opfers und des Täters mehrfach changiert – wie auch die der Geschlechter. *Schlechte Erziehung* spielt auf drei, wenn nicht gar vier verschiedenen Zeitebenen, die mittels kunstvoll arrangierter *Flashbacks* immer wieder überraschend ineinander greifen. Die eigentliche Filmhandlung setzt 18 Jahre nach dem Missbrauch ein. In Madrid 1980 schildert der Film die Ereignisse zunächst aus der Perspektive von Ignacios Jugendliebe Enrique (Fele Martínez), der mit seinen ersten Undergroundfilmen Erfolg hatte und bis zu einem gewissen Grad Almodóvars Alter Ego verkörpert, der ebenfalls 1980 mit *Pepi, Luci Bom* debütiert hatte. Wie Padre Manolo in der Rückblende, so erhält auch Enrique unverhofften Besuch, und ebenso wie der Priester konfrontiert der Besucher – ein junger Schauspieler, der behauptet, Ignacio zu sein, aber darauf besteht, Ángel (Gael García Bernal) genannt zu werden – ihn mit einem Manuskript, das diesen Besuch im Titel fiktional verdoppelt: »*La Visita*«.

Ángel/Juan/Zahara (Gael García Bernal)

Die Ineinanderspiegelung von Fiktion und Wirklichkeit kennzeichnet Almodóvars Werk insgesamt. Die Erzeugung von ›Realität‹ in den Medien, die Problematik der Filmproduktion und das Thema der Fiktionalität des Schreibens sind in seinen Filmen keine ›postmoderne‹ Zutat, sondern ein immer neu variiertes Grundmotiv: »Almodóvar erzählte mir«, so der spanische Schriftsteller Juan José Millas, »dass er wenige Tage vor der Oscar-Verleihung 2003, wo *Hable von ella* doppelt nominiert war und schließlich den Preis für das beste Drehbuch erhielt, unschlüssig gewesen sei, ob er nach Los Angeles gehen wolle. Er stand damals kurz vor Drehbeginn von *La mala educación* und fürchtete, dass ihn die Reise zu stark ablenken würde. Er wollte seinen Bruder Agustín schicken, damit der einen Text von ihm vorlesen werde, in dem er schrieb, dass Pedro an diesem Tag früh ins Bett ging, sofort einschlief und geträumt habe, dass der Moderator des Anlasses den Siegerfilm angekündigt habe: *Hable con ella* von Almodóvar. Agustín sei daraufhin aufgestanden und habe die Notiz von ihm vorgelesen, wonach Pedro an diesem Abend früh ins Bett gegangen, rasch eingeschlafen sei und einen Traum gehabt habe [...]« (Millás 2004: 37).

Das hier anklingende Motiv der ›Metafiktionalität‹ ist im Kino und vor allem in der Literatur überaus verbreitet. In Michael Endes *Unendlicher Geschichte* beispielsweise wird der Leser Bastian in die Geschehnisse eines Buches hineingezogen, das er gerade liest. In der Erzählung *Park ohne Ende* des argentinischen Schriftstellers Julio Cortázar wird umgekehrt ein Mann, der im Sessel sitzend ein Buch liest, von einer Figur ermordet, die aus eben diesem Buch heraussteigt. Calvinos fünf Figuren, die ihren Autor suchen, sind sogar schon sprichwörtlich für diese Form der Fiktionalisierung geworden. Miguel de Cervantes, der wie Almodóvar aus der Mancha stammt, hat diese Form der Autopoiesis schon vor 400 Jahren auf die Spitze getrieben, indem er die fiktive Figur seines Don Quijote als Leser des Buches *Don Quijote* beschreibt ...

Über die latente Beunruhigung, dass die Figur einer Fiktion auch Leser und Zuschauer sein kann, mutmaßt der Cervantes-Leser Jorge Luis Borges: »Solche Spiegelungen legen die Vermutung nahe, dass, sofern die Charaktere einer Fiktion auch Leser und Zuschauer sein können, wir, ihre Leser oder Zuschauer, fiktiv sein können.« Diese Vermutung wird beispielsweise in *Öffne die Augen*, dem gefeierten Erstling von Almodóvars jüngerem Landsmann Alejandro Amenábar, zur Gewissheit: Der Held des Films findet am Ende heraus, dass er in einer virtuellen Realität gefangen ist.

Amenábars Beispiel zeigt aber auch am deutlichsten, dass autopoietische Fiktionalisierungen abstrakte und manierierte Gedankenakrobatik bleiben, solange das Spiel um Schein und Sein nicht – wie bei Almodóvar – um die Sexualität zentriert ist. Im Hinblick auf Almodóvars virtuose Fiktionalisierungen entsteht der Verdacht, dass die Mutmaßung, die Welt um mich herum und ebenso ›ich selbst‹ sei der Traum eines bösen Vaters, eines »Betrügergottes« wie bei Descartes, in Wahrheit eine Chiffre für die Irritation des Subjekts über seine sexuelle Identität darstellt.

Diese Hypothese erfährt durch *Schlechte Erziehung* eine Bestätigung, wo Ignacio auch vor einem ausgesprochenen ›Betrügergott‹ steht, nämlich Padre Manolo. Das Motiv des *Besuchs*, bei dem ein ehemaliger Internatsschüler als Erwachsener seinen einstigen Verführer aufsucht, geht auf eine gleichnamige Kurzgeschichte zurück, die Almodóvar schon Jahre zuvor verfasst hatte. In einer beeindruckenden Szene aus *Das Gesetz der Begierde*, die im Kontext seinerzeit merkwürdig isoliert wirkte, spielte Carmen Maura die Figur, aus der nun in *Schlechte Erziehung* Ignacio geworden ist. In *Das Gesetz der Begierde* bleibt der ›Besuch‹ ein trauriges Zwischenkapitel:

Die Transsexuelle Tina hatte ein inzestuöses Verhältnis mit ihrem leiblichen Vater und änderte ihm zuliebe das Geschlecht – um trotzdem enttäuscht zu werden: »In meinem Leben gab es zwei Männer«, erklärt sie dem indignierten Padre Constantino (zu dem ›sie‹ ein ähnliches Verhältnis hatte wie der junge Ignacio zu Padre Manolo), »der eine waren Sie, mein geistiger Vater sozusagen. Und der andere mein wirklicher Vater. Beide haben mich verlassen. Seitdem traue ich keinem mehr.«

Ignacios ›Besuch‹ bei Padre Manolo setzt das Motiv der Erpressung ins bild das in *Schlechte Erziehung* den gesamten Plot strukturiert. Doch das augenscheinliche Motiv *für* die Erpressung, die Beschaffung des nötigen Geldes, um die Geschlechtsumwandlung zu vollenden, bildet nur die Deckschicht, unter der sich etwas Wesentlicheres verbirgt – die ›Anrufung des *Namens-des-Vaters*‹, bei der es Ignacio darum geht, sein sexuelles Sein neu zu definieren oder, moderner ausgedrückt, aus einem ›falschen Film‹ auszusteigen, um in einem anderen, möglicherweise besseren Film weiterzuleben.

Um eine ›Anrufung des *Namens-des-Vaters*‹ geht es auch bei dem Besuch, den der sich zunächst Ignacio, dann Ángel nennende Tingeltangel-Schauspieler auf der obersten Erzählebene, auf der die verwickelte Geschichte beginnt, überraschend Enrique abstattet. Ignacio bietet ihm das Manuskript *Der Besuch* zur Verfilmung an – allerdings unter der Bedingung, dass er die Hauptrolle bekommt.

Da Enrique gerade in einer Schaffenskrise steckt, beginnt er das Manuskript zu lesen – worauf eine fingierte Rückblende einsetzt. Dabei entsteht ein nachhaltiger Verblüffungseffekt, denn der Zuschauer erfährt erst eine ganze Weile später, dass er keinen *Flashback* gesehen hat, sondern den fast fertigen *Film-im-Film*, den Enrique nach Ángel/Ignacios Manuskript gedreht haben wird. Mit dieser Ellipse überspringt Almodóvar die Auseinandersetzung zwischen den beiden über die Besetzung der Hauptrolle, die er erst im übernächsten Schritt zeigen wird. So muss der Zuschauer, der die wahre Identität von Ángel/Ignacio noch nicht kennt, zunächst davon ausgehen, dass dieser sich in dem Film-im-Film ›selbst‹ verkörpert, nämlich einen flippigen Transvestiten im Jahr 1977, der mit seiner

Pedro Almodóvar und Gael García Bernal als Zahara

Travestieshow-Truppe *Die Hummeln* in jenem Ort auftritt, in dem er einst zur Schule gegangen war. Diese Gelegenheit benutzt er, um Padre Manolo zu erpressen, der ihn als 10-Jährigen sexuell missbraucht hatte. Doch in dieser Erzählschleife ist ein ›Fehler‹. Bekommen hat der vermeintliche Ignacio diese Rolle nämlich erst aufgrund einer diffizilen Auseinandersetzung, die nicht zufällig um seine sexuelle Orientierung kreist. Denn für den Regisseur Enrique stellt sich von der ersten (Wieder-)Begegnung an die Frage, ob dieser Ignacio tatsächlich ›der Richtige‹ ist – dies sogar in zweifacher Hinsicht: Ist der junge Schauspieler, der Ángel genannt werden möchte, tatsächlich der *richtige* Ignacio? Und ist er darüber hinaus der ›Richtige‹ für die Rolle im Film. Aber wer ist überhaupt der *richtige* Ignacio? Bislang hat der Zuschauer ihn nur als Kind gesehen – in einer Szene, die jedoch ihrerseits fiktiv ist.

Enriques diesbezügliche Neugier ist auch und vor allem sexueller Natur. Als er den ambitionierten Schauspieler in seinem Pool zu verführen versucht, zieht Ángel sich bewusst nur bis auf den Slip aus. Das eigentliche ›Objekt‹ von Enriques Begierde bleibt verhüllt. Um hinter den Schleier zu blicken, fährt Enrique in Ángels galicisches Heimatdorf, wo er schnell herausfindet, dass sein Jugendfreund Ignacio schon vor drei Jahren gestorben ist. Ein Foto im Flur des Elternhauses zeigt uns erstmals den *richtigen* Ignacio – neben einem Bild seines Bruders Juan: Jetzt wird Enrique (und auch dem Zuschauer) klar, dass Juan sich für seinen toten Bruder ausgibt – und nicht nur das …

Ignacios Mutter hat für Enrique, den sie aus den Erzählungen ihres verstorbenen Sohnes kennt, ein Manuskript aufbewahrt, dem ein kommentierender Brief beigefügt ist. Darin schreibt Ignacio, dass er durch Enriques Erfolg als Underground-Filmer erstmals seit der Internatszeit wieder von seiner Jugendliebe erfahren habe. Ignacio will Enrique das beigefügte Manuskript zum Geschenk machen – vielleicht wird ja ein Film daraus. Geschrieben habe er *Der Besuch*, in dem er den Missbrauch durch einen Priester dokumentiert, um von besagtem Padre Manolo, der viel »Schuld« auf sich geladen habe, das nötige Geld für die endgültige Geschlechtsumwandlung zu erpressen. Ignacio will, wie Lagrado in *Alles über meine Mutter* sagen würde, ›authentisch‹ sein, doch das kostet eine Kleinigkeit.

Durch diese Wendung erfährt der Zuschauer en passant, dass *zwei* Exemplare des Manuskripts *Der Besuch* existieren. Das eine hatte Ignacio in Ermangelung der genauen Adresse Enriques einfach ans Kulturministerium geschickt. Die Sendung hatte nicht an Enrique zugestellt werden können, die Mutter hat sie nach der Rücksendung aufbewahrt und so vor der Vernichtung durch Juan gerettet. Das andere Exemplar hatte Ignacio an Padre Manolo geschickt, der, wie wir später erfahren, inzwischen unter seinem bürgerlichen Namen Berenguer ein ›ziviles‹ Leben als Familienvater und Verlagslektor führt.

Die nicht lineare, äußerst sprunghafte Chronologie der Ereignisse dient Almodóvar dazu, die ›eigentliche‹ Geschichte vorwärts und rückwärts zugleich zu erzählen: So erfährt der Zuschauer erst am Filmende von der Beziehung zwischen Berenguer und Juan – aus der er erschließen kann, wie Juan in den Besitz des Manuskripts seines Bruders gelangt ist.

So erschütternd die Nachricht vom Tod seines Jugendfreundes für Enrique zunächst auch ist, motiviert sie ihn doch dazu, den offensichtlichen Betrüger Juan zu erpressen. Ohne ihm zu zeigen, dass er seine wahre Identität kennt, lässt er den heterosexuellen Schauspieler nur unter der Bedingung die Travestie-Rolle der Zahara[1] in *Der Besuch* spielen, dass dieser mit ihm eine homosexuelle Beziehung eingeht. Eine Szene zeigt Enrique beim Verkehr mit Juan, wobei Letzterer einen gequälten Gesichtsausdruck hat.

So setzt sich das Motivpaar Missbrauch-Erpressung, von dem das Manuskript *Der Besuch* handelt, als wesentliche Konstituente des *Films-im-Film* fort, während sich auf der Ebene des Plots von *Schlechte Erziehung* die *Wiederholung* als ein zentrales Moment erweist: Als Regisseur hat Enrique in gewissem Sinne die ›Nachfolge‹ von Padre Manolo angetreten.

Padre Manolo, so scheint es zunächst, ist die ›Wurzel des Übels‹. Im *Film-im-Film* wirkt seine Figur umso negativer, als sein Missbrauch sich sogar noch auf die musische Begabung des jungen Ignacio erstreckt. Dies drückt Almodóvar in einer der beeindruckendsten Szenen des *Films-im-Film* aus, als Ignacio Padre Manolo, der gerade zum Leiter des Klosterinternats ernannt worden ist, bei Tisch dessen Lieblingslied vorsingen muss. Der bis ins Innerste ergriffene Priester fällt dabei fast in eine religiöse Ekstase – eine durchaus *authentische Empfindung*, die jedoch umso obszöner erscheint, als der erotisch Subtext seiner Gefühle beim Hören des Gesanges offenkundig ist. Auch diese Szene ist autobiographisch motiviert:

> »Meine Star-Auftritte als Chorsänger gefielen den Mönchen, aus begierlichen Mondgesichtern starrten sie mich an. Der Schuldirektor hatte es besonders auf mich abgesehen« (Junk 1992: 13).

1. Im Film-im-Film kündigt Paquito (Javier Cámara) Zahara mit der unwiderstehlichen Beschreibung an, ›sie‹ sei eine »Mischung aus Wüste, Zufall und Cafeteria«.

Was Padre Manolo bei dieser Darbietung eigentlich empfindet, wird im Hinblick auf eine vorangegangene Szene deutlich, mit der die Rückblende innerhalb des *Films-im-Film* beginnt: Zur Belohnung für

Der junge Ignacio (Ignacio Pérez) singt für Padre Manolo (Daniel Giménez-Cacho)

ihre Leistungen unternehmen die besten Schüler einen Badeausflug. Während die anderen Jungen ausgelassen in einem Fluss herumtoben, muss Ignacio – von der Gruppe der Mitschüler separiert – allein für seinen ›väterlichen‹ Mentor *Moon River* singen (ein Lied, das mit Holly Golightly in *Frühstück bei Tiffany* assoziiert ist). Padre Manolo lauscht auch hier ergriffen. Die Kamera entfernt sich, wodurch die beiden aus dem Bild geraten. Plötzlich stockt der Gesang; Ignacio ruft »Nein!« und rennt fort, gefolgt von Padre Manolo – der sich gerade noch die Hose zuknöpft …

Wie bei der Abendmahls-Szene in der Sakristei, bei der Almodóvar den Missbrauch nicht zeigt, wird auch hier der Akt selbst nicht direkt ins Bild gesetzt. An seine Stelle setzt Almodóvar geschickt die Verknüpfung von Phallus und *Stimme*. Die Stimme des jungen Ignacio verkörpert für den pädophilen Padre ein *phallisches Objekt*. Man könnte einwenden, dass die implizierte Fellatio den Jungen ›verweiblicht‹. Doch das weibliche Genitale ist mit der Kastration und dem Mangel assoziiert – wohingegen die *Reinheit* von Ignacios Stimme im Sinne der religiösen Emphase für Padre Manolo zu einem Symbol phallischer Präsenz gerät. Im Hinblick auf die

Padre Manolo (Daniel Giménez-Cacho) missbraucht den jungen Ignacio (Ignacio Pérez)

Zweckentfremdung der Hostie, die ebenfalls oral eingeführt wird, schließt sich auf diese Weise der Kreis der religiös-sexuellen Symbolik.

Stünde der *Film-im-Film* für sich, so wäre Padre Manolo eine ausgesprochen negative Figur wie sie bislang in keinem Film von Almodóvar vorkam. In einer bemerkenswerten Abgrenzung vom Werk Fassbinders, dessen Blick für Frauengestalten er gleichwohl bewundert, spricht Almodóvar sich gegen eine moralische Polarisierung seiner Figuren aus: »Was mich von Fassbinder vor allem unterscheidet, ist sein Manichäismus bei der Denunziation von Ungerechtigkeiten, er sagt immer klar, wer die Bösen sind und wer die Guten, und die Bösen sind bei ihm wirklich Ungeheuer. Abgesehen von *Kika* habe ich meine Figuren nie schwarzweißgemalt. Ich verteidige sie in ihrer Komplexität und ihren Widersprüchen« (Strauss 1998: 174f.). Eine solche »Verteidigung« gibt es auch in *Schlechte Erziehung*. So tritt im letzten Viertel des Films Padre Manolo noch einmal auf, beinahe wie ein Deus ex machina. Aber es ist nicht der fiktive Priester, aus dem *Film-im-Film*, sondern der ›echte‹ – der inzwischen ein bürgerliches Leben führt und Berenguer (Lluis Homar) heißt. Er erscheint im Filmstudio und beobachtet zunächst unbemerkt und unerkannt die Dreharbeiten zur letzte Szene des *Films-im-Film*.

In dieser Szene – die den Zuschauer wiederum so sehr in den Bann zieht, dass er sich auf der ›realen‹ Erzählebene wähnt – versucht Juan in der Rolle des tuntigen Ignacio gerade, den Padre zu erpressen (insofern schließt sie sich bruchlos an die beiden bisher gesehenen Episoden aus *Der Besuch* an). Der stämmige Untergebene Padre José kommt hinzu, durchschaut die Situation und tötet den Erpresser, indem er ihm kurz entschlossen das Genick bricht – eine ›Problemlösung‹, die auffällig routiniert wirkt. Padre Manolo ist darüber zunächst erschüttert und hat Gewissensbisse: »Gott ist unser Zeuge«, gibt der Gottesmann zu bedenken. »Ja«, entgegnet Padre José mit zynischem Pragmatismus, »aber der ist auf unserer Seite.« – Durch diese wahrhaft ›schwarze‹ Pointe wird die moralische Verwerflichkeit Padre Manolos ein Stück weit relativiert.

Diese Relativierung wird sich noch verstärken, wenn Berenguer sich als das Vorbild der Figur des Padre Manolo zu erkennen gibt. Wir sehen einen heruntergekommenen, von Krankheit gezeichneten Mann, der nichts mehr von der Machtbewußtheit ausstrahlt, die Padre Manolo gegen seinen Lustknaben ausgespielt hatte. Die Differenzierung des negativen Bildes vom ›Kinderschänder‹, dessen Missbrauchspraxis von der Doppelmoral einer Institution gedeckt wurde, gibt der gesamten bis dahin entfalteten Geschichte eine neue Tönung. Um diese Differenzierung glaubhaft zu machen, schaltet Almodóvar eine weitere Rückblende ein, in der ›die Wahrheit‹ über Ignacios Erpressungsversuch erzählt wird, den der Zuschauer bisher nur als *Fiktion-in-der-Fiktion* kennt. Erst mit dem Wissen, das der Zuschauer durch diese Rückblende erlangt, ist er auch in der Lage zu verstehen, warum Juan nach Beendigung der Dreharbeiten des *Films-im-Film* hemmungslos in Tränen ausbricht. Denn eigentlich gäbe es für ihn keinen Grund zur Trauer. Der kleine Tingeltangel-Darsteller hat es geschafft: ein wahrscheinlich erfolgreicher Kinofilm mit ihm in der Hauptrolle ist abgedreht, ein kometenhafter Aufstieg steht ihm bevor. Dennoch bricht er nach der letzten Klappe förmlich zusammen. Juan weiß: an diesem Film stimmt etwas nicht. Sein Bruder Ignacio ist zwar tot – doch er starb anders, als Enrique in seinem Drehbuch vorgesehen hat. Wie er wirklich zu Tode kam, erfährt der Regisseur nun aus Berenguers Mund.

Im Zentrum dieser ›wahren‹ Geschichte steht nun – endlich – der echte Ignacio (Francisco Boira), den der Zuschauer bislang nur einmal auf dem Foto im Haus der Mutter gesehen hat. Er ist ein zynischer, verletzter Junkie und Transsexueller, der sich bereits einer teilweisen Geschlechtsumwandlung unterzogen hat, damit aber noch nicht zufrieden ist. Er braucht ständig Stoff, ist aber ebenso ›süchtig‹ danach, seinen Körper – wie schon La Agrado in *Alles über meine Mutter*, jedoch konsequenter als sie – durch eine abschließende Operation seinem ›Ideal‹ anzugleichen. Die Kosten dafür will er von Berenguer erpressen. So weit stimmt die ›wahre‹ Geschichte mit der Erzählung *Der Besuch* überein.

Neu für Enrique ist jedoch, dass Berenguer über Ignacios Erpressungsversuch dessen Bruder Juan kennen lernt – und sich leidenschaftlich in ihn verliebt. So gerät er in die typische Rolle des alternden Homosexuellen, dem es in gewisser Weise egal ist, dass sein Schicksal von einem manipulativen Stricher abhängt. Seine Leidenschaft ist stärker als seine Vernunft: »Die Woche mit Juan war die schönste in meinem Leben«, wird er zu Enrique sagen – obwohl ihm klar sein musste, dass ein solch ›appetitlicher‹ Junge von ihm eigentlich nichts will außer Geld und Geschenken. Durch diese neue Facette der Geschichte wird der frühere Missbrauch zwar nicht gerechtfertigt, doch indem Almodóvar den Zuschauer spüren lässt, wie Berenguer für seine Leidenschaft bezahlt hat, vermeidet er die allzu plakative Denunziation eines *homosexuellen* Priesters.

Der moralische ›Verlierer‹ in dieser Rückblende ist dagegen

Juan. Er lässt sich auf Berenguer vor allem deshalb ein, weil er mit dessen Hilfe eine Möglichkeit sieht, den Bruder, der ihm lästig geworden ist, loszuwerden. So überredet er Berenguer, Ignacio durch eine Überdosis Heroin umzubringen. Als Enrique begreift, dass Juan, mit dem er seiner Jugendliebe Ignacio ein Denkmal setzen wollte, zugleich dessen Mörder ist, ist es für ihn so, als verwandelte sich der *fiktive* Mord in seinem Film nachträglich in einen *realen*. Schließlich stammt die Drehbuchversion, die den Tod Ignacios vorsieht, von ihm selbst …

So ähnelt das Ende von *Schlechte Erziehung* dem Schluss von *Das Gesetz der Begierde*, wo der Regisseur Pablo Quintero die bittere Einsicht gewinnt, dass er mit seiner eigenen Kreativität den Liebhaber Antonio getötet hat. In *Schlechte Erziehung* hat sich auf ähnliche Weise die ›Schuld‹ Padre Manolos auf den Regisseur Enrique verlagert; auch er hat seine große Liebe symbolisch auf dem Gewissen. Es gibt keine Kreativität ohne Schuld.

Die Geburt des Dada

»Normalerweise erzählst du Geschichten, die du schon einmal irgendwo gesehen hast und die du einfach auf den Kopf stellst.«

Pedro Almodóvar

Als Almodóvar 1978 mit den Dreharbeiten zu *Pepi, Luci, Bom* begann, schrieb er nebenher eine Kurzgeschichte, eigentlich nur eine Skizze, die er im folgenden Jahr in dem Undergroundmagazin *Víbora* veröffentlichte. Sie ist mit *Die Geburt des Dada* überschrieben und enthält im Kern bereits einige Grundaspekte seines späteren Kinos. Die Geschichte, kaum vier Seiten lang, beginnt mit einem gesperrt gedruckten Wort: »ANONADADO«, was soviel bedeutet wie »sprachlos vor Erstaunen« oder »sprachloses Erstaunen«. Alles andere als sprachlos ist Almodóvar, der das Wort in fünf Silben zerlegt, um ihnen die Namen jener Figuren zuzuordnen, von denen die Geschichte handelt: »ANONADADO ist eine Gruppe, die sich aus zwei progressiven Ehepaaren und einer alleinstehenden Frau zusammensetzt, wobei letztere ziemlich verwegen und absolut spontan ist« (Almodóvar 1997: 147). Über die Gruppe heißt es weiter: »NO ist der Ehemann von NA, und DA ist die Frau von DO« (ebd.: 148).

In dieser wie zufällig hingeworfenen Figurenkonstellation zeichnet sich bereits jene Struktur ›Vier plus eins‹ ab, die schon am Ende des Kapitels über *Pepi, Luci Bom* skizziert wurde. Sie lässt sich nun im Schnelldurchlauf präzisieren: *Pepi, Luci, Bom* erzählt eine Geschichte über drei Frauen und einen Polizisten – *plus* »allgemeine Erektionen«. Letztere bilden das ›überzählige Element‹, das die Geschichte in Gang setzt. Am Ende von *Labyrinth der Leidenschaften* stehen sich zwei Paare gegenüber, deren Geschichte um jenes ›Objekt‹ kreist, das in der letzten Szene in Form des Flugzeuges augenzwinkernd ins Bild gerückt wird. In *Womit hab' ich das verdient?* bilden Mutter und Großmutter mit jeweils einem der beiden Söhne Glorias ein Paar – ›ausscheiden‹ musste hier im Sinne des überzähligen Elements der anachronistische (Macho-)Vater.

Auch in *Matador* kreist die Erzählung um zwei Paare und einen Kommissar als fünfte Figur. Variiert wird diese Konstellation in *High Heels*, wo Mutter und Tochter sowie ein Transvestit und ein typisch spanischer Macho das Personal bilden. Das ›fünfte Element‹ ist hier der Revolver. Auch in *Kika* zentriert sich die Handlung um vier Hauptfiguren, als ›störendes Element‹ bricht hier von außen ein Vergewaltiger ein, der dem Geschehen die entscheidende Wendung gibt. Geradezu ›klassisch‹ ausgebildet ist diese Konstellation in *Live Flesh*, wo der Sohn einer Hure das Schicksal zweier Paare, deren Beziehungen jeweils in einer Sackgasse steckt, in neue Bahnen lenkt. Nicht zufällig sind auch vier Frauen in Almodóvars bekanntestem Film ›am Rande des Nervenzusammenbruchs‹. Von vier Hauptfiguren und einem verlorenen Sohn erzählt Almodóvars oscarprämiertes Meisterwerk *Alles über meine Mutter*.

In *Sprich mit ihr* schließlich wird die ›Viererbande‹ von einem Reiseschriftsteller, einem Krankenpfleger und zwei Komapatientinnen gebildet. Das ›überzählige Element‹ ist zunächst ein Stierhorn, dem sich am Ende ein tot zur Welt kommendes Kind substituiert. Auch in *Schlechte Erziehung* entspricht die filmische Erzählung der Struktur ›Vier plus eins‹: Zwei Internatschüler begegnen sich nach 16 Jahren wieder; der eine ist Regisseur, der andere Schauspieler. Die Geschichte der beiden Jungen bildet mit deren Identität als Erwachsene wiederum ein Viereck. Das ›überzählige Element‹ in diesem Quartett, in dem verschiedene Positionen mehrfach besetzt sind, verkörpert ein katholischer Priester, der den einen der beiden als Kind missbraucht hat.

Vier plus eins – diese Serie beginnt mit der *Geburt des Dada*, einer Kurzgeschichte, in der noch weitere Prinzipien des Almodóvarschen Erzählens in nuce zu beobachten sind: Am Anfang war das Wort: ANONADADO. Es entspricht einem verdichteten Motiv, das seinen ›Sinn‹ durch Zerlegung preisgibt. Jede der fünf Silben verkörpert einer Figur, deren Schicksal jeweils von einem Sprachspiel abhängt: »Als A ihre vier Gefährten verlässt, bleiben diese als NONADADO zurück« (ebd.: 149). »No nadado« bedeutet, wie die Übersetzerin anmerkt, »nicht geschwommen«. So eröffnet sich den vieren nun »eine neue Welt: die Welt der Negation des nadado. Sie dürfen baden, aber nicht schwimmen. Wenn sie das Gebot missachten, wird ihnen etwas zustoßen« (ebd.).

Dieser im wahrsten Sinn ›dadaistischen‹ Nonsens-Dichtung mischt Almodóvar realistische Beobachtungen und Motive bei. So lesen wir: »NA ist die typisch einfältige Ehefrau, die von ihrem Ehemann, ohne dass er es unbedingt darauf anlegt, wie Luft behandelt wird. Als ob sie sein Schatten wäre, geht sie immer hinter ihm« (ebd.). Wenn wir erfahren, dass ›Na‹ in der gesprochenen Sprache eine verkürzte Form von ›nada‹ (= ›nichts‹) ist, so bekommen wir eine Ahnung, ›warum‹ die Frau von ihrem Mann ignoriert wird.

»Bei dem Ehepaar DA und DO«, so Almodóvar weiter, »läuft es genau andersherum. Zwar ist DA nicht unbedingt viel intelligenter als NA, aber sie ist in einer öden Feministinnengruppe aktiv, deshalb ist in diesem Fall sie diejenige, die immer vor ihrem Ehemann geht. Als ein Freund von DO (der gerade eine furchtbar schwere Zeit durchmachte – er unterzog sich einer Psychoanalyse) diesen darauf hinwies, dass er von DA dominiert werde, gestand ihm DO, dass er es als ein ständiges Geschenk betrachte, hinter DA hergehen zu dürfen« (ebd.). Dieses Geschenk bezieht sich wiederum auf den Namen seiner Frau, denn »da« ist eine Form des Verbs »dar« (= geben), »da« bedeutet wörtlich »sie gibt« (ebd.).

»Die Spielerei mit Namen und Silben« (Freud 1900a: 306), ja die »Silbenchemie« (ebd.: 303), mittels deren Almodóvar eine wild wuchernde Geschichte aus dem Wort ANONADADO herausliest, erinnert an Freud, der in der *Traumdeutung* vergleichbare »Wortklumpen« (ebd.: 302) zerlegt, beispielsweise »Autodidasker« (ebd.: 304): »Nun zerlegt sich *Autodidasker* leicht in *Autor*, *Autodidakt* und *Lasker*, an den sich der Name *Lasalle* schließt« (ebd.: 305). An jeden dieser Namen und Begriffe knüpft Freud jeweils eine Erinnerung, die zu einer ähnlich weitschweifigen Geschichte führt wie bei Almodóvar und die nicht selten auch so witzig ist: »Der Traum wird witzig, weil ihm der gerade und nächste Weg zum Ausdruck seiner Gedanken gesperrt ist; er wird es notgedrungen ... Der Machtbereich des Witzes ist ein uneingeschränkter« (ebd.: 303f.; 183).

Ähnlich wie bei Freud können wir in Almodóvars ›Erzähl-Matrix‹ zwischen zwei Schichten unterscheiden. Die ›Silbenchemie‹ wirkt als Motor der ›eigentlichen‹ Handlung, die, da sie von Wort- zu Sprachspiel hüpft, immer etwas schräg, unmotiviert, zufällig, haarsträubend oder skurril erscheint: So übersiedeln im weiteren Verlauf der Geschichte die beiden übrig gebliebenen Paare aus Angst vor dem Wasser in die Wüste, wo sie sich aber zu Tode langweilen. Als die beiden Männer ihre Frauen vorübergehend alleine lassen, bereuen NA und DA, dass sie A vertrieben haben, denn sie ist »zweifellos die interessanteste Person der Gruppe ...« (ebd.: 148).

Irgendwann beschließt DA, ihr Leben zu ändern, und verlässt das Quartett. Während sie ihr Hab und Gut verschenkt und Sekretärin bei der Caritas wird, führen die anderen nun eine Ehe zu dritt. Ein bettelnder Hippie, der von der übrig gebliebenen Dreiergruppe

Pedro Almodóvar bei den Dreharbeiten zu »Kika« als Van Gogh

abgewiesen wird, bekommt von DA, weil sie nichts mehr anderes besitzt, ihre Kleider. Als Nackte wird sie, da die Caritas eine sittliche Organisation ist, umgehend entlassen, worauf sie sich in die Berge begibt. Um sich selbst zu finden, ruft sie laut ihren Namen (DA):

»Das Echo warf ihren einsilbigen Ausruf zurück. Und damit war die Geburt des Dada vollzogen« (ebd.: 151).

Nicht nur die Geburt des Dada, sondern ebenso die des Almodóvarschen Erzähl-Universums ist in dieser Kurzgeschichte zu beobachten. Am Ende der Geschichte wird eine Frau sich von der Gruppe separieren, »um wieder zu sich selbst zu finden« (ebd.). Auch diese Bewegung ist in Almodóvars Filmen häufig anzutreffen. Gloria in *Womit hab' ich das verdient?*, Kika in dem nach ihr benannten Film, Leo in *Mein blühendes Geheimnis* und Manuela in *Alles über meine Mutter* ziehen sich aus einer Gruppe oder von einem Partner zurück. »Für Pepa führt diese Erfahrung zur Vorstellung von sich als eigenständige Frau, deren Glück nicht von Männern abhängt« (Bronfen 2002: 40).

Frauen verkörpern bei Almodóvar zweifellos die interessanteren Figuren. Sie lösen den traditionellen Machismo ab, ohne aber gleich »das Leitgeschlecht« (Vossen 1998: 169) zu bilden. Sie erreichen ihre Autonomie, indem sie den Mann von jenem ›besten Stück‹ separieren, das bereits in *Die Geburt des Dada* in gewisser Weise umcodiert wird: »Die Flucht von DA stellte ihre zurückbleibenden Gefährten NO, DO und NA vor eine neue Situation. Sie bändelten querbeet miteinander an, das heißt, DO blieb mit dem Ehepaar NONA zusammen, und sie führten eine Ehe zu dritt« (Almodóvar 1997: 151). »Nona« bedeutet, wie die Übersetzerin in einer Fußnote hervorhebt, unter anderem »Penis« (ebd.). NONA repräsentiert in dieser Textbewegung also nicht mehr allein das Ehepaar NO und NA, sondern auch den Phallus, den DO sich durch dieses Sprachspiel angeeignet hat.

Nicht um das *Organ* Penis geht es hier, sondern um den symbolischen Phallus, der als frei zirkulierendes ›Objekt‹ in unterschiedlichen Formen bei Almodóvar auftaucht: als Klöppel in *Mein blühendes Geheimnis*, als Schinkenknochen oder Lockenstab in *Womit hab' ich das verdient?*, als Revolver in *High Heels*, als Stierhorn in *Sprich mit ihr*, als batteriebetriebner Spielzeugtaucher in *Fessle mich!* oder – gemäß der »symbolische[n] Gleichung Penis = Kind« (Freud 1925j: 27) – als Manuelas Sohn in *Alles über meine Mutter*.

Seit den »allgemeinen Erektionen« in *Pepi, Luci, Bom* markiert dieses phallische Motiv in den Geschichten Almodóvars jenes strukturell überzählige Element, das den Anlass einer nicht selten verschlungenen Geschichte bildet. Interessanterweise verschwindet dieses ›odd element‹ am Ende der Geschichte nicht, es verhält sich stattdessen wie ein Katalysator, der eine chemische Umwandlung auslöst, ohne dabei als ›Stoff‹ verloren zu gehen: So bekommt in

Alles über meine Mutter die Krankenschwester Manuela, nachdem sie ihren Sohn verloren hat, ein *gleichnamiges* Kind (Esteban) von einer an Aids sterbenden Nonne überlassen, die es zuvor vom selben Vater empfangen hat. Und in *Live Flesh* ›bekommt‹ Victor zu Beginn einen Revolver und ›gibt‹ ihn am Ende seiner Freundin in Form eines Kindes zurück.

Die Väter sind bei Almodóvar nahezu durchweg schwache Figuren, sie sind meist physisch abwesend oder jämmerliche Karikaturen (wie der Taxifahrer in *Womit hab' ich das verdient?*). Umso erstaunlicher ist, dass der im Ödipuskomplex festgelegte Platz des Vaters und seine symbolische Funktion bei Almodóvar keineswegs verschwunden sind. Im Gegenteil. Von *Pepi, Luci, Bom,* wo der Telefonanruf des Vaters die entscheidende Wende auslöst, bis zu *Alles über meine Mutter,* wo die Krankenschwester Manuela sich nach dem Tod ihres Sohnes auf die Suche nach dem Vater begibt, ist die Vaterfunktion bestimmend. Selbst in *Das Gesetz der Begierde,* wo ein Schwuler und eine Transsexuelle eine für Almodóvar typische Ersatzfamilie jenseits der Blutsbande bilden, verliebt sich das ›geliehene‹ Kind wie jede ödipale Tochter in ihren (Ersatz-)Vater.

Die Väter haben also nicht den Löffel, sonder nur den Phallus abgegeben, der in den Geschichten frei zirkuliert und substituiert wird. Die Kunst Almodóvars besteht darin, dass diese Substitutionsbewegungen zwar stets sichtbar sind, sich aber nie in den Vordergrund drängen. In *Mein blühendes Geheimnis* beispielsweise wirft die Kitschromanautorin Leo ganz nebenbei ein vom Verleger abgelehntes Manuskript, mit dem sie sich ›auf der männlichen Seite‹ einschreibt, in den Müll – um es am Ende von einem Mann, der es entwendet hat, symbolisch zurückzubekommen, und zwar in Form einer Erfolgsmeldung: das Buch ist verfilmt worden, Leos Einschreibung ist geglückt.

Wie in *Mein blühendes Geheimnis* und auch in *Die Geburt des Dada* kommen die ›Geschichten‹ Almodóvars zwar ›irgendwie‹ immer zu einem Ende. Aber sie könnten auch gerade so weitergehen. Im Interview mit Frédéric Strauss plaudert Almodóvar nicht nur über verschiedene Varianten zu *Kika* oder *Live Flesh,* er erzählt auch, wie die Geschichte von *Fessle mich!* weitergehen würde, wenn der Film nicht ein Ende haben *müsste.*

Im Gegensatz zum konventionellen Hollywood-Drama entladen sich Almodóvars Geschichten nicht nach geradliniger Steigerung der Spannung in jenem ›Höhepunkt‹, dessen Analogon der männliche Orgasmus darstellt (und dessen Visualisierung in den Explosionen am Ende von James-Bond-Filmen schon beinahe *cam-*

py anmuten). Stattdessen haben die sich immer wieder ›umständlich‹ verzweigenden Plots des Spaniers etwas Mäanderndes; sie wirken eher wie der Tratsch, den eine böse Nachbarin der anderen brühwarm auftischt: »Ich kann mich noch gut daran erinnern«, so Almodóvar, »wie ich als kleiner Junge eine Gruppe von Frauen in einem Hinterhof sah. Sie redeten ununterbrochen miteinander. Ich fragte mich immer, worüber sie redeten. Welche Themen beschäftigten sie?« (Schultz 2000: 34). Almodóvars Filme geben darauf teilweise Antwort, sie tratschen: »Wer identifiziert sich schon mit einer Hauptfigur, die den Kranken im Hospital die Scheiße abwischen muss, deren Schwiegermutter Heroin drückt und deren Sohn stockschwul ist – und außerdem nur auf Schwarze steht!?«, heißt es beispielsweise in *Mein blühendes Geheimnis*.

Auch wenn diese Art von Diskurs nichts genuin ›Weibliches‹ ist, zählt sie doch zu den weiblichen Attributen. Das ›weibliche Erzählen‹, Grundthema in *Mein blühendes Geheimnis*, steht als Motiv nicht isoliert. Die Ausstattung der Filme, das berüchtigte ›Tuntenbarock‹, die aufgedonnerten Transvestiten und die schier unüberblickbare Fülle an Vasen, Bildchen und Figuren bilden nicht nur eine Zutat, sondern die logische Fortsetzung dieses Erzählstils. Dem Zuschauer ergeht es dabei immer ein wenig wie Padre Manolo in *Schlechte Erziehung*, der in der Sakristei völlig überraschend einer auffällig gekleideten Frau begegnet, die dort nicht nur deplaziert ist, sondern obendrein noch keine Frau zu sein scheint. Die Frauen bei Almodóvar sind nicht das, ›was sie sein sollen‹, und sie sind nie da, wo sie gemäß der ›männlichen Logik‹ des Hollywoodkinos hingehören. Der Hang zur Travestie, zum Bunten, Überzeichneten und zum Kitsch wirkt irritierend, weil ›das Weibliche‹, das hier inszeniert wird, immer ein wenig verschoben und entstellt erscheint – ohne dabei aber zur eindimensionalen Karikatur zu geraten wie etwa in Fellinis *Stadt der Frauen*. Diese Verschiebung zeigt sich bei Leo in *Mein blühendes Geheimnis*, die sich als Greta Garbo verkleidet wenn sie trinken geht, oder bei dem Junkie Ignacio, der in *Schlechte Erziehung* einmal als Boy George aufgemacht in ein Taxi steigt. Und sie zeigt sich am deutlichsten in *High Heels*, wo die alternde Diva Becky del Páramo in dem Transvestiten Femme Letal auf »die echte Becky« trifft – und etwas irritiert anmerkt: »Die echte Becky? Aber das bin doch ich!«

Vom frühen Film *Entre tinieblas*, wo die Sängerin Yolanda in der Klosterschneiderei vom ästhetischen Segen des Lurex-Stoffes erfährt, bis hin zu *Schlechte Erziehung*, wo Juan alias Ángel als Sara-Montiel-Imitation geschminkt und im funkelnden Paillettenkleid auf der Bühne steht, ziehen sich Travestie und Kitsch als gestalterische Konstante durch Almodóvars Filme. In diesem Sinne haben auch die zahlreichen Objekte, Figuren, Pflanzen und Bilder, die in jeder Einstellung von Pepas Wohnung in *Frauen am Rande des Nervenzusammenbruchs* zu sehen sind, nicht nur etwas mit »der Sucht nach dem stilisierten, scheinhaften und unwirklichen Leben, nach der Lebens-Attitüde, dem Existenz-Design« (Kilb 1989: 68) zu tun. Almodóvar selbst erklärt, er »umgebe [seine] Figuren systematisch mit Objekten, die verschiedene Aspekte haben, nicht nur der ästhetischen Seite des Films dienen, sondern dem Zuschauer Perspektiven auf die Figuren eröffnen« (Strauss 1998: 158f.). Der Regisseur will damit »eine naturalistische Darstellung« (ebd.) unterstützen.

Doch der typische ›Almodóvar-Look‹, der Eigelb mit Himmelblau, Giftgrün mit Blutrot kontrastiert, hat aber noch einen weiteren Aspekt. Das vielschichtige Funkeln, das Glitzern und die Überfülle an Objekten und Dekors erinnern an jenen »Glanz auf der Nase« (Freud 1927e: 311), hinter dem sich bei einem aus England stammenden Patienten Freuds der »Blick auf die Nase« (ebd.) verbarg (*glance* = Blick) und so zum *Fetischobjekt* werden konnte. Der ebenso neugierige wie verstohlene Blick des Machos Manuel unter *Femme Letals* Rock in *High Heels* ist die motivische Entsprechung zu diesem Funkeln und Glitzern, das der Zuschauer in Almodóvars Filmen in nahezu jeder Einstellung zu sehen bekommt. Nicht diese oder jene Vase, diese oder jene Skulptur oder der eine Lichtreflex des Paillettenkleides, sondern die konstitutive *Überfülle* dieser Gestaltungsmomente fungiert als visuelles Substitut für jenes ›fünfte Element‹, das nicht nur auf der Erzählebene die Geschichten motiviert, sondern ebenso die Form der Darstellung bestimmt.

Obwohl die Erzählbewegung, die Ausstattungen und die Figuren in jedem Film Almodóvars auf den ersten Blick als ›typisch‹ erkennbar sind, entsteht nie der Eindruck einer Wiederholung des immer Gleichen. Der Witz, das Komische und das Spiel der Accessoires sind Garanten dafür, dass der Funke jedes Mal wieder überspringt. Die Mischung aus »Wüste, Zufall und Cafeteria« gibt es nur bei Almodóvar. Mit seinem unverwechselbaren Witz erfindet er sich filmisch und auch privat immer wieder neu: »Deshalb habe ich daran gedacht, ein Pseudonym anzunehmen und auch schon einen Namen gefunden: Harry Cane. Wenn man das schnell sagt, klingt es wie *hurricane*, Wirbelsturm!« (Strauss 1998: 201).

Literatur

Almodóvar, Pedro (1988): Englisches Presseheft zu *Women on the Verge of a Nervous Breakdown*

— (1997): *Patty Diphusa und andere Geschichten*, Hamburg 1997: Edition 406

— (1994): Deutsches Presseheft zu *Kika*

— (1996): Deutsches Presseheft zu *Mein blühendes Geheimnis*

— (1998): Deutsches Presseheft zu *Live Flesh – Mit Haut und Haar*

— (2002): Deutsches Presseheft zu *Sprich mit ihr – Hable con ella*

Anger, Kenneth (1979): *Hollywood Babylon*, Reinbek: Rowohlt

Bataille, George (1972): *Das obszöne Werk*, Reinbek [18]2002: Rowohlt

Beier, Lars Olav (1999): »Verschwörung der Frauen. Alles über meine Mutter. Pedro Almodóvars Familienmelodram«, in: *Frankfurter Allgemeine Zeitung*, 4.11.1999, S. 49.

Brauerhoch, Annette (1989): »Frauen am Rande des Nervenzusammenbruchs«, in: *epd Film*, H. 3, S. 37

Bronfen, Elisabeth (2002): »Das Gesetz der Frauen. Weibliche Farben und männliche Blicke deuten«, in: *Du*, H. 729, S. 38-40

Cocteau, Jean (1930/1963): »Die geliebte Stimme«, in: ders., *Der Doppeladler. Die geliebte Stimme*, München 1963: dtv

Ebert, Roger (1990): »Tie me up! Tie me down«, in: *Chicago Sun Times*, 25.5.1990

Francke, Jürgen (1989): »Tour de Farce«, in: *Die Tageszeitung Bremen*, 2.9.1989

Freud, Sigmund (1900a): »Die Traumdeutung«. G.W. II/III, S. 1-642

— (1905c): »Der Witz und seine Beziehung zum Unbewußten«. G.W. VI

— (1910c): »Eine Kindheitserinnerung des Leonardo da Vinci«. G.W. VIII, S. 127-211

— (1911c): »Psychoanalytische Bemerkungen über einen autobiographisch beschriebenen Fall von Paranoia (Dementia Paranoides)«. G.W. VIII, S. 239-320

— (1925j): »Einige psychische Folgen des anatomischen Geschlechtsunterschieds«. G.W. XIV, S. 17-30

— (1927e): »Fetischismus«. G.W. XIV, S. 309-317

— (1986): »Briefe an Wilhelm Fließ«, Frankfurt a.M.: Fischer

Glombitza, Birgit: »Hauptsache, das Herz schlägt«, in: *Die Tageszeitung*, 4.11.1999, S. 14

Haas, Christoph (2001): *Almodóvar. Kino der Leidenschaften*, Hamburg/Wien, Europa Verlag

Hansen, Uschi (2002): »Sprich mit ihr – Hable con ella: ›Das-Werk‹-Tochter ›Mad Pix‹ kreierte die visuellen Effekte«, in: Deutsches Presseheft zu *Sprich mit ihr – Hable con ella*

Harguindey, Ángel (2002): »Almodóvars Rückkehr«, in: *Du*, H. 729, S. 42-47

Hemingway, Ernest (1977): *Tod am Nachmittag*, Zürich: Buchclub Ex Libris

Horst, Sabine (1996): »Sein, Schein und Schreiben. Pedro Almodóvars Film Mein blühendes Geheimnis«, in: *Frankfurter Rundschau*, 22.2.1996

Junk, Peter Stephan (1992): »Pedro Almodóvar«, in: *F.A.Z. Magazin*, 10.4.1992, S. 10-13.

Kilb, Andreas (1987): »Unter dem Neonmond. Pedro Almodóvars Film ›Das Gesetz der Begierde‹«, in: *Die Zeit*, 26.6.1987

— (1989): »Ärger im Paradies«, in: *Die Zeit*, 3.3.1989, S. 68

Lasinger, Wolfgang: »Balance der Emotionen«, in: *artechock* [www.film@artechock.de]

Lacan, Jacques (1962/63): »L'Angoisse« (Seminar X; unveröffentl.)

— (1973): »Das Spiegelstadium als Bildner der Ichfunktion, wie sie uns in der psychoanalytischen Erfahrung erscheint«, in: ders., *Schriften I*, Olten: Walter, S. 61-70

— (1978): *Das Seminar Buch XI. Die vier Grundbegriffe der Psychoanalyse*. Olten: Walter

— (1986a): »Hamlet I-IV«, in: *WO ES WAR*, H. 2, S.: 3-60

— (1986b): »Hamlet V-VII«, in: *WO ES WAR*, H. 3-4, S. 3-45

— (1997): *Das Seminar Buch III. Die Psychosen*. Weinheim: Quadriga

Masters, R.E.L. (1968): *Die teuflische Wollust. Sex und Satanismus*, München: Lichtenberg

Matussek, Matthias (1989): »Im Auge des Reptils«, in: *Der Spiegel*, Nr. 9, S. 206-214

Millás, Juan José (2004): »Alles über Pedro Almodóvar«, in: *Das Magazin* (Wochenendbeilage zu *Der Tagesanzeiger*, Zürich), H. 19, S. 32-46

Nicodemus, Katja (2002): »Wo die Sprache aufhört«, in: *Die Zeit*, Nr. 33, 8.8.2002

Nord, Christina (2002): »Der eine spricht, der andere nicht«, in: *Die Tageszeitung*, 8.8.2002, S. 13

Nowak, Nikolaus (2002): »Töten müssen und leben lassen. Eine Kontroverse um den Tod von Stieren für den neuen Almodóvar-Film«, in: *Die Welt*, 10.1.2002

Rendell, Ruth (1987): *In blinder Panik*, Reinbek: Rowohlt

Riepe, Manfred (1995): »Das Gespenst der Gewalt. Was Sie schon immer über Gewaltdarstellung wissen wollten, sich aber bislang nicht zusammenzureimen trauten«, in: Florian Rötzer (Hg.), *Das Böse*, Göttingen: Steidl, S. 299-328

— (1996): »Karzinome der Lust«, in: *Kunstforum*, H. 133, S. 200-207

— (1997): »Sie kommen von innen. Körper und Fremdkörper in David Cronenbergs Filmen«, in: *RISS. Zeitschrift für Psychoanalyse*, H. 39/40, S. 177-198

— (2000): »Der große Andere und der kleine Unterschied. Vom Gödelschen Unvollständigkeitssatz zum Namen-des-Vaters bei Lacan«, in: *RISS. Zeitschrift für Psychoanalyse*, H. 47, S. 41-69

— (2001): »Freud und Fechner. Zur Rekonstruktion eines Paradigmenwechsels«, in: G.Ch. Tholen, G. Schmitz, M. Riepe (Hg.), *Übertragung – Übersetzung – Überlieferung. Episteme und Sprache (in) der Psychoanalyse Lacans*, Bielefeld: transcript

— (2002a): »Gustav Theodor Fechners Bedeutung für die Psychoanalyse: Ein Mythos«, in: *Psyche*, 56. Jg., H. 8, S. 756-789

— (2002b): *Bildgeschwüre. Körper und Fremdkörper im Kino David Cronenbergs*, Bielefeld: transcript

— (2004a): »New York Underground: Von Hardcore zu Artcore. Lydia Lunch, Richard Kern und das Cinema of Transgression«, in: B. Kiefer/M. Stiglegger (Hg.), *Pop und Kino. Von Elvis bis zu Eminem*, Mainz: Ventil Verlag, S. 137-145

— (2004c): »Maßnahmen gegen die Gewalt«, in: Julia Köhne, Ralph Kusche, Arno Meteling (Hg.), *Splatter Movies. Essays zum Modernen Horrorfilm*, Berlin: Bertz

Roether, Diemuth (1998): »Frei, aber allein«, in: *Die Tageszeitung*, 17.6.1998, S. 15

Schultz, Gabriele (2000): »Pedro Almodóvar ›Ich hätte gerne mehr Sex-Appeal‹. Der spanische ›Oscar‹-Gewinner Pedro Almodóvar über seine Liebe zu Frauen, Männern und Transvestiten«, in: *Die Welt*, 29.3.2000, S. 34.

Seeliger, Anja (1996): »Langsam verklingen die Schritte«, in: *Die Tageszeitung*, 2.1.1996, S. 16

Seeßlen, Georg (1994): »Kika«, in: *epd Film*, H. 3, S. 38

Smith, Paul Julian (2000): *Desire unlimited. The Cinema of Pedro Almodóvar*, London/New York: Verso

Stiglegger, Marcus (2002): »Corrida der Liebe unter einer sterbenden Sonne. Sadomasochismus und Stierkampf in Pedro Almodóvars Matador«, in: *Ikonen*, H. 0, S. 20-23

Strauss, Frédéric (1998): *Filmen am Rande des Nervenzusammenbruchs. Ein Gespräch*, Frankfurt a.M.: Verlag der Autoren

Vidal, Nuria (1988): *El cine de Pedro Almodóvar*, Barcelona: Destino

Vossen, Usula (1998): »Konvergenz der Geschlechter«, in: Jürgen Felix (Hg.), *Unter die Haut*, St. Augustin: Gardez Verlag 1998, S. 157-178

Würker, Wolfgang (1989): »Cocktail aus Tomaten und Tabletten«, in: *FAZ*, 15.2.1989

Žižek, Slavoj (1991): *Liebe Dein Symptom wie Dich selbst*, Berlin: Merve

Filmographie

Underground-Filme

Dos putas, o historia de amor que termina en boda (Zwei Huren oder eine Liebesgeschichte, die mit einer Heirat endet). 1974. 10 Min. Super 8

Film político (Politischer Film). 1974. 10 Min. Super 8

La caida de sodoma (Der Untergang von Sodom). 1975. 10 Min. Super 8 *Homenaje* (Huldigung). 1975. Super 8

El sueño, o la estrella (Der Traum oder Der Star). 1975. 12 Min. Super 8 *Trailer de ›Who's afraid of Virginia Woolf‹?* 1976. 5 Min. Super 8

Sea caritativo (Sei barmherzig). 1976. 5 Min. Super 8

Las tras ventajas de ponte (Die drei Vorzüge von Ponte). 1977. 5 Min. Super 8.

Sexo va, sexo viene (Sex geht, Sex kommt). 1977. 17 Min. Super 8

Complementos (Beiprogramm). 1977. Kurzfilmserie: Pseudo-Wochenschauen, -Werbefilme und -Trailer, zu denen auch die oben genannten *Film político, Blancor* und *Trailer de ›Who's afraid of Virginia Woolf‹?* gehören. Super 8

Folle ... folle ... fólleme ... Tim (Fick ... fick ... fick mich ... Tim). 1978. Programmfüllend. Super 8

Salomé (Salome). 1978. 11 Min. 16 mm

Spielfilme

Pepi, Luci, Bom y otras chicas del montón (Pepi, Luci, Bom und andere Mädchen aus dem Haufen, 1980) **Regie** und **Buch**: Pedro Almodóvar, **Kamera**: Paco Femenia, **Ton**: Miguel Polo, **Kostüme**: Manuela Camacho, **Schnitt**: Pepe Salcedo, Lieder: *Tu loca juventud, Estaba Escrito,* **Darsteller**: Carmen Maura: Pepi, Félix Rotaeta: der Polizist/sein Zwillingsbruder, Olvido Gara (Alaska): Bom, Eva

Siva (Ana Curra): Luci, Concha Grégori: Charito, Lucis Nachbarin, Kiti Manver: Model und Sängerin, Cecilia Roth: das Model aus dem *Ponte*-Werbespot, Julieta Serrano: Frau im Kostüm von Scarlett O'Hara, Cristina Sánchez Pascual: die bärtige Frau, Fabio de Miguel (Mc Namara): Roxy, Diego Álvarez: der Sohn von »Scarlett O'Hara«, Agustín Almodóvar: Junge im Publikum

Laberinto de pasiones (Labyrinth der Leidenschaften, 1982), **Regie** und **Buch**: Pedro Almodóvar, **Kamera**: Ángel Luíz Fernández, **Ton**: Martin Müller, **Bauten**: Pedro Almodóvar, **Kostüme**: Marina Rodríguez, **Schnitt**: José Salcedo, **Lieder**: *Suck it to me*, von Bernardo Bonezzi, Fanny McNamara und Pedro Almodóvar; *Gran Ganga*, von Bernardo Bonezzi und Pedro Almodóvar, **Darsteller**: Cecilia Roth: Sexilia, Imanol Arias: Riza Niro, Helga Liné: Toraya, Marta Fernández Muro: Queti, Fernando Vivanco: Doktor de la Peña, Ofelia Angélica: Susana, Angel Alcázar: Eusebio, Concha Grégori: Angustia, Cristina Sánchez Pascual: Eusebios Freundin, Fanny McNamara: Fabio, Antonio Banderas: Sadec, Luis Ciges: Wäschereibesitzer, Agustin Almodovar: Hasan, Maria Elena Flores: Remedios, Ana Trigo: Nana, Javier Perez Grueso: Santi, Santiago Auseron: Angel, Paco Perez Brian: Manuel Angel, Jose Carlos Quiros: Ali, Javier Ulacia: Kellner, Teresa Tomas: Angustias Mutter

Entre tinieblas (Das Kloster zum heiligen Wahnsinn, 1983), **Regie** und **Buch**: Pedro Almodóvar, **Kamera**: Ángel Luis Fernández, **Ton**: Martin Müller, Armin Fausten, **Bauten** und **Ausstattung**: Pin Morales und Román Arango, **Kostüme**: Francis Montesinos, Terese Nieto Morán, **Schnitt**: José Salcedo, **Lieder**: *Salí porque salí*, von Curel Alonso, gesungen von Sol Pilas; *Encadenados*, von Carlos Arturo Briz, gesungen von Lucho Gatia; *Suck it to me*, von Bernardo Bonezzi, Fanny McNamara und Pedro Almodóvar, **Darsteller**: Cristina Sánchez Pascual: Yolanda Bel, Julieta Serrano: Mutter Oberin, Marisa Paredes: Schwester, Kot, Mary Carrillo: Marquesa, Nina Canalejas: Schwester Kobra, Manuel Zarzo: Priester, Carmen Maura: Schwester Chaos, Chus Lampreave: Schwester Straßenratte, Marisa Tejada: Lola, Eva Siva: Antonia, Cecilia Roth: Merche, Concha Grégori: Sofía, Pedro Almodóvar: Fahrgast im Bus, Agustín Almodóvar: Briefträger

¿Que he hecho yo para menecer esto! (Womit hab' ich das verdient? 1984), **Regie** und **Buch**: Pedro Almodóvar, **Kamera**: Ángel Luiz Fernández und José Luis Martínez, **Ton**: Bernardo Menz, **Bauten** und **Ausstattung**: Pin Morales, Román Arango, **Kostüme**: Cecilia Roth, **Schnitt**: José Salcedo, **Musik**: Bernardo Bonezzi, **Lieder**: *La bien pa-*

gá, von Perello und Mostazo, gesungen von Miguel Molina; *Nicht nur aus Liebe weinen*, von Theo Mackeben und Hans Fritz Beckmann, gesungen von Zarah Leander, **Darsteller**: Carmen Maura: Gloria, Luis Hostalot: Polo, Ryo Hiruma: Professor, Ángel de Andrés López: Antonio, Gonzalo Suárez: Lucas Villalba, Verónica Forqué: Carmen Martínez (alias Cristal), Juan Martínez: Juan Chus Lampreave: Abuela, Kiti Manver: Juani, Sonia Anabela Holimann: Vanesa, Cecilia Roth: Mädchen im Fernsehen, Pedro Almodóvar: Der »Husar« im Fernsehen, Fany McNamara: »Scarlett O'Hara« im Fernsehen, Miguel Ángel Herranz: Miguel, Amparo Soler Leal: Patricia Emilio Gutiérrez Caba: Pedro, Francisca Caballera: Paquita, Javier Gurruchaga: ›kinderfreundlicher‹ Zahnarzt, Jaime Chavarri: »Mann mit dem Riesenschwanz«, Katia Loritz: Ingrid Müller, María del Carmen Rives: Apotheker, Carlos Miguel: Vater von Vanesa, Agustín Almodóvar: Kassierer

Matador (Matador, 1986), **Regie**: Pedro Almodóvar, **Buch**: Pedro Almodóvar und Jesús Ferrero, **Kamera**: Ángel Luiz Fernández, **Ton**: Bernard Orthion, Tino Azores, **Bauten**: Román Arango, José Morales, Josep Salcedo, **Kostüme**: José María Cossió, **Schnitt**: José Salcedo, **Musik**. Bernardo Bonezzi, **Lied**: *Espérame en el cielo, corazón*, gesungen von Mina, **Darsteller**: Assumpta Serna: María, Antonio Banderas: Ángel, Nacho Martínez: Diego, Eva Cobo: Eva, Julieta Serrano: Berta, Evas Mutter, Chus Lampreave: Pilar, Mutter von Ángel, Carmen Maura: Julia, Eusebio Poncela: Kommissar, Bibí Andersen: Blumenverkäuferin, Luis Ciges: Diegos Hausverwalter, Verónica Forqué: Journalistin, Pepa Merino: Marías Sekretärin

La ley del deseo (Das Gesetz der Begierde, 1986), **Regie** und **Buch**: Pedro Almodóvar **Kamera**: Ángel Luis Fernández, **Ton**: James Willis, **Bauten**: Javier Fernández, **Kostüme**: José María Cossío, **Schnitt**: José Salcedo, **Lieder und Musikausschnitte**: *El adios de gloria*, von Bernardo Bonezzi; *Lo dudo*, von Navarro, gesungen von Los Panchos; *Ne me quitte pas*, von Jacques Brel, gesungen von Marisa Matarazzo; *Guarda che luna*, von G. Malgoni, gesungen von Fred Bongousto; *La despedida*, von Bernardo Bonezzi; *Déjame recondar*, von Bola de Nieve; *Voy a ser mamá*, *Susan get down* und *Satanasa*, von F. de Miguel, P. Almodóvar und B. Bonezzi; *10. Sinfonie e-Moll op 93*, von Dimitrij Schostakowitsch; *Tango*, von Igor Strawinsky, **Darsteller**: Eusebio Poncela: Pablo Quintero, Carmen Maura: Tina Quintero, Antonio Banderas: Antonio Benítez, Miguel Molina: Juan Bermúdez, Manuela Velasco: Ada (Kind), Bibí Andersen: Ada (Mutter), Nacho Martínez: Doktor Martín, Helga Liné: Antonios Mutter, Fernando Guillén: Polizeikommissar, Marta

Fernández Muro: ein Groupie, Agustín Almodóvar: Anwalt, Pedro Almodóvar: Verkäufer im Eisenwarenladen Rossy de Palma: Interviewerin im Fernsehen, Victoria Abril: nicht aufgelistet

Mucheres al borde de un ataque de nervios (Frauen am Rande des Nervenzusammenbruchs, 1988), **Regie** und **Buch**: Pedro Almodóvar, **Kamera**: José Luis Alcaine, **Ton**: Guille Orthion **Bauten**: Felix Murcia, **Schnitt**: José Selcedo, **Kostüme**: José María Cossío, **Musik**: Bernardo Bonezzi, **Produktionsleitung**: Esther García, **Produktion**: Agustín Almodóvar, **Lieder und Musikausschnitte**: *Soy infeliz*, von Ventura Rodriguez, gesungen von Lola Beltrán; *Puro teatro*, von Curet Alonso, gesungen von La Lupe; *Spanisches Capriccioso op 34* und *Suite Scheherazade op 35*, von Nikolaj Rimskij-Korsakow, **Darsteller**: Carmen Maura: Pepa, Antonio Banderas: Carlos, Julieta Serrano: Lucía, Rossy de Palma: Marisa, María Barranco: Candela, Kiti Manver: Paulina Morales, Chus Lampreave: Concierge, die bei Jehovas Zeugen ist, Fernando Guillén: Iván – die Stimme, Guillermo Montesinos: Fahrer des Mambo-Taxis, Yayo Calvo: Lucías Vater, Loles León: Sekretärin, Ángel de Andrés López: erster Polizist, José Antonio Navarro: zweiter Polizist, Mary González: Lucías Mutter, Lupe Barrado: Paulina Morales' Sekretärin, Susana Mirano: erste Kundin in der Apotheke, Paquita Fernández: zweite Kundin in der Apotheke, Francisca Caballero: Fernsehansagerin, Agustín Almodóvar: Immobilienagent

¡Atame! (Fessle mich! 1989), **Regie** und **Buch**: Pedro Almodóvar, **Kamera**: José Luis Alcaine, **Ton**: Goldstein & Steinberg, **Bauten**: Ferrán Sánchez, **Kostüme**: José María Cossío **Schnitt**: José Salcedo, **Musik**: Ennio Morione, **Produktionsleitung**: Esther García, **Produktion**: Agustín Almodóvar, **Lieder**: *Canción del alma*, von Rafael Hernández, gesungen von Loles León; *Resistire*, von Carlos Toro Montoro und Manuel de la Calva Diego; *Celos* (Jalousie), von Jacob Gade; *Satanasa*, von F. de Miguel, P. Almodóvar und B. Bonezzi, **Darsteller**: Victoria Abril: Marina, Antonio Banderas: Ricky, Loles León: Lola, Julieta Serrano: Alma, María Barranco: Ärztin, Rossy de Palma: Drogendealerin auf der Vespa, Francisco Rabal: Máximo Espejo, Oswaldo Delgado: Das »Mitternachtsphantom«, Montse G. Romeu: Journalistin, Agustín Almodóvar: Drogist, Francisca Caballero: Marinas Mutter

Tacones lejanos (High Heels – Die Waffen einer Frau, 1991), **Regie** und **Buch**: Pedro Almodóvar, **Kamera**: Alfredo Mayo, **Ton**: Jean-Paul Mugel, **Bauten**: Pierre-Louis Thevenet **Kostüme**: José María Cossío, **Schnitt**: José Salcedo, **Musik**: Ryuichi Sakamoto **Lieder und Musikaus-**

schnitte: *Pecadora*, gesungen von Los Hermanos Rosario *Piensa en mi*, von Agustín Lara, gesungen von Luz Casal; *Un año de amor*, von Nino Ferrer, gesungen von Basado en las Temas und Luz Casal; *Soleá* und *Seata*, von Gil Evans, gespielt von Miles Davis; *Beyond control* und *A fine request* von George Fenton, **Darsteller**: Victoria Abril: Rebeca, Marisa Paredes: Becky del Páramo, Miguel Bosé: Untersuchungsrichter Juez Domínguez/Hugo/Femme Letal, Ana Lizaran: Margarita, Mairata O'Wisiedo: Mutter von Juez Domínguez, Cristina Marcos: Paula, Féodor Atkine: Manuel, Bibí Andersen: Susana, Pedro Díaz del Corral: Alberto, Nacho Martínez: Juan, Vater von Rebeca, Miriam Díaz Aroca: Isabel, Javier Bardem: TV-Regisseur, Agustín Almodóvar: Kunde im Fotoladen, Rocío Muñoz: Rebeca als Mädchen

Kika (Kika, 1993), **Regie** und **Buch**: Pedro Almodóvar, **Produktion**: Agustín Almodóvar, **Produktionsleitung**: Esther García, **Kamera**: Alfredo Mayo, **Schnitt**: Pepe Salcedo, **Bauten**: Javier, Ton: Jean-Paul Mugel, **Kostüme**: José María De Cossio in Zusammenarbeit mit Gianni Versace, **Kostüme Victoria Abril**: Jean-Paul Gaultier, **Lieder und Musikausschnitte**: *Luz de luna*, von Álvaro Carrillo, gesungen von Chavela Vargas, *Guaglione*, von G. Fanciulli y Nisa, *Danza Española n° 5*, von Enrique Granados; Filmmusik aus *Psycho*, von Bernard Herrmann, *Mamá Yo quieto*, von Jararaca y Pavia, gesungen von Pérez Prado, *La comparsita*, von Matos Rodríguez, gesungen von Xavier Cugat, *Youkali Tango Habanera*, von Kurt Weill, **Darsteller**: Verónica Forqué: Kika, Peter Coyote: Nicholas, Victoria Abril: Andrea »Caracortada«, Álex Casanovas: Ramón, Rossy de Palma: Juana, Anabel Alonso: Amparo, Bibí Andersen: Susana, Francisca Caballero: Doña Paquita, Claudia Aros: Model, Agustín Almodóvar: Türschreiner

La flor de mi secreto (Mein blühendes Geheimnis, 1995), **Regie** und **Buch**: Pedro Almodóvar, **Kamrea**: Affonso Beato, **Produktionsleitung**: Esther García, **Produktion**: Agustín Almodóvar, **Schnitt**: José Salcedo, **Ton**: Bernardo Menz, **Bauten**: Wolfgang Burmann, **Musik**: Alberto Iglesias, **Lieder**: *Ay Amor*, von Ignacio Jacinto Villa, gesungen von Bola de Nieve; *Tonada de luna*, von Simón Díaz, gesungen von Caetano Veloso; *En ultimo trago*, von Alfredo Jiménez Sandoval, gesungen von Chavela Vargas; *Soleá*, von Gil Evans, gespielt von Miles Davis, **Darsteller**: Marisa Paredes: Leo Macías, Juan Echanove: Ángel, Carmen Elías: Betty, Rossy de Palma: Rosa, Chus Lampreave: Leos Mutter, Kiti Manver: Manuela, Joaquín Cortés: Antonio, Manuela Vargas: Blanca, Imanol Arias: Paco, Gloria Muñoz: Alicia, Juan José Otegui: Tomás, Nancho Novo: Doktor B, Jordi

Mollà: Doktor A *Live Flesh* (Live Flesh – Mit Haut und Haar, 1997), **Regie**: Pedro Almodóvar, *Buch*: Pedro Almodóvar, in Zusammenarbeit mit Jorge Guerricaechevarría und Ray Loriga, nach dem Roman von Ruth Rendell, **Produktion** Agustín Almodóvar, **Produktionsleitung**: Esther García, **Kamera**: Affonso Beato, **Schnitt**: José Salcedo, **Musik**: Alberto Iglesias, **Lieder und Musikausschnitte**: *Ay mi perro*, von J. Del Valle, G. Ladrón de Guevara und A. Alguerό; *Sufre como yo*, von J. M. Fonollosa, A. Plá Alvarez; *El rosario de mi madre*, von Mario Cavagnaro Llerena, gesungen von El Duquende; *Whirl – y- reel 2*, von Simon Emerson & Davey Spillane, **Darsteller**: Javier Bardem: David de Paz, Francesca Neri: Elena Benedetti Liberto Rabal: Víctor Plaza, Ángela Molina: Clara, José Sancho: Sancho, Penélope Cruz: Isabel Plaza, Victors Mutter, Pilar Bardem: Doña Centro, Álex Angulo: Busfahrer

Todo sobre mi madre (Alles über meine Mutter, 1999), **Regie** und **Buch**: Pedro Almodóvar, **Produktion**: Agustín Almodóvar, **Produktionsleitung**: Esther García, **Kamera**: Affonso Beato, **Ton**: Manuel Rejas, **Schnitt**: José Salcedo, **Musik**: Alberto Iglesias, **Lieder und Musikausschnitte**: *Gorríon*, von Dino Saluzzi, gespielt von M. Johnson und J. Saluzzi; *Coral para mi pequeño y lejano pueblo*, von Dino Saluzzi, gespielt von M. Johnson und J. Saluzzi; *Tajabone*, gesungen von Ismaêl Lô, **Darsteller**: Cecilia Roth: Manuela, Marisa Paredes: Huma Rojo, Candela Peña: Nina, Antonia San Juan: Agrado, Penélope Cruz: Hermana Rosa, Rosa María Sardà: Rosas Mutter (Chagall-Fälscherin), Fernando Fernán Gómez: Rosas Vater, Toni Cantó: Lola – Estebans Vater, Eloy Azorín: Esteban, Carlos Lozano: Mario

Hable con ella (Sprich mit ihr, 2002), **Regie** und **Buch**: Pedro Almodóvar, **Produktion**: Agustín Almodóvar, **Produktionsleitung**: Esther García, **Kamera**: Javier Aguirresarobe, **Schnitt**: José Salcedo, **Bauten**: Antxon Gómez, **Kostüme**: Sonia Grande, **Choreographie**: Pina Bausch, **Musik**: Aberto Iglesias, **Musikausschnitte und Lieder**: *Cucurucucú Paloma*, interpretiert von Caetano Veloso u.a., **Darsteller**: Javier Cámara: Benigno, Darío Grandinetti: Marco, Leonor Watling: Alicia, Rosario Flores: Lydia, Geraldine Chaplin: Katerina Bilova, Caetano Veloso: Caetano Veloso, Pina Bausch: Pina Bausch, Paz Vega: Amparo, Fele Martínez: Alfredo, Adolfo Fernández: El Niño de Valencia, Pepe Sancho: Agent von El Niño, Helio Pedregal: Alicias Vater, Chus Lampreave: Concierge, Loles Léon: TV-Moderatorin

La mala educación (Schlechte Erziehung, 2004), **Regie und Buch**: Pedro Almodóvar, **Produktion**: Agustín Almodóvar, **Produktionsleitung**: Esther García, **Kamera**: José Luis Alcaine, **Ton**: Miguel Rejas, **Schnitt**: José Salcedo, **Musik**: Alberto Iglesias, **Lieder und Musikausschnitte**: *Quizas, Quizas, Quizas*, gesungen von Sara Montiel; *Maniquí Parisien*, gesungen von Sara Montiel; *Cuore Matto*, gesungen von Little Tony; *Moon River*, Musik: Henry Mancini, Text: Johnny Mercer, gesungen von Pedro Jose Sanchez Martinez; *Torna A Surriento*, gesungen von Pedro Jos Sínez, **Darsteller**: Gael García Bernal: Ángel/Juan/Zahara, Fele Martínez: Enrique Goded, Daniel Giménez Cacho: Padre Manolo, Lluís Homar: Berenguer, Javier Cámara: Paca/Paquito, Petra Martínez: Mutter, Francisco Boira: Ignacio, Nacho Pérez: Ignacio als Junge, Raúl García Foriero: Enrique als Junge, Alberto Ferreiro: Enrique Serrano (Enrique im Film-im-Film)

Abbildungsverzeichnis